El Oráculo de tu Cumpleaños

Descubre lo que tu fecha de cumpleaños revela sobre ti

Pam Carruthers

Traducido por Lorena Hidalgo Zebadúa

Grupo Editorial Tomo, S.A. de C.V.,
Nicolás San Juan 1043,
03100, México, D.F.

1a. edición, julio 2012.

The Birthday Oracle
Pam Carruthers
Copyright © 2010 Arcturus Publishing Limited
26/27 Bickels Yard, 151-153 Bermondsey Street,
London SE1 3HA

©   2012, Grupo Editorial Tomo, S.A. de C.V.
Nicolás San Juan 1043, Col. Del Valle
03100 México, D.F.
Tels. 5575-6615, 5575-8701 y 5575-0186
Fax. 5575-6695
http://www.grupotomo.com.mx
ISBN-13: 978-607-415-380-4
Miembro de la Cámara Nacional
de la Industria Editorial No. 2961

Traducción: Lorena Hidalgo Zebadúa
Diseño de portada: Karla Silva
Formación Tipográfica: Armando Hernández R.
Supervisor de producción: Leonardo Figueroa

Este libro se publicó conforme al contrato establecido entre
Arcturus Publishing Limited y Grupo Editorial Tomo, S.A. de C.V.

Impreso en México - Printed in Mexico

Contenido

Introducción

¿**A**lguna vez te has preguntado por qué la gente tiene diferentes características y por qué los planetas y los cuerpos celestes influyen sobre nosotros? Los astrólogos utilizan la posición de los planetas para crear un horóscopo —una interpretación del rumbo futuro de una persona en específico—. Utilizan esta información como herramienta para comprender quiénes somos, hacia dónde nos dirigimos y por qué hacemos ciertas cosas en determinadas épocas del año.

El oráculo de tu cumpleaños está dividido en los 365 días del año y, a medida que avances, notarás que comienza a aparecer un formato de características. No sólo aprenderás sobre ti mismo, sino también aprenderás las características de muchos de tus compañeros de trabajo, de tus amigos y de tu familia. Con suerte todo comenzará a tener sentido y, a medida que descubras la manera en que los signos interactúan unos con otros, podrás explicarte por qué te identificas más con un signo zodiacal que con otro. Tu signo zodiacal es uno de los doce signos del Zodiaco —Aries, Tauro, Géminis, Cáncer, Leo, Virgo, Libra, Escorpión, Sagitario, Capricornio, Acuario y Piscis—. Uno o varios planetas gobierna a cada uno de estos signos y su posición en la carta astral nos proporciona pistas sobre cómo canalizar su energía de la mejor manera para nuestro beneficio.

LOS PLANETAS

 SOL
El Sol nos habla de la esencia fundamental de una persona y de su ser interior.

LUNA
Este satélite representa nuestros sentimientos y emociones, además de que afecta a nuestro ritmo corporal general y a nuestra capacidad para manejar el cambio.

 MERCURIO
Mercurio es el planeta que controla nuestro sentido común, nuestra capacidad de aprender y nuestra capacidad de razonamiento.

VENUS
Venus gobierna nuestra capacidad de disfrutar del placer, nuestra libido y la apreciación estética de la belleza en general.

MARTE
Marte representa nuestra energía e impulso; también significa valor y nuestra predisposición para la acción.

JÚPITER
Júpiter nos da el sentido de justicia, también nos da optimismo.

SATURNO
Saturno rige nuestra conciencia y gobierna la manera en que elegimos vivir. También nos habla de nuestro poder de resistencia y de nuestra capacidad para concentrarnos.

URANO
Urano nos da la intuición y la comprensión ante todo lo nuevo o lo poco común.

NEPTUNO
Neptuno gobierna nuestra percepción extrasensorial y abre la puerta a experiencias místicas.

 PLUTÓN
Plutón gobierna nuestros poderes regenerativos y controla los ciclos del nacimiento y la muerte.

LAS CARTAS DEL TAROT

El tarot y la astrología siempre han estado cercanamente relacionados. Pero, ¿qué es exactamente el tarot? El tarot es un conjunto de cartas cuyo origen se cree que data de hace más de 500 años en el norte de Italia. El arte del tarot siempre ha estado rodeado de misterio y controversia, aunque siempre habrá algo irresistible sobre la idea de barajar las cartas y que tu destino se despliegue frente a ti.

Muchas personas consideran que la lectura del tarot es "magia negra" y no están de acuerdo con su uso, mientras que para otras es una forma mágica de desvelar el futuro.

LOS ARCANOS MAYORES

La baraja tradicional del tarot se compone de 78 cartas que se dividen en cuatro palos —espadas, bastos, copas y oros—, que corresponden, en términos generales, a los corazones, los diamantes, las espadas y los tréboles de la baraja moderna. Al parecer, los arcanos mayores fueron añadidos después y hacen un total de 22 cartas incluyendo el Loco —el equivalente en el tarot a la carta del joker—. Los arcanos mayores son las cartas más poderosas de la baraja del tarot. Relatan la historia de un viaje a través del espacio y del tiempo con el Loco como personaje principal, que representa el recién nacido o el elemento humano básico de nuestro interior. Las cartas de los arcanos mayores pueden usarse junto con la numerología y la astrología para desvelar los secretos de nuestro ser interior. A continuación presentamos una descripción de cada carta de los arcanos mayores en relación a tu perfil astrológico.

0 – El Loco representa al inocente sin experiencia que comienza un nuevo viaje. Desborda exuberancia juvenil y es propenso a la falta de reflexión. No siempre observa antes de dar el siguiente paso. La mochila que lleva es demasiado pequeña como para sustentarlo durante mucho tiempo. El perro que está a sus pies representa lealtad y fe.

Palabras clave: inicios, inocencia, simpleza, nuevos comienzos, fe ciega.

1 – El Mago puede ser considerado como el loco que ha renacido y que ha abandonado la pequeña mochila a favor de la experiencia real de vida, o como un personaje completamente separado. Es el maestro de los elementos —regio, poderoso, grácil, confiado y, sobre todo, capaz de hacer que las cosas sucedan—. Está en control de sus propios pensamientos y, por ende, tiene un potencial ilimitado para alcanzar el éxito.

Palabras clave: poder, acción, comprensión, aplicación, recursos.

2 – La Suma Sacerdotisa es la guardiana de los secretos y del conocimiento interior. Es sabia como el mago, pero su poder incuestionable proviene de una energía femenina arraigada en las fuerzas invisibles de la naturaleza. Sólo ella conoce el contenido del pergamino que sostiene y ella controla cuánto de ese contenido comparte con los demás.

Palabras clave: influencia; síquico, secreto, conocimiento.

3 – La Emperatriz representa la figura materna de la baraja del tarot. Ofrece amor y abundancia, fomenta el crecimiento en todo y todos los que la rodean. Nos recuerda que siempre hay suficiente para el disfrute de todos, lo único que debemos hacer es aprender a buscar en el lugar adecuado.

Palabras clave: promesa, feminidad, abundancia, creatividad, convicción.

4 – El Emperador es la figura paterna de la baraja del tarot, los significados de esta carta están unidos a las cualidades que tradicionalmente se esperan de una figura paterna —sabiduría, autoridad y cimientos—. El emperador obtuvo su sabiduría a través de las experiencias de la vida; viste la armadura de la batalla —y quizá también las cicatrices— para demostrarlo. Algunas veces puede ser escéptico y no es fácil de engañar. Es una gran fuente de fortaleza y de consejo para los demás.

EL LOCO

Palabras clave: estrategia, liderazgo, autoridad, sentido práctico.

5 – El Hierofante significa "hombre santo" y esta carta es la carta del conocimiento dogmático. Al igual que un sacerdote representa la religión que eligió, el hierofante es el portador de una gran responsabilidad pues su tarea es impartir el conocimiento con su rebaño. El hierofante es el experto y culto maestro del aceptado conocimiento convencional. Lo posee en su interior para guiar a las masas.

Palabras clave: respeto, ley, santidad, ceremonia, tradición, conformidad.

6 – Los Enamorados es la carta del corazón y de la sociedad, originalmente recibía el nombre de amor. Representa una especie de cruce de caminos en el viaje del tarot en donde el loco, nuestro personaje principal, conoce a su alma gemela y decide viajar por un sendero más inestable con ella, en lugar de deambular sólo por un camino sin dificultades. El amor no siempre escucha a la razón y, por lo general, influye sobre nuestras decisiones en formas que nosotros, por no mencionar a los demás, no logramos comprender.

Palabras clave: sexo, amor, salud, unión, confianza, pasión, tentación, vulnerabilidad, comunicación.

7- El Carro se trata de determinación, habilidad y acción. Ilustra a un guerrero que conduce un carro con sus dos caballos impacientes por comenzar.

Palabras clave: tacto, habilidad, acción, control, enfoque, impulso, equilibrio, físico.

8 – La Fuerza representa una mujer joven que somete a un feroz león, pero su vestimenta no está agitada y su semblante se muestra calmado y sereno. No parece que esté ejerciendo fuerza física, lo que nos hace concluir que el poder que ejerce proviene de su interior.

Palabras clave: equilibrio, fortaleza, valor, paciencia, compasión, comprensión.

9 – El Ermitaño posee un profundo sentido de la perspectiva y se toma el tiempo necesario para analizar las situaciones antes de actuar. Cuando decide actuar lo hace con una gran integridad y sabiduría. El ermitaño ha descubierto una importante verdad de la vida, que todas nuestras acciones son como los ladrillos de un muro, cada uno ayuda a construir nuestra propia realidad. Esta comprensión es la que le da poder.

Palabras clave: quietud, soledad, sabiduría, humildad, desapego intencionado.

10 – La Rueda de la Fortuna implica consecuencia, así como suerte, lo que indica que necesitamos aprender a hacer que la rueda gire a nuestro favor. Se trata de la manera en que la vida se presenta —a través de la suerte, del cambio y la fortuna.

Palabras clave: suerte, oportunidad, destino, cambio, revolución, consecuencia.

11 – La Justicia representa nuestra conciencia; cuando esta carta sale en una lectura de tarot convencional, el que busca debe considerarla como señal de que existe un asunto en su vida que requiere atención urgente. Sin embargo, como parte de un perfil astrológico, la justicia es la carta de las personas que sienten pasión por la verdad.

Palabras clave: verdad, equilibrio, justicia, igualdad, congruencia, admisión, examen, responsabilidad.

12 – El Colgado Su fuerza está en el estado resuelto de rendición del loco. Si ésta es tu carta posees la capacidad de mantenerte sereno y, como dijo Rudyard Kipling, "permanece sereno cuando todos alrededor pierdan la cabeza". La gente te admira porque siempre estás tranquilo y en calma, incluso cuando tu mundo está de cabeza.

Palabras clave: ceder, suspender, rendirse, sacrificio, sumisión, falta de acción, tranquilidad, calma.

13 – La Muerte es una carta que, irónicamente, no representa la muerte y es muy importante que aparezca durante la mitad de la secuencia y no al final. La carta de la muerte implica la inminencia del cambio y la gente que la posee sabe instintivamente que nada es para siempre.

Palabras clave: cambio eterno, exposición, transición, terminación, inevitabilidad.

14 – La Templanza es la carta del equilibrio en todos los aspectos. Se refiere a la armonía y quienes nacieron bajo ella son sanadores naturales capaces de avivar y vigorizar a los que les rodean. De manera natural sacan provecho del flujo de las cosas y por ello poseen cierto magnetismo que atrae a la gente y la mantiene cerca, fascinada.

Palabras clave: equilibrio, sanación, conexión, química, fluidez, moderación.

15 – El Diablo puede resultar un poco alarmante, pero esta carta no tiene qué ver con el diablo. Aunque sí posee cierta connotación negativa, es la carta del ego y, como seres humanos, necesitamos al ego para funcionar; y esto es lo que nos diferencia de los demás seres vivientes. La carta del diablo es muy poderosa —se conecta con nuestra naturaleza básica— y también es la clave para la trascendencia y la libertad.

Palabras clave: ego, adicción, ilusión, interrupción.

16 – La Torre nos dice de inmediato que algo está en marcha y es una carta perturbadora. En una lectura de tarot convencional, la torre predice un acontecimiento, un cambio repentino en la vida del que busca; un cambio que no siempre es para mejorar. Por lo general, el cambio es gradual, lo cual nos da tiempo para adaptarnos, pero en ocasiones puede ser rápido y explosivo si la persona debe volverse más receptiva.

Palabras clave: cambio, comienzo, agitación, exposición, cambios repentinos.

17 – La Estrella es la carta de la certeza y la gente que nació bajo ella es capaz de ofrecer consuelo y esperanza a las personas que la rodean. Además está en calma con su propio ser, lo cual también hace que los otros se sientan contentos en su compañía. Las estrellas de la carta brillan sobre un cielo azul claro. El azul es el color de la inspiración, de la creatividad y de la aspiración.

Palabras clave: esperanza, promesa, sanación, guía, limpieza, certeza, ascenso, rejuvenecimiento.

18 – La Luna ejerce una gran influencia sobre la tierra pues rige las mareas de los océanos y las emociones humanas no son inmunes a su poder. La Luna posee el poder de influir sobre los demás y esta carta en una tirada representa miedo. Algunas veces ese miedo es literalmente miedo a la oscuridad o miedo a lo desconocido, aunque por lo general, se refiere a un miedo cuya base está en una experiencia emocional negativa previa. La Luna nos alienta a que nos alejemos de las relaciones difíciles y a que comencemos de nuevo.

Palabras clave: ciclos, emoción, intensidad, reflexión, confusión, influencia, emergencia, perplejidad.

19 – El Sol, en contraste directo con la Luna, es constante. No crece, ni mengua y su poder es obvio, no está rodeado de misterio como el de su hermana. La carta del Sol celebra la vida y la felicidad, y si esta carta sale en una lectura, la persona debe prepararse para celebrar el éxito.

Palabras clave: vida, energía, crecimiento, claridad, vibración, comprensión, iluminación, nuevos principios, innovación.

20 – El Juicio es una carta que puede parecer compleja y confusa, pero si observas con atención, su mensaje se aclara. Los personajes de la carta tienen las manos hacia arriba, en un gesto de rendición ante un poder superior. En una lectura de tarot convencional, esta carta significa que la persona debe hacer un alto y escuchar el llamado superior, dejar el pasado atrás y rendirse al llamado. La carta del juicio puede ser difícil de leer, pero por lo general significa que un gran cambio está a punto de suceder. Nos pide que enfrentemos las heridas del pasado, que avancemos y las dejemos descansar irreversiblemente.

Palabras clave: fe, honestidad, juicio, resurrección, transformación.

21 – El Mundo es la última carta de los arcanos mayores y representa el final del difícil viaje del loco. Por lo tanto, es la carta de la consumación, del logro y la realización. La satisfacción absoluta no radica en cuánto dinero ganamos, qué coche tenemos o cómo le caemos a la gente —es algo mucho más profundo—. Ésta es una carta maravillosa que implica felicidad, plenitud, perfección y satisfacción, en especial cuando estamos a punto de terminar un largo proyecto.

Palabras clave: valor, éxito, logro, plenitud, enriquecimiento, satisfacción.

Aries

21 de marzo – 20 de abril

CARTA DEL TAROT: El Emperador

ELEMENTO: Fuego

ATRIBUTOS: Cardinal

NÚMERO: 1

PLANETA REGENTE: Marte

PIEDRAS PRECIOSAS: Sanguinaria, coral, malaquita, jaspe

COLORES: Escarlata, magenta, clarete, carmín

DÍA DE LA SEMANA: Martes

SIGNOS COMPATIBLES: Sagitario, Leo

PALABRAS CLAVE: Espíritu luchador, deseo de tener éxito, creación dinámica y destrucción

ANATOMÍA: Cabeza, glándulas suprarrenales, sangre, músculos

HIERBAS, PLANTAS Y ÁRBOLES: Pimiento picante, jengibre, rábano, cebolla, ajo, rábano picante, mostaza, aloe, albahaca, hiniesta, alcaparras, ortiga, brezo, cactus y todos los árboles que tengan espinas

FRASE CLAVE:
Yo soy

En pocas palabras, el signo de Aries es todo sobre "mí". Corresponde a la cabeza del cuerpo y, en consecuencia, tiendes a ir por la vida de cabeza. Necesitas seguir adelante, afirmarte. Sin embargo, puesto que actúas por impulso, tiendes a cometer errores y en tu prisa por hacer las cosas puedes ser propenso a accidentes.

Tu signo es el primero del Zodiaco. Marca el equinoccio de primavera donde el día y la noche se encuentran. Es el punto de cambio del año pues nos elevamos de la oscuridad del invierno, listos para el nacimiento de un nuevo ciclo y de la aventura de la vida.

El sol está exaltado en tu signo y posees todas las cualidades solares de creatividad, entusiasmo y valor. Eres el pionero del Zodiaco.

REGENTE PLANETARIO Y ATRIBUTOS

Aries es un signo cardinal de fuego. Como el primer signo de fuego enciende la flama, es excelente en los comienzos. Está regido por Marte, el planeta rojo y el dios de la guerra. Los planetas representan energía y Marte es acción. El griego Ares era un gigante de 300 pies y un poco torpe. La versión romana es Marte, un hábil guerrero honorable. En nuestras cartas astrales, Marte nos enseña cómo satisfacer nuestras necesidades, nuestros impulsos interiores y exteriores y nuestra sexualidad. Marte puede ser un bebé de dos años, haciendo un berrinche o un paladín, un guerrero espiritual.

RELACIONES

Eres un romántico con ideas caballerescas. Te apresuras a comenzar una relación y quizá no siempre te detienes a pensar si tu pareja es en verdad compatible. El hombre es el caballero que viste una armadura brillante, la mujer es la cazadora que elige a su pareja. Te atraen los otros signos de fuego, Leo y Sagitario, y el signo de Libra, tu opuesto, te magnetiza enormemente. Tus mejores amigos son Géminis y Acuario y puedes tener relaciones desafiantes, aunque gratificantes, con Capricornio y Cáncer.

MITO

Aries se encuentra en la constelación del Carnero. El mito griego de Jasón y el vellocino de oro es una de las leyendas más antiguas de las aventuras de un héroe. Jasón, junto con los Argonautas, vence obstáculos imposibles y pelea contra un dragón guardián para recuperar el vellocino mágico y reclamar su reino.

FORTALEZAS Y DEBILIDADES

Aries representa la vida nueva y el nacimiento, de manera que posees entusiasmo, valor, fuerza de voluntad y el afán por hacer algo, por tomar una acción y acabar las cosas. Éste es el espíritu guerrero del arquetipo de un héroe. Aries es capaz de entrar a un

edificio en llamas para salvar la vida de un niño sin pensar en el riesgo que corre. Actúas por puro instinto. Los nativos de Aries se encuentran en el gimnasio o en la cancha. Te encanta comenzar nuevos proyectos, estás en movimiento constante y siempre ocupado. Puedes ser adicto al trabajo y agotarte si no bajas el ritmo y te das tiempo para cuidar de ti mismo. Eres directo y puedes ser irascible, pero no soportas el rencor y aprecias la honestidad y la verdad. Eres apasionado y de buen corazón, impulsivo e ingenuo algunas veces, actúas primero y piensas después.

Como Aries, no te interesa la terminación, ni el mantenimiento, tiendes a ignorar los instructivos y prefieres presionar todos los botones para ver cómo funciona. Puedes carecer casi por completo del concepto del tiempo, prefieres vivir en el aquí y el ahora.

ARIES TÍPICO:

BENITO JUÁREZ

"Entre los individuos, como entre las naciones, el respeto al derecho ajeno es la paz".

PODERES DE ARIES: Un líder nato, enérgico, acepta de inmediato los retos.

ASPECTOS NEGATIVOS DE ARIES: Debe ser el jefe, no le gusta que lo manden, puede ser impulsivo, insensible y egoísta.

Marzo 21

MEDITACIÓN:

La quietud perfecta muchas veces produce más que la energía sin dirección.

Eres una persona llena de vida que se comunica de manera apasionada. Puedes usar tu mente aguda para resolver problemas prácticos, aprendes con rapidez aunque también te aburres fácilmente. Siempre estás listo para la acción, eres adaptable y muy versátil, aceptas cualquier reto que se te presente. Eres un polemista nato, piensas con los pies en la tierra y tienes un ingenio ágil. No obstante, tienes la tendencia —muchas veces— a hablar y a pensar después, lo cual puede hacerte fama de demasiado franco y un poco insensible. Tu mente trabaja tan rápido que tiendes a interrumpir a los demás —y les resulta muy molesto—. Nunca envíes un correo electrónico o un mensaje de texto cuando estés enojado —espera a que te enfríes—. Distráete realizando algún deporte o arte marcial que requiera agilidad mental o puedes intentar hacer tai chi para reducir el estrés.

Carta del tarot: El Mundo
Planetas: Mercurio y Marte
Frase: *El objetivo y la finalidad de la música no debe ser otro que la gloria de Dios y refrescar el alma.* J.S. Bach

Fortalezas: Dinámico, perceptivo.
Debilidades: Brusco y desconsiderado algunas veces.

Marzo 22

MEDITACIÓN:

Cuando ayudamos a los demás, estamos alimentando el alma.

Eres una persona muy sensible y emocional que puede tener cambios repentinos de humor y ser irritable al enojarse. Proteges ferozmente las cosas que te importan en la vida, en especial a tu familia y tu hogar, y las defiendes a toda costa. Tienes una gran facilidad para sentir el humor de los demás y absorbes como esponja los sentimientos de otras personas. Puedes preocuparte en exceso por lo que la gente piensa de ti —recuerda que no debes tomar las cosas personalmente—. Siempre estás en movimiento y es fácil que te agotes. Te encanta la comida rápida —¡como si la hubieran inventado para ti!—. Sin embargo, debes tener cuidado de no comer cuando estás molesto. Te encanta que los demás estén contentos, de manera que aceptas demasiadas cosas para darles gusto. Date tiempo para reflexionar antes de comprometerte con cualquier proyecto, asegúrate de que realmente quieres llevarlo a cabo. Canaliza tu energía en hacer mejoras en tu casa.

Carta del tarot: El Carro
Planetas: La Luna y Marte
Frase: *¿No es verdad que los momentos más emotivos de nuestra vida nos sorprenden sin palabras?* Marcel Marceau

Fortalezas: Afectuoso e intuitivo.
Debilidades: Cambios de humor, propenso a arranques emocionales.

Marzo 23

Tienes una personalidad dramática, fuerte y con un gran deseo de competir y ganar. Te gusta ser el centro de atención, irradias confianza y seguridad en ti mismo. Aprecias la honestidad y la franqueza, no soportas los engaños. No eres famoso por tu sutileza, ni por tu tacto. Siempre creas proyectos creativos en los que puedas tener el papel de líder. Tomas riesgos, especulas y apuestas. Tienes la fuerza de voluntad necesaria para seguir adelante cuando los demás se rinden. Tienes valor, fuerza y un entusiasmo que no conoce fronteras. Como líder nato con las masas de energía física debes reconocer la contribución de los demás. Puedes ser adicto al trabajo y te es difícil delegar. Obtendrás satisfacción de las artes dramáticas o los deportes, como el tenis, en donde eres excelente. El coche que manejas debe ser tan glamoroso como tú.

Carta del tarot: El Hierofante
Planetas: El Sol y Marte
Frase: *Simplemente, soy demasiado.* Joan Crawford

Fortalezas: Inspirado, apasionado.
Debilidades: Egoísta, un poco terco.

NACIERON EN ESTE DÍA:
Damon Albarn
(cantante, compositor y productor musical de Blur y Gorillaz)
Roger Bannister
(atleta, corrió una milla en menos de 4 minutos)
Donald Campbell
(rompió el record en carreras de coches)
Joan Crawford
(actriz)
Chaka Khan
(cantante)
Steve Redgrave
(remero olímpico)

MEDITACIÓN:

Conquistarse a uno mismo es un reto mayor que conquistar a los demás.

Marzo 24

Eres una persona productiva y ocupada, capaz de manejar exitosamente varios proyectos al mismo tiempo. Consumes mucha energía nerviosa, lo cual puede causar tensión interna y dolores de cabeza. Tu necesidad de que las cosas salgan bien es fuerte, lo cual es excelente cuando está relacionada a la comunicación escrita y a la edición. Eres muy bueno y detallista trabajando con las manos, eres un artesano nato. Te encanta desarrollar sistemas y disfrutas de las tareas mentales complejas y demandantes. Quieres que los demás hagan las cosas a tu modo, ¡el que debe ser! Te preocupa que lo que hagas no esté a la altura de tus estándares y esto puede producir energías negativas, así que trabajar con una fecha límite te ayuda a terminar. Cuando te sientas mentalmente abrumado dedica tu tiempo a poner orden y a reorganizar tu trabajo y el lugar en el que vives.

Carta del tarot: El Ermitaño
Planetas: Mercurio y Marte
Cita: *No tengas en tu casa nada que no te sea útil o que no consideres hermoso.* William Morris

Fortalezas: Bueno con los detalles, excelente para hacer varias cosas a la vez.
Debilidades: Perfeccionista y demasiado crítico.

NACIERON EN ESTE DÍA:
Fatty Arbuckle
(actor de cine mudo)
John Harrison
(relojero)
Harry Houdini
(mago)
David Irving
(historiador)
Steve McQueen
(actor)
William Morris
(artista, diseñador y escritor)

MEDITACIÓN:

Esfuérzate por lograr la excelencia, no la perfección.

Marzo 25

Eres una persona encantadora y sociable que necesita una pareja de vida para descubrir quién eres. Tu pareja puede sacar lo mejor de ti. Romántico de nacimiento —y un poco coqueto— eres muy creativo y amas la idea del amor. Tu corazón rige tu mente y sientes la constante necesidad de ser querido. Actúas con confianza, pero el menor comentario negativo puede desequilibrarte. Tus críticos dicen que eres egoísta, pero quienes te conocen aprecian lo generoso que eres en realidad. Posees una creatividad infantil que llega al corazón de las personas. Tu heroísmo puede ser una inspiración. Sin embargo, tu tendencia a oscilar emocionalmente te hace buscar vino o chocolate como consuelo —y es entonces cuando necesitas llamar a tus amigos para platicar, en lugar de que lo analices tú solo.

MEDITACIÓN:

Compárate sólo contigo mismo.

Carta del tarot: La Rueda
Planetas: Venus y Marte
Frase: *Lo más maravilloso del* rock and roll *es que alguien como yo puede convertirse en una estrella.* Elton John

Fortalezas: Cariñoso y sociable.
Debilidades: Indeciso, muy difícil de complacer.

Marzo 26

Eres una persona poderosa que fascina a los demás y que tiene un encanto magnético. Eres imparable y, una vez que decides algo, haces lo posible por lograrlo, no importa lo que cueste. Tienes una mente aguda y un sentido del humor cínico, lo cual sirve de equilibrio para la determinación que está detrás de tus acciones. Eres imparable y te llevas al límite. La gente admira tu valor al aceptar la derrota con gracia, pero siempre vuelves a luchar otra vez. Hay una honestidad refrescante en las cosas que mencionas; dices las cosas tal y como son. Para algunas personas esto es cruel, a otras les encanta tu franqueza. En las relaciones y en el trabajo, una vez que te comprometes estás ahí hasta el final. Eres un amante apasionado. Para relajarte necesitas liberar energía; hacer ejercicios que te fortalezcan —levantar pesas o cavar en el jardín son actividades excelentes.

MEDITACIÓN:

Una verdad con un toque vil es peor que una mentira.

Carta del tarot: La Fuerza
Planetas: Plutón y Marte
Frase: *Si hay alguien que cree en mí, puedo mover montañas.* Diana Ross

Fortalezas: Magnético, emprendedor.
Debilidades: Cruel y brutalmente honesto.

Marzo 27

Eres imponente, un aventurero que llega muy lejos de diferentes maneras. Eres muy intuitivo, muy amigable y amable, aunque en ocasiones puedes ser muy nervioso e impaciente con las personas que no comparten tus ideales. Tienes una intensa certeza moral. Filósofo y orador de nacimiento, puedes hablar durante horas cuando haces campaña a favor de tu mascota. Tienes grandes habilidades empresariales, además de una fuerte personalidad, que te permite motivar a los demás. Cuando estás enamorado te entregas incondicionalmente. Sufres mucho si te decepcionan porque rara vez eres capaz de prever esa posibilidad. Sana tus heridas saliendo a espacios abiertos, disfrutarás yéndote a un safari o a un campamento en algún lugar exótico y cálido. La aventura te inspira de nuevo y restaura tu buen humor.

Carta del tarot: El Ermitaño
Planetas: Júpiter y Marte
Frase: *Mi madre es irlandesa, mi padre es venezolano y es negro, y yo —yo estoy bronceada, supongo.* Mariah Carey

Fortalezas: Muy intuitivo y aventurero.
Debilidades: Tendiente a la exageración, demasiado optimista algunas veces.

NACIERON EN ESTE DÍA:
Mariah Carey
(cantante, compositora y productora de discos)
David Janssen
(actor)
Rómulo
(italiano fundador de Roma)
Henry Royce
(ingeniero y fabricante de coches)
Gloria Swanson
(actriz)
Quentin Tarantino
(cineasta y actor)

MEDITACIÓN:
Exagerar es debilitarse.

Marzo 28

Eres una persona tenaz con un divertido sentido del humor. Eres el jefe, alguien realista que considera que la vida consiste en una serie de retos que es necesario conquistar. Eres un emprendedor creativo con ideas fundamentadas y de mucha duración. Tu talento funciona muy bien en el ámbito político. Respetas a quienes tienen la audacia necesaria para enseñar algo nuevo. En el amor necesitas soltarte el pelo y relajarte más; llevarte el trabajo a tu casa es garantía de que tu pareja se irritará. Eres insensible, de manera que tu pareja aprende rápido que respondes mejor a las cosas dichas con franqueza. Tómate descansos breves durante la jornada de trabajo, disfruta de los placeres sencillos: cómete un helado, camina descalzo sobre el pasto. Recordar a tu niño interior te rejuvenece.

Carta del tarot: La Rueda de la Fortuna
Planetas: Saturno y Marte
Frase: *Mi sentido del humor me ha servido mucho.* Vince Vaughn

Fortalezas: Sentido del humor divertido, empresario creativo.
Debilidades: Adicto al trabajo, con propensión a estresarse.

NACIERON EN ESTE DÍA:
Dirk Bogarde
(actor y escritor)
Máximo Gorky
(escritor)
Ken Howard
(actor, escritor, músico, productor)
Charles Edward Isaacs
(músico de *jazz*)
Richard Kelly
(director de cine)
Vince Vaughn
(actor)

MEDITACIÓN:
Qué maravilloso es no hacer nada, y descansar después.

Marzo 29

MEDITACIÓN:

Benditos sean los flexibles pues no estarán en mal estado físico.

Eres una persona extremadamente amigable y sociable que siente pasión por la justicia y los derechos humanos. Tus habilidades de liderazgo mezcladas con tu manera progresiva de pensar te hacen un luchador natural por las causas sociales. Eres un rebelde que hace las cosas a su manera. Tienes la capacidad de ser muy exitoso porque posees un intelecto brillante, carisma y el don de la persuasión. Nunca debes subestimarte. Tu visión del mundo es diferente y los demás te escuchan con atención mientras toman nota de lo que dices. Te encanta estar en grupo, de manera que las relaciones se te dan de forma natural. Necesitas que tu pareja te estimule intelectualmente y que te dé mucho espacio personal. Hablas sin parar con energía nerviosa, así que necesitas eliminar el estrés por medio de algún tipo de yoga —prueba hasta que encuentres el que mejor te acomode.

Carta del tarot: La Justicia
Planetas: Urano y Marte
Frase: *No puedes pertenecer a nadie hasta que no te pertenezcas a ti mismo.* Pearl Bailey

Fortalezas: Don para hablar, amigable.
Debilidades: Demasiado racional, se aburre con facilidad.

Marzo 30

MEDITACIÓN:

La paciencia es la compañera de la sabiduría.

Eres un optimista nato y tu alegría de vivir inunda cualquier habitación a la que entres. Tienes un fuerte centro interior, sabes lo que quieres aunque fácilmente te distraes cuando haces demasiadas cosas al mismo tiempo. Tienes muchos dones y tu valor fundamental es la versatilidad —y también es la razón por la que le agradas a la gente—. Posees un talento musical e imitas a los demás sin dificultad —tienes facilidad para aprender música e idiomas—. Tu energético enfoque puede agotar a los demás y, debido a que hablas tan rápido, a algunos les pareces abrupto. Te servirá aprender el arte de hacer pausas. Tu alma gemela debe ser alguien que te adore y que te dé la estabilidad que necesitas. Disfrutas de la atmósfera competitiva de la vida en la ciudad y tu idea de relajación es reunirte en un café o bar ruidoso. Date tiempo para observar y escuchar para que tus ideas puedan tener un objetivo.

Carta del tarot: La Emperatriz
Planetas: Mercurio y Marte
Frase: *Muchas veces pienso que la noche está más viva y tiene colores más encendidos que el día.* Vincent Van Gogh

Fortalezas: Entusiasmo por la vida, adaptable.
Debilidades: Impetuoso e impaciente, habla demasiado para convencer a los demás.

Marzo 31

Cuidas y proteges a los demás de manera natural, posees una enorme ambición por hacer algo positivo para el planeta. Puedes ser atrevido y original en tus ideas, exponerlas a los demás sin preocuparte por cómo van a tomarlas. Tienes la capacidad de comprender lo que la gente necesita y se lo das, diciendo exactamente las palabras que quiere escuchar. También tienes el impulso de terminar las cosas. Una base familiar segura es tu necesidad, pues te proporciona el refugio que tanto anhelas después de tus viajes. Puedes apresurarte en hacer las cosas y aventarte de cabeza en los proyectos sin pensarlo, para después molestarte porque los resultados no fueron como esperabas. Si te guardas tus sentimientos, la frustración puede pasarte factura después. La respuesta es participar en juegos de equipo para toda la familia —los cuales contienen el elemento de diversión y no de competencia.

Carta del tarot: El Emperador
Planetas: La Luna y Marte
Frase: *Para cultivar la mente debemos aprender menos y contemplar más*. René Descartes

Fortalezas: Responsable, intuitivo, devoto de la familia.
Debilidades: Gregario, dependiente.

NACIERON EN ESTE DÍA:
René Descartes
(matemático y filósofo)
Al Gore
(político estadunidense)
Gordie Howe
(jugador de *hockey* sobre hielo)
Maximiliano I
(emperador romano)
Ewan McGregor
(actor)
Papa Benedicto XIV

MEDITACIÓN:

El trabajo en equipo divide la labor y multiplica el éxito.

Abril 1

Eres extraordinario, una persona verdaderamente valiente que pone el ejemplo con un espíritu pionero. Estás preparado para arriesgarlo todo, para adentrarte rápidamente y sin pensarlo demasiado, en territorios desconocidos. Eres un héroe auténtico, nunca te detienes a pensar en tu propia seguridad cuando tus instintos te dicen que algo o alguien necesita tu ayuda. Posees una personalidad fuerte que la gente ama o rechaza —¡no eres sutil!— Puedes ser muy independiente, de manera que una pareja crearía dificultades. No soportas ser el número dos. El amor funciona mejor si tu pareja tiene una vida aparte y así cuando se reúnen están como de luna de miel y no de pleito. Puedes agotarte y desatender a tu cuerpo, de manera que tu dieta es de vital importancia para mantener altos tus niveles de energía. No olvides que incluso el motor mejor diseñado necesita un cambio de aceite.

Carta del tarot: El Mago
Planetas: Marte y Marte
Frase: *Las leyes son como las salchichas, es mejor no ver cómo se hacen*. Otto von Bismark

Fortalezas: Arrojado y heroico, pionero e individual.
Debilidades: Arrebatado e impulsivo, un poco rudo.

NACIERON EN ESTE DÍA:
Otto von Bismarck
(ministro de Prusia)
Ferrucio Busoni
(compositor y pianista)
Lon Chaney
(actor)
Samuel Ray Delany
(escritor)
Dan Flavin
(artista)
Method Man
(rapero con Wu Tang Clan)

MEDITACIÓN:

Los árboles que tardan en crecer dan las mejores frutas.

15

Abril 2

Eres amable, pero tosco, diplomático aunque te falta tacto. Eres un enigma y es tentador estar contigo. Adoras al sexo opuesto y éste siente tu admiración. Destilas confianza en ti mismo y los demás lo envidian. Amas el mundo material y te encanta gastar cantidades considerables del dinero que ganas. Estás decidido a obtener lo que quieres; te apresuras a llegar primero con una prisa excesiva de la que después te arrepientes. Tu sentido del humor raya en lo atrevido, pero puedes salir bien librado en las situaciones correctas. Eres una compañía agradable y siempre tienes quién te tome del brazo. Una relación especial es esencial para ti, si estás solo durante dos semanas terminas trepándote por las paredes. Sabes cómo cuidar de ti mismo. Un buen masaje es esencial para tu tranquilidad.

MEDITACIÓN:

La naturaleza no se apresura y, sin embargo, todo es concluido.

Carta del tarot: La Suma Sacerdotisa **Planetas:** Venus y Marte **Frase:** *La vida misma es el más maravilloso de los cuentos de hadas.* Hans Christian Andersen	**Fortalezas:** Seguro de sí mismo, sexy. **Debilidades:** Precipitado, falta de tacto.

Abril 3

Eres directo y muy persuasivo, puedes venderle lo que sea a quien sea. Eres un cómico nato, la gente te ve como alguien sencillo y jovial. Siempre estás en movimiento y las ideas creativas fluyen a través de ti. Una libreta de notas o una grabadora son esenciales para ti. Hablas rápido y la gente se esfuerza por seguirte el ritmo. Tu alegría de vivir ayuda a que los demás se sientan más vivos cuando están contigo. Eres un amigo natural, aunque te aburres fácilmente de las relaciones. Eres temperamental, lo cual desconcierta a quienes son más constantes. Tienes el don de la palabra, así que ten cuidado de no confundir a los demás con falsas expectativas. Mantén abiertas las opciones y no hagas promesas que no podrás cumplir. Puedes agotarte por hablar demasiado, así que date tiempo para restablecer tu energía, caminando descalzo y poniendo los pies en la tierra.

MEDITACIÓN:

El silencio es el verdadero amigo que jamás te traiciona.

Carta del tarot: La Emperatriz **Planetas:** Mercurio y Marte **Frase:** *Siempre he tenido confianza. Se debe a que tengo mucha iniciativa. Quería ser alguien importante.* Eddie Murphy	**Fortalezas:** Inteligente, persuasivo, jovial. **Debilidades:** Pierde la concentración con rapidez, impredecible.

Abril 4

Tu carisma atrae a gente de todas las edades. Eres un artista con una gran imaginación, tienes un encanto innato, un talento natural en todo lo que haces. Puedes asombrar a la gente con tus talentos naturales. Tu creatividad depende de tu estado de ánimo y puedes ser impredecible, depende de cómo te sientas en cuanto a un proyecto. Tu sensibilidad es una bendición y una maldición. Cuando estás molesto te lames las heridas pero, igual que un niño, al día siguiente estás listo para jugar. En el amor estás buscando que te cuiden y probarás a tu pareja para ver si se preocupa por ti, aunque estés haciendo un berrinche. Puedes extrañar tu hogar y sentirte reconfortado con las cosas de tu infancia —tu viejo oso de peluche o un pie de manzana hecho en casa hará que te sientas relajado de nuevo—. Una vez que aprendas a cuidarte a ti mismo serás una pareja excelente.

Carta del tarot: El Emperador
Planetas: La Luna y Marte
Frase: *Sé muy poco sobre actuación. Sólo tengo un gran don como farsante.* Robert Downey Jr.

Fortalezas: Carismático, talento artístico, orientado a la acción.
Debilidades: Demasiado emocional, temperamental y tendiente sentir lástima por él mismo.

NACIERON EN ESTE DÍA:
Maya Angelou
(escritora y artista)
Paul Bertrand
(artista)
David Blaine
(mago y escapista)
Robert Downey Jr.
(actor, escritor y productor)
Pierre Lacotte
(bailarín de *ballet*)
Heath Ledger
(actor)

MEDITACIÓN:

La lástima por uno mismo es autodestrucción —piensa positivo.

Abril 5

Eres todo un actor, un líder nato con gusto por la vida. Sabes que eres el centro del universo y no te sorprende que tengas muchos admiradores que quieren conocer tu secreto. Con sólo ser tú mismo eres una inspiración para los demás. Eres cálido y entusiasta por naturaleza, eres una estrella franca que simplemente tiene que brillar. Puedes comportarte como la *prima donna* y tienes un gran ego, así que necesitas tener el puesto de líder o te portas como un niño pequeño, haciendo un berrinche. Necesitas que tu pareja sienta pasión por ti y que te adore, y si también puede promover tu carrera, pues mejor. En cualquier cosa que haces necesitas que te aplaudan, así que asegúrate de usar tu creatividad y tu capacidad innata de actuación para entretener a los demás. Al final, tu jovialidad siempre los conquistará.

Carta del tarot: El Hierofante
Planetas: El Sol y Marte
Cita: *Mientras siga teniendo mis piernas y mi estuche de maquillaje, no pienso retirarme.* Bette Davis

Fortalezas: Espíritu generoso, entusiasmo contagioso.
Debilidades: Emocionalmente inmaduro, engreído.

NACIERON EN ESTE DÍA:
Albert R. Broccoli
(productor de cine y TV)
Bette Davis
(actriz)
Arthur Hailey
(escritor)
Joseph Lister
(pionero de la medicina antiséptica)
Gregory Peck
(actor)
Spencer Tracy
(actor)

MEDITACIÓN:

La risa es la única cura contra la vanidad.

Abril 6

NACIERON EN ESTE DÍA:
Alberto II
(príncipe de Mónaco)
Butch Cassidy
(forajido)
René Jules Lalique
(diseñador de joyas)
André Previn
(compositor y conductor)
Raphael
(artista)
Lowell Thomas
(periodista y comentarista)

MEDITACIÓN:

Si piensas que puedes o piensas que no puedes, tienes razón.

Tu forma de llevar tu vida es franca y directa, aunque hay un poco de timidez escondida. Tienes la capacidad de concentrarte en el detalle más pequeño y puedes ser obsesivo si las cosas no son justo como dictan tus estándares. Algunas veces te sueltas y vives la vida al máximo, pero siempre está tu crítico interior resaltando tus imperfecciones y frenándote. En ocasiones eres muy duro contigo mismo, necesitas aprender a no prestar atención a los errores que cometes y que cometen los demás. En el amor puedes oscilar entre comportarte como si fueras un hombre de las cavernas o aparentar ser muy tímido y antisocial y retirarte definitivamente. Cuando sientas que estás siendo demasiado obsesivo intenta hacer algo que requiera precisión y que demuestre la gran coordinación que tienes con las manos, como bordar o jugar billar.

Carta del tarot: Los Enamorados
Planetas: Mercurio y Marte
Frase: *A los 80 años de edad, todo te recuerda a otra cosa.* Lowell Thomas

Fortalezas: Modesto, ordenado.
Debilidades: Obsesivo y tímido.

Abril 7

NACIERON EN ESTE DÍA:
Jackie Chan
(actor y maestro de artes marciales)
Francis Ford Coppola
(cineasta)
Russell Crowe
(actor)
David Frost
(presentador de TV)
James Garner
(actor)
William Wordsworth
(poeta y escritor)

MEDITACIÓN:

En los celos hay más amor por uno mismo que amor.

Amas la vida, eres una persona apasionada y entusiasta. Eres cautivador aunque tienes un toque de inocencia emocional. Eres un amante que necesita que su pareja desempeñe el papel antagónico. Como buen idealista buscas la verdad, aunque muchas veces entras en discusiones ante un punto de vista opuesto al tuyo sólo para crear un debate y alborotar a la gente. Tiendes a ser celoso y ello provoca peleas con tu pareja. Sin embargo, para ti el enojo es una especie de juego preliminar que antecede al placer de la reconciliación; pero ten cuidado pues es posible que este tipo de comportamiento no sea fácil de llevar para tu pareja. No obstante, una relación comprometida sería tu propia estabilidad. Una vez que dominas tus emociones eres un líder nato, hábil en el arte de la diplomacia. Cuando te sientas enojado, lo mejor que puedes hacer para liberarlo es cualquier actividad física vigorosa, como entrenarte en el gimnasio.

Carta del tarot: El Carro
Planetas: Venus y Marte
Frase: *No creo que haya un solo artista valioso que no dude de lo que está haciendo.* Francis Ford Coppola

Fortalezas: Diplomático, apasionado de la vida.
Debilidades: Emocionalmente reservado, inseguro.

Abril 8

Eres una persona carismática e intensa y estás en la Tierra para provocar impacto con tu vida. Crees en tus propias habilidades y tu centro interior es fuerte e ingenioso. Puedes sobrevivir a cualquier cosa que la vida te presente, las crisis están hechas para ti. Tienes cierta inclinación para investigar el lado oscuro de la vida. Aunque eres discretamente determinado puedes ser demasiado dramático y comportarte de manera agresiva. Te importa lo que otros piensan de ti y requieres su aprobación, así que es primordial que enfríes tu temperamento si quieres convencerlos. Necesitas una pareja fuerte que esté a tu altura. Una vez que la encuentres formarán un equipo formidable. Tienes un gran poder de resistencia. Para liberar el exceso de energía puedes hacer ejercicio físico intenso, como remar o una rutina de baile extenuante.

Carta del tarot: Fortaleza
Planetas: Plutón y Marte
Frase: *Es imposible que un hombre sea elegante sin un toque de feminidad.* Vivienne Westwood

Fortalezas: Resuelto, cautivador.
Debilidades: Arrogante con tendencia a exagerar.

MEDITACIÓN:

Nadie es capaz de silbar una sinfonía —hace falta toda una orquesta para hacerlo.

Abril 9

Eres un visionario con un gran interés por la vida. Ves la visión global y tus esquemas son a gran escala, pero te aburren los detalles. Tu capacidad de disfrutar la vida está antes que cualquier otra cosa y eres muy capaz de dejarlo todo y subirte en un avión sólo por diversión. Eres resistente y tienes facilidad para manejar los contratiempos —son simplemente retos que tienes que vencer con soluciones innovadoras—. Eres competitivo y ejerces una poderosa influencia sobre los demás. El amor es una gran aventura y valoras la experiencia de enamorarte, cosa que haces a menudo —en esencia, estás enamorado de la vida y de todo lo que tiene para ofrecerte—. Cuando alguien pone un obstáculo a alguna de tus ideas necesitas ir más alto —y puedes hacerlo, literalmente, subiéndote a un globo aerostático o practicando paracaidismo—. Dichas actividades fueron hechas para ti.

Carta del tarot: El Ermitaño
Planetas: Júpiter y Marte
Frase: *Siempre sé un poeta, incluso en la prosa.* Charles Baudelaire

Fortalezas: Amante de la diversión, resistente.
Debilidades: Falta de atención a los detalles, intranquilo.

MEDITACIÓN:

La mayor gloria no reside en no caernos jamás, sino en levantarnos cada vez que nos caemos.

♈ 1

NACIERON EN ESTE DÍA:
Eugene d'Albert
(compositor y pianista)
Chuck Connors
(actor y deportista)
Joseph Pulitzer
(publicista)
Steven Seagal
(actor, productor de cine y experto
en artes marciales)
Omar Sharif
(actor)
Paul Theroux
(escritor)

MEDITACIÓN:

Cultiva tu sentido del humor —la risa es la mejor medicina.

Abril 10

Eres una persona determinada con un modo enérgico. Posees un gran don y talento para organizar. Desde temprana edad eres ambicioso y te fijas metas altas. Eres un ganador y, aunque respetas las tradiciones, puedes escandalizar a la gente de forma de pensar rígida. Tienes un sentido del humor perverso y un ingenio mordaz, puedes usar el sarcasmo para hacerte entender. Haces lo que dices que vas a hacer, lo cual es estimulante en el mundo moderno. Eliges a tu compañero de vida, aplicando el mismo sentido común que aplicas en tu trabajo. El amor es una sociedad y valoras mucho el contrato del matrimonio. Cuando tu cabeza está a punto de estallar necesitas dejar a un lado la responsabilidad y hacer algo tonto. Ve una película por simple diversión —un clásico de Disney sería perfecto.

Carta del tarot: La Rueda de la Fortuna
Planetas: Saturno y Marte
Frase: *Los turistas no saben en dónde estuvieron, los viajeros no saben a dónde van.* Paul Theroux

Fortalezas: Determinado, con grandes habilidades de dirección.
Debilidades: Emocionalmente restringido, solemne.

NACIERON EN ESTE DÍA:
Oleg Cassini
(diseñador de modas)
Jeremy Clarkson
(presentador de TV)
Joel Grey
(animador y bailarín)
Bill Irwin
(actor y bailarín)
James Parkinson
(médico y paleontólogo)
Joss Stone
(cantante, compositor)

MEDITACIÓN:

La impaciencia es la ruina de la fortaleza.

Abril 11

Estás lleno de ideas brillantes, eres una persona sociable. Tienes una forma extraña de ver el mundo. Eres capaz de expresar tu controversial punto de vista con tanta pasión que la gente desiste, entonces escucha lo que tienes que decir y te apoya fervientemente. La rutina te aburre y no eres bueno en terminar lo que empezaste. Te alimentas del cambio. Funcionas mejor trabajando por tu cuenta y puedes trabajar durante toda la noche cuando te llega la inspiración. Eres anarquista y puedes encontrar tu nicho en la industria de los medios, la moda o el cine, en donde puedes expresar tu originalidad. En las relaciones románticas, primero buscas un amigo, en segundo lugar un amante. Tu pareja ideal te mantiene a la expectativa y es tu mejor compañía. Eres bueno en mezclar ejercicio físico con diversión, así que el *frisbee* se inventó para ti.

Carta del tarot: Justicia
Planetas: Urano y Marte
Frase: *Claro que es silencioso para ser un motor de diesel. Pero es como ser bien portado…para ser un asesino.* Jeremy Clarkson

Fortalezas: Poco convencional y astuto.
Debilidades: Se distrae con facilidad, tendencioso.

Abril 12

Eres una paradoja: aparentemente eres valiente y resuelto, pero en el fondo estás lleno de dudas. Puedes encargarte de todo o rendirte ante los sentimientos de los demás y asustarte de la exposición excesiva que implica ser el centro de atención y refugiarte en tu propio mundo de ensueño. Posees una imaginación fértil, lo cual debe ser canalizado a creaciones artísticas. Tienes que expresar tus sentimientos, así que escribirlos en un papel es esencial para tu crecimiento. Puedes ser fácilmente influido por los demás y renunciar a tus ambiciones personales o sacrificarte. En las relaciones necesitas una pareja que te nutra y te apoye, que te dé espacio para realizar tus sueños. Cuando sientas que estás desequilibrado y que te falta inspiración, métete al agua, ya sea navegando o nadando —incluso un baño largo le hará bien a tu alma.

Carta del tarot: La Emperatriz
Planetas: Neptuno y Marte
Frase: *Creo que tener problemas encierra una gran belleza. Es una de las maneras en que aprendemos.* Herbie Hancock

Fortalezas: Ingenioso, valiente.
Debilidades: Se contradice a sí mismo, emocionalmente impresionable.

NACIERON EN ESTE DÍA:
David Cassidy
(cantante y actor)
Robert Delaunay
(artista)
Andy Gracia
(actor)
Herbie Hancock
(pianista y compositor)
Edward O'Neill
(actor)
Tiny Tim
(artista y comediante)

MEDITACIÓN:

Una persona fuerte y una cascada siempre marcan su propio camino.

Abril 13

Eres una persona que actúa como portavoz de la gente que no puede defenderse a sí misma. Entiendes cómo se sienten los demás y eres capaz de mostrar empatía poniéndote a favor de las personas oprimidas. Tu naturaleza compasiva atrae la mente y los corazones de los demás y esta cualidad te permite contar con la amistad de gente de cualquier condición social. Sin embargo eres una persona compleja y volátil, haces muchos dramas en tu vida personal. Si descubres que la gente está alejándose de ti es porque seguramente has ido demasiado lejos. Cuando te sientes fuerte te haces valer y con gran confianza tomas el control del momento. Tu relación sentimental es tu fundamento y en verdad te ayuda a progresar en tu trabajo. Cuando te sientas deprimido, un baño de vapor o una sauna puede ser lo mejor para revitalizarte.

Carta del tarot: El Emperador
Planetas: La Luna y Marte
Frase: *He ahí al hombre íntegro arremetiendo contra su calzado, cuando el culpable es el pie.* Samuel Beckett

Fortalezas: Empático y de buen corazón.
Debilidades: Temperamental, con tendencia a dramatizar demasiado.

NACIERON EN ESTE DÍA:
Robert O. Anderson
(empresario y magnate del petróleo)
Samuel Becket
(dramaturgo)
Al Green
(cantante)
Seamus Heaney
(poeta)
Thomas Jefferson
(presidente de Estados Unidos)
Howard Keel
(actor y cantante)

MEDITACIÓN:

Nunca escribas una carta cuando estés enojado.

Abril 14

NACIERON EN ESTE DÍA:
Robert Carlyle
(actor)
Julie Cristie
(actriz)
Sarah Michelle Gellar
(actriz)
Loretta Lynn
(cantante y compositora)
Peter Rose
(jugador de beisbol)
Rod Steiger
(actor)

MEDITACIÓN:

Una ganga sólo es una ganga si se trata de algo que necesitas.

Tu manera amable y tu integridad son parte de quien eres desde la infancia. Tienes un magnetismo social que exuda vitalidad. La gente te respeta y quiere pertenecer a tu círculo cercano. Tu intensidad, tus fuertes convicciones, tu calidez y tu inteligencia son los ingredientes de tu éxito en la vida. Tu tendencia a despreocuparte puede llevarte a arriesgarlo todo por el amor y el romance. Para que tus relaciones funcionen es necesario que respetes a tu pareja. Tus estándares son muy altos —sólo aceptas a los mejores—. Si alguien hiere tu orgullo o te ignora, sufres escandalosamente y te alejas. Lo anterior puede llevarte a la extravagancia y a tomar una "terapia de compras" sin límites. Si en verdad necesitas consentirte y que te hagan sentir especial, es mejor para tu bolsillo si vas a que te hagan un facial o un buen corte de cabello.

Carta del tarot: La Templanza
Planetas: El Sol y Marte
Frase: *Nací bajo el signo de Aries, el carnero, lo cual significa que soy terca. No me gusta que la gente me diga lo que debo hacer.* Loretta Lynn

Fortalezas: Honorable con un profundo respeto por los demás.
Debilidades: Mucha importancia de sí mismo y derrochador.

Abril 15

NACIERON EN ESTE DÍA:
Jeffrey Archer
(político británico y escritor)
Evelyn Ashford
(campeona olímpica en carreras de velocidad)
Claudia Cardinale
(actriz)
Théodore Rousseau
(artista)
Emma Thompson
(actriz y guionista)
Leonardo da Vinci
(artista)

MEDITACIÓN:

Busca a la persona que aspiras ser.

Eres franco y tienes ideas claras sobre cómo deben hacerse las cosas. Te impacientas si no estás en el centro de la acción, ejerciendo el papel principal. Eres obediente y muy disciplinado, en especial cuando se trata de realizar tareas diarias. Amas la rutina, aunque añoras escaparte y deshacerte de la precaución. Puedes ser descuidado y al minuto siguiente ser demasiado cuidadoso y cauteloso. Aprender a confiar en ti mismo y en los demás te permitirá ser un poco despreocupado —y esto es tu objetivo—. Eres creativo y un trabajo bien hecho te da una gran satisfacción. En cuestiones del corazón deseas emociones y aventuras, te sientes indeciso entre sentar cabeza y tener encuentros sexuales casuales. Tu tendencia a dudar de ti mismo puede hacer que no pegues el ojo en la noche, así que aceites de lavanda y un baño caliente pueden ayudar a que te relajes.

Carta del tarot: EL Diablo
Planetas: Mercurio y Marte
Frase: *Un día bien aprovechado provoca un buen sueño.* Leonardo da Vinci

Fortalezas: Controlado, meticuloso.
Debilidades: Autoritario, busca la atención de los demás.

Abril 16

Eres una persona directa e impulsiva que no esconde sus sentimientos. En todas tus relaciones te topas con la pregunta ¿quién manda, el otro o yo? Esto se debe al frágil acto de malabarismo que llevas a cabo en tu vida. Es admirable la fortaleza que tienes para reponerte después de una desilusión; a este respecto eres un héroe y tu vida transcurre buscando el final del cuento de hadas. Necesitas una pareja a quien le guste la aventura y la emoción, alguien que disfrute de las altas y bajas del drama de tu vida. El trabajo en equipo te da el apoyo que necesitas y te ayuda a ser el blanco de atención, como debes ser. Necesitas aprender a expresar tus sentimientos cuando te lastiman, un amigo íntimo puede ayudarte a sanar tu tierno corazón. Nunca comas mientras estés enojado, estás más sensible de lo que reconoces.

Carta del tarot: El Carro
Planetas: Venus y Marte
Frase: *Un día sin risas es un día desperdiciado.* Charles Chaplin

Fortalezas: Valiente, determinado.
Debilidades: Emocionalmente inocente y genera polémica.

NACIERON EN ESTE DÍA:
Kingsley Amis
(escritor)
Charles Chaplin
(comediante y productor)
Henry Mancini
(director de orquesta y compositor)
Spike Milligan
(escritor y comediante)
Jimmy Osmond
(cantante)
Dusty Springfield
(cantante)

MEDITACIÓN:

Las barreras que construimos no dejan pasar la tristeza, pero tampoco la alegría.

Abril 17

Personificas una variedad de cualidades admirables, tienes mucha motivación, eres ambicioso y tenaz. Tu poder de persuasión es cautivador. Muestras sinceridad e integridad una vez que estás en el camino que elegiste. Sobresales en el mundo del teatro o de los deportes, en donde tu poderoso estilo dramático se manifiesta por sí mismo. Puedes ser deshonesto y entrar en un juego político que puede causarte conflictos y te deja preguntándote por qué tus amigos te han dado la espalda. Esto puede traducirse en que dudes de ti mismo. Reconoce que tienes la habilidad de transformar tu vida y de comenzar de nuevo. Una relación fuerte es tu mejor posesión. Eres fiel, a menos que te traicionen. Cuando estés enojado es mejor que liberes la tensión golpeando un saco de boxeo o una almohada y no peleándote a gritos con tu pareja.

Carta del tarot: Fortaleza
Planetas: Plutón y Marte
Frase: *Las bombas no eligen, caen en todos lados.* Nikita Khrushchev

Fortalezas: Determinado, influyente.
Debilidades: Narcisista, maquinador.

NACIERON EN ESTE DÍA:
Victoria Beckham
(diseñadora de modas, cantante del grupo Spice Girls y empresaria)
William Holden
(actor)
Nick Hornby
(escritor)
Nikita Khrushchev
(político soviético)
James Last
(músico y líder de grupo)
Tamerlane
(líder militar y conquistador)

MEDITACIÓN:

Mantente sereno, el enojo no es un argumento.

Abril 18

Eres espontáneo y estás en el mundo para disfrutar de la vida. Eres ardiente y apasionado, te encanta apostar —estás dispuesto a arriesgarlo todo por lo que crees—. Las culturas extranjeras te encantan y tiendes a explorar diferentes religiones. Siempre ves lo bueno de las personas y no te das cuenta de los defectos de algunas de tus iniciativas. Tu optimismo es contagioso y la gente adora tu franqueza y tu confianza infantil en la vida. Eres sociable, no te complicas en todas tus relaciones y eres directo. Tu pareja debe entender que requieres libertad y espacio para hacer tus cosas. Algunas veces rayas en lo obsceno, lo cual sorprende a tus compañeros más delicados. En una discusión sientes que tú tienes razón, lo cual se traduce en un enfrentamiento. Cede y pregúntate, ¿quieres tener la razón o ser feliz?

NACIERON EN ESTE DÍA:
Suri Cruise
(hija de Tom Cruise)
America Ferrera
(actriz)
Bob Kaufman
(poeta)
George Henry Lewes
(filósofo)
Hayley Mills
(actor)
James Woods
(actor)

MEDITACIÓN:

Recuerda que el ingenio no es igual que la sabiduría.

Carta del tarot: El Ermitaño
Planetas: Júpiter y Marte
Frase: *La falta de sinceridad siempre es una debilidad; la sinceridad incluso en un error es fortaleza.* George Henry Lewes

Fortalezas: Informal y relajado.
Debilidades: Pomposo y tosco.

Abril 19

Eres una persona emprendedora, con algo de arrogancia, que sale de la nada cuando adopta una actitud seria la primera vez que conoce a alguien. Eres prodigioso en tus resultados y tu trabajo es tu vida. Eres devoto de la verdad y puedes ser muy arrogante si alguien se atreve a cuestionar tus creencias. Aunque te burlas de lo establecido, respetas la ley. Eres determinado en tu acenso a la cima y logras llegar —no importa el tiempo que te tardes en hacerlo—. Tienes una manera esencialmente práctica de ver la vida con un realismo que la gente respeta. Cuando te enamoras, lo haces con una pasión que sorprende a tu pareja. El compromiso es algo natural en ti, así que puedes contraer matrimonio siendo joven, pero con una persona mayor. Explora el mundo de diversión infantil para relajarte: construye castillos en la arena y nada con delfines.

NACIERON EN ESTE DÍA:
Tim Curry
(actor, compositor y cantante)
Kate Hudson
(actor)
Etheridge Knight
(poeta)
Jayne Mansfield
(actriz, cantante y modelo)
Dudley Moore
(actor, músico y compositor)
Paloma Picasso
(diseñadora de joyería)

MEDITACIÓN:

Sonríe cuando más duela.

Carta del tarot: El Sol
Planetas: Saturno y Marte
Frase: *Si vas a hacer algo que no está bien, hazlo, porque el castigo es el mismo de todas maneras.* Jayne Mansfield

Fortalezas: Desfachatado, amante de la diversión y modesto.
Debilidades: Estridente, arrogante.

Abril 20

Tienes un talento natural para la vida, una sensualidad fuerte y un magnetismo que atrae a hombres y mujeres. En la vida pública eres dominante, aunque en privado eres flexible y dócil. Posees un impulso y una gran energía que puede resultar abrumadora para algunas personas. Si no quieres hacer algo, no hay quién te convenza de lo contrario, tú simplemente te muestras inflexible. Disfrutas de tus éxitos, sabes que te los mereces. No te gusta que tu pareja no te valore; eres posesivo y propenso a los celos, quizá se deba a que tú te interesas por otras personas. Te mantienes callado y resentido cuando alguien te ignora y algunas veces te cuesta trabajo cambiar de estado de ánimo. Una vez que vuelves a sentirte bien —una cena deliciosa con una copa de vino te ayuda mucho— eres irresistible de nuevo. Si la cena no funciona, dormir bien siempre ayuda a restaurar tu buen humor.

Carta del tarot: El Juicio
Planetas: Venus y Marte
Frase: *Trato de usar los colores como si fueran palabras que forman poemas, como las notas que forman música.* Joan Miró

Fortalezas: Sensual, con un magnetismo electrizante.
Debilidades: Inseguro y terco.

NACIERON EN ESTE DÍA:
Michael Brandon
(actor)
Carmen Electra
(actriz y modelo)
Adolfo Hitler
(dictador austro-germano)
Ryan O'Neal
(actor)
Joan Miró
(artista)
Edie Sedgwick
(actriz, modelo y musa de Andy Warhol)

MEDITACIÓN:

Concentra la mente en el momento presente.

ARIES TÍPICO:

CHARLES CHAPLIN

"Mirada de cerca, la vida parece una tragedia; vista de lejos, parece una comedia".

CARACTERÍSTICAS DE ARIES:

Aries disfruta comenzar cosas y no teme a lo desconocido —la "a" de Aries es de aventurero—. Esto significa que se deja llevar por sus instintos, aunque también puede traducirse en que no termina lo que empieza.

Tauro

21 de abril – 21 de mayo

LA EMPERATRIZ

CARTA DEL TAROT: La Emperatriz

ELEMENTO: Tierra

ATRIBUTOS: Fijo

NÚMERO: 2

PLANETA REGENTE: Venus

PIEDRAS PRECIOSAS: Diamante, cuarzo, cristal

COLORES: Blanco y multicolores

DÍA DE LA SEMANA: Viernes

SIGNOS COMPATIBLES: Virgo, Capricornio

PALABRAS CLAVE: Constante y leal, cariñoso y táctil, práctico y firme, demasiado indulgente con sí mismo, flojo y materialista

ANATOMÍA: Garganta y cuello

HIERBAS, PLANTAS Y ÁRBOLES: Musgo, espinacas, lilas, margaritas, diente de león, betabel, delfinio, lino, mirto

FRASE CLAVE:
Yo tengo

Tauro es el amante del Zodiaco. Este signo corresponde al cuello y la garganta y, como resultado, tiendes a padecer inflamaciones de garganta y problemas de la glándula tiroides, aunque también puedes tener una voz fascinante y cantar muy bien. Sobre todas las cosas valoras la estabilidad y la seguridad. Eres famoso por ser testarudo y tu poder de resistencia es legendario. Comenzar de nuevo es como si dieras un paso hacia atrás —de manera que tú sigues adelante cuando los demás ya se habrían rendido.

Es el segundo signo del Zodiaco, cuando florecen los hermosos capullos de mayo y la naturaleza se viste con sus mejores galas. La Luna está exaltada en este signo y los Tauro aman tocar, abrazar y estar físicamente presentes. Esto, aunado a tu estabilidad innata, ayuda a dar a los niños y a los adultos el crecimiento emocional que disfrutan. Tauro representa los primeros años de la vida, en los que un niño pequeño comienza a explorar su cuerpo y el medio ambiente que lo rodea.

REGENTE PLANETARIO Y ATRIBUTOS

Tauro es un signo fijo de tierra. Al ser el primer signo de tierra, Tauro protege la semilla que Aries plantó, de manera que Tauro ama la jardinería y tiene los pies bien plantados en la tierra. Tauro es regido por Venus, el planeta más brillante y más hermoso que también es conocido como estrella de la mañana o estrella de la tarde. Ella es Afrodita, la diosa del amor. Los planetas representan energía y Venus es todo lo que concierne a relaciones, armonía y dinero. En los mitos griegos, Afrodita era conocida por su belleza y su vanidad. No era fiel y para el gran disgusto de su esposo, disfrutaba de tener muchos amantes. En tu carta astrológica, Venus nos muestra lo que amas y cómo te gusta que te amen. Refleja tu gusto en cuanto a moda y tu estilo. Para el hombre es el tipo de mujer por el que se siente atraído. Venus puede ser una princesa mimada que exige constante atención o puede ser la reina misma.

RELACIONES

Tauro es sensual, de manera que el amor físico, el contacto físico y el placer están en el primer lugar en tus intereses. Eres paciente y te tomas tu tiempo en una relación. Definitivamente necesitas estar seguro de que tu pareja te es fiel. Ambos sexos son expertos en el arte del amor. El hombre es estable y confiable, la mujer puede enseñar a los demás cómo atraer y mantener una pareja. Los tauro son atraídos por los otros signos de tierra (Virgo y Capricornio) y también Escorpión, su opuesto, los atrae fuertemente. Los mejores amigos de Tauro son Libra y Piscis. Puede haber relaciones desafiantes, pero gratificantes, con Leo y Acuario.

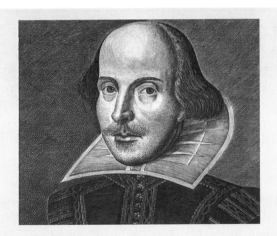

TAURO TÍPICO:

WILLIAM SHAKESPEARE

"Ser o no ser, ése es el dilema".

PODERES DE TAURO: Extremadamente leal, cariñoso, sensual.

ASPECTOS NEGATIVOS DE TAURO: Materialista, se resiste al cambio, carece del sentido de urgencia.

MITO

Tauro se encuentra en la constelación de las Pléyades, las Siete Hermanas. Tauro es el nombre en latín de "toro" y por ello, este signo está asociado al mito de Teseo y el Minotauro, y con Zeus, quien tomó la forma de un magnífico toro blanco para secuestrar a Europa, una legendaria princesa fenicia. Ambos mitos implican hermosas mujeres, toros y deseo.

FORTALEZAS Y DEBILIDADES

Tauro aprecia los placeres sensuales de la comida y la bebida, así que a menudo puedes ser visto en restaurantes y bares. Amas todos los placeres mundanos y puedes relajarte hasta el punto de volverte adicto a la televisión, viendo programas de cocina o de jardinería desde la comodidad de tu sillón.

Prefieres que las cosas permanezcan igual, de manera que puedes tener mucha resistencia al cambio de cualquier tipo. Tienes un hogar cómodo y te sientes orgulloso de lo que posees. Sin embargo puedes ser posesivo, aferrarte a la gente y a las cosas cuya fecha de caducidad pasó hace mucho tiempo.

Como Tauro eres capaz de dar estabilidad a un proyecto y de mantenerlo funcionando, aunque para algunos puedes parecer demasiado lento. Te gusta el ritmo del día y te sientes contento con la rutina.

Abril 21

Eres una persona con un talento especial para las palabras. Combinas un toque ligero con un delicioso giro de frase que es pura poesía. Puedes usar tus dones como escritor comercial y ser un excelso publicista. Eres extremadamente ingenioso y persuasivo, la venta se te da de manera natural. Eres un orador elocuente y a la gente le gusta escucharte. Te encanta estar con personas de todas las edades y procedencias. Tienes una cualidad camaleónica que te permite mezclarte y formar parte de una gran variedad de grupos. Tu joven espíritu curioso exige que tu pareja siempre esté aprendiendo cosas nuevas para mantener viva la relación. Algunas veces puedes estar ausente, inquieto y distraerte con facilidad, así que en lugar de ponerte a ver la tele cuando termine tu día, escucha música suave para restaurar tu alma.

Carta del tarot: La Emperatriz
Planetas: Mercurio y Venus
Frase: *Voy a escribirlo sólo porque no puedo evitarlo.* Charlotte Brontë

Fortalezas: Persuasivo, experto en el uso de las palabras.
Debilidades: Sueña despierto, inquieto, tiene problemas para concentrarse.

NACIERON EN ESTE DÍA:
Charlotte Brontë
(escritora)
Isabel II
(reina de Inglaterra)
Catalina la Grande
(emperatriz rusa)
Andie Macdowell
(actriz)
Alistair Maclean
(escritor)
Jan van Riebeeck
(holandés fundador de Ciudad del Cabo)

MEDITACIÓN:

Aprende a centrarte pues la concentración es el secreto de la fortaleza.

Abril 22

Eres una persona cinética, muy sensual y estás en total conformidad con tu cuerpo. Eres creativo, ingenioso y estás en sintonía con lo que la gente necesita. Tienes el don de entender la manera en que la gente siente y le ofreces una sincera empatía. Eres un escucha excelente, un consejero y terapeuta ideal. También eres un muy buen amigo y siempre estás presente cuando la gente cercana a ti necesita un hombro para llorar. Tienes un fuerte sentido del valor intrínseco de las cosas y de lo que cuestan, por ello eres bueno para los negocios. Las relaciones son un fundamento para ti y sientas cabeza a temprana edad. Algunas veces te sientes demasiado cómodo y te duermes en tus laureles con tu pareja, lo cual hace que no salgan mucho. Acepta que tienes esta tendencia, salgan y hagan algo diferente —alimentará en gran medida tu vida amorosa.

Carta del tarot: El Emperador
Planetas: La Luna y Venus
Frase: *La cerveza es la mejor bebida del mundo.* Jack Nicholson

Fortalezas: Confiable, fuerte, compasivo.
Debilidades: Se deja llevar por los hábitos, estático.

NACIERON EN ESTE DÍA:
Glen Campbel
(cantante)
Vladimir Ilyich Lenin
(líder del movimiento comunista)
Yehudi Menuhin
(violinista)
Mahoma
(profeta árabe, fundador del islam)
Jack Nicholson
(actor, director y productor de cine)
Aaron Spelling
(productor de cine y TV)

MEDITACIÓN:

Toma una nueva decisión cada día para salirte de la rutina diaria.

Abril 23

Eres una persona vibrante que brilla en el mundo con el don de la belleza. Irradias calidez y eres inmensamente atractivo. Tienes el don de la concentración y das seguimiento de manera constante a todo lo que comienzas. Algunas veces eres callado e introvertido, entonces disfrutas trabajando solo en tu proyecto creativo. Muchos consideran que eres un líder gracias a tu entusiasmo y a tu capacidad de socializar. Te encanta agasajar a la gente en tu casa y ser el anfitrión de gente importante. Tienes un carácter fuerte con opiniones fijas, tu punto débil puede ser que no seas capaz de ver el punto de vista de los demás. Eres un amante nato y las relaciones son importantes para ti. Eres apasionado y juguetón, muy sensual, necesitas que te aprecien y que te adoren. Cuando te sientes deprimido necesitas color y belleza —en esos casos rodéate de flores amarillas.

Carta del tarot: El Hierofante
Planetas: El Sol y Venus
Frase: *El loco se cree cuerdo, mientras que el cuerdo reconoce que no es sino un loco.* William Shakespeare

Fortalezas: De buen corazón, concentrado.
Debilidades: Necesita que lo adoren, terco.

NACIERON EN ESTE DÍA:
Catalina de Médici
(monarca francesa)
Roy Orbison
(cantante, compositor)
Sergei Prokofiev
(compositor)
William Shakespeare
(poeta, dramaturgo)
Shirley Temple
(actriz infantil)
Joseph M. Turner
(artista)

MEDITACIÓN:

La mejor característica que puede tener un ser humano es la tolerancia.

Abril 24

Eres una persona capaz a quien le gusta crear cosas bellas. Tienes un talento natural para realizar trabajos manuales complicados. Pones especial atención en los detalles y puedes obsesionarte con el más pequeño de los defectos o imperfecciones. Cualquier cosa que haces ostenta un alto estándar de excelencia por el que la gente pagaría. Eres un verdadero profesional y trabajas arduamente, durante largas horas. Eres paciente y capaz de ahorrar para obtener objetos de la mejor calidad en tu hogar. Eres un buen organizador y planeador, así como un miembro invaluable de equipo porque tomas en cuenta las necesidades de todos. En el amor eres cariñoso y considerado. En casa, con tu familia, necesitas terminar con tu necesidad de mantener a todos dentro de un horario estricto. Utiliza tu sentido del humor, ríete de ti mismo y te ganarás aún más el cariño de tus seres queridos.

Carta del tarot: Los Enamorados
Planetas: Marte y Venus
Frase: *En la vida no hay nada más importante que el amor.* Barbara Streisand

Fortalezas: Considerado, artesano nato.
Debilidades: Planeador rígido, tiende a organizar en exceso.

NACIERON EN ESTE DÍA:
Jean Paul Gaultier
(diseñador de modas)
Willem De Kooning
(artista)
Shirley MacLaine
(bailarina y actriz)
Henri Petain
(primer ministro francés)
Barbara Streisand
(actriz y cantante)
Robert Penn Warren
(primer poeta estadunidense premiado)

MEDITACIÓN:

Aprende a mezclar la rutina con un poco de espontaneidad para tener una vida equilibrada.

Abril 25

MEDITACIÓN:

La opinión de cada persona es igual de importante que la siguiente, incluyendo la tuya.

Eres una persona refinada con grandes habilidades diplomáticas que hacen que la gente se sienta a gusto. Eres ideal para trabajar en cualquier campo relacionado con la moda o la belleza. Tu impecable gusto y tus buenos modales te ayudarán a alcanzar el éxito en el selecto mundo de las ventas al por menor. Puedes estudiar ballet o danza clásica pues adoras los movimientos rítmicos y eres extremadamente grácil. Inspiras a los demás con tu belleza y podrías ser la musa de algún artista o poeta. Las relaciones son muy importantes para ti, de manera que nunca estás solo durante mucho tiempo. Te deleitas con la parafernalia del romance —la cena a la luz de las velas y la caja de chocolates—. Puedes padecer la constante necesidad de ser querido y tiendes a esconder tus verdaderos sentimientos para no molestar a la gente. Lo anterior puede parecer falso, lo mejor es que seas directo y honesto con la gente para ganarte su respeto.

Carta del tarot: El Carro
Planetas: Venus y Venus
Frase: *Es fácil engañar a los ojos, pero es difícil engañar al corazón.* Al Pacino

Fortalezas: Elegante y ligero, romántico.
Debilidades: Inhibido, sumiso.

Abril 26

MEDITACIÓN:

Cuando surja el enojo, piensa en las consecuencias.

Eres una persona sagaz, perceptiva y con un pensamiento racional. Te fascina el lado más oscuro de la vida. Eres muy sensual y posees un magnetismo que atrae a ambos sexos. Impactas a la gente con tu valor y el poder de tus convicciones. Siempre dejas una impresión inolvidable, cualidad que debes tomar en cuenta. Incluso si la gente sólo te ha visto una vez, nunca te olvida. Tienes la capacidad de encontrar el tesoro enterrado bajo un montón de basura. Gracias a tu gusto por restaurar bienes estropeados y desechados podrías ser un excelente anticuario. Eres una pareja apasionada y necesitas a alguien como tú que pueda manejar tu intensidad y tu temperamento ocasional. El ejercicio intenso, como el boxeo, te ayuda a descargar tus sentimientos cuando las cosas no suceden como las planeaste.

Carta del tarot: La Fuerza
Planetas: Plutón y Venus
Frase: *Un arma no es buena, ni mala, depende de la persona que la use.* Jet Li

Fortalezas: Apasionado e intuitivo.
Debilidades: Gruñón, arrogante.

Abril 27

Eres una persona práctica, con los pies plantados en la tierra, con ambiciones y además, un viajero nato. Te encanta apostar y tomar riesgos, aunque nunca llegas demasiado lejos —siempre tienes tu seguridad en mente—. La educación superior es esencial para ti y si no fuiste a la universidad podrás estudiar algo más adelante. Te encantan las historias de aventuras. Tu gran imaginación te permite inventar historias y que las crean totalmente. Te gusta viajar y, gracias a que tienes buen ojo para ver el valor y la belleza, puedes ser un buen importador de artículos extranjeros. Para ti, las relaciones son sinónimo de aventura, de manera que puedes casarte con un extranjero y terminar viviendo fuera de tu país. Eres inquieto y siempre estás deseando tener nuevas experiencias. Tu manera de relajarte es planeando tu siguiente viaje o viendo películas culturales.

Carta del tarot: El Ermitaño
Planetas: Júpiter y Venus
Frase: *Lo que hice cuando era joven es mil veces más fácil ahora. La tecnología engendra al crimen.* Frank Abagnale

Fortalezas: Explorador, innovador, con una gran imaginación.
Debilidades: Embustero, jugador.

NACIERON EN ESTE DÍA:
Frank Abagnale
(falsificador absuelto que trabaja como consultor para el departamento de seguridad de EU)
Sheena Easton
(cantante)
Ulysses S. Grant
(presidente de EU)
Coretta Scott King
(líder de los derechos civiles)
Jack Klugman
(actor)
Samuel F.B. Morse
(inventor de la clave Morse)

MEDITACIÓN:

Canaliza la inquietud hacia algo creativo que sea nuevo para ti.

Abril 28

Eres una persona extremadamente ambiciosa que aprecia las formas tradicionales. Eres hábil en la preservación del *statu quo* y serías excelente trabajando en alguna institución de interés histórico, a cargo de un museo público, de una propiedad grande o trabajando con antigüedades valiosas. Te planteas una meta y luchas arduamente para llegar a ella. Eres ideal para dirigir o para poseer tu propia compañía. Eres un ejemplo para tus empleados, quienes respetan tu dedicación y tu fiabilidad. La gente sabe qué puede esperar de ti. Eres una pareja leal y fiel, aunque puedes ser muy posesivo y exigir altos estándares a tu pareja. Debes aprender a tomar algunos riesgos para evitar aburrirte —la comedia es un talento oculto que posees y la gente necesita ver más a menudo ese lado tuyo.

Carta del tarot: La Rueda de la Fortuna
Planetas: Saturno y Venus
Frase: *Mucha gente recibe consejos, pero sólo los sabios les sacan provecho.* Harper Lee

Fortalezas: Confiable, emprendedor.
Debilidades: Algunas veces carece de imaginación, demasiado cauteloso.

NACIERON EN ESTE DÍA:
Feruccio Lamborghini
(diseñador de coches)
Harper Lee
(escritor)
Jay Leno
(presentador de TV)
James Monroe
(presidente de EU)
Terry Pratchett
(escritor)
Franco Rossi
(director de cine)

MEDITACIÓN:

Cree que lo tienes, y lo tienes.

Abril 29

Eres una persona innovadora con grandes ideales y los recursos para ponerlos en práctica. Tienes una mente excelente y un fuerte sentido de identidad. Eres claro y franco en tu forma de comunicarte. Eres creativo y lo que produces tiene una originalidad fresca. Eres el más adecuado para ser tu propio jefe. Te encanta trabajar con el público e interactuar con mucha gente. Eres completamente honesto y sigues tus principios en todos tus asuntos. A la hora de elegir parejas potenciales te atrae la gente inusual. Para que dure tu relación es esencial un entendimiento mental. Tu pareja ideal es alguien a quien consideres tu mejor amigo. Si las cosas no salen a tu manera puedes ponerte de malas. Eres propenso a la inercia y a los cambios de humor, necesitas relajarte por las tardes para que tu sistema nervioso descanse.

Carta del tarot: La Justicia
Planetas: Urano y Venus
Frase: *Me encanta estar con mi hija, me encanta arreglar mi jardín. No tengo carencias que necesite llenar.* Uma Thurman

Fortalezas: Ingenioso y artístico.
Debilidades: Irritable, con tendencia a cambios de humor.

NACIERON EN ESTE DÍA:
André Agassi
(campeón de tenis)
Alejandro II
(zar ruso)
William Randolph Hearst
(magnate de la prensa estadunidense)
Hirohito
(emperador japonés)
Michelle Pfeiffer
(actriz)
Uma Thurman
(actriz)

MEDITACIÓN:

Debes sentirte feliz contigo mismo antes de que puedas enriquecer la vida de los demás.

Abril 30

Eres un conversador ingenioso y una persona encantadora con quien estar. Rara vez tienes que forzarte para entrar en una conversación y fácilmente convences a la gente para que esté de acuerdo contigo. Te gusta tanto platicar que debes canalizar tus habilidades de comunicación para lo que haces o te acusarán de desperdiciar el tiempo. Cambias frecuentemente de opinión, puedes ser rígido y conservador y al instante ser espontáneo e impertinente. En el amor eres como una mariposa que se lanza de flor en flor y tienes relaciones sexuales casuales —el problema es que puedes engañar a la gente y jugar con sus sentimientos—. Es probable que te cases más de una vez, pues eres muy cambiante y caes fácilmente en la tentación. Puedes comer sin pensar, así que deberías adoptar el buen hábito de sentarte a comer y centrarte en lo que estás haciendo.

Carta del tarot: La Emperatriz
Planetas: Mercurio y Venus
Frase: *El regalo más grande que me ha dado la vida es el baloncesto.* Isiah Thomas

Fortalezas: Juguetón, de mente ágil.
Debilidades: Inconsistente, fácil de seducir.

NACIERON EN ESTE DÍA:
Kirsten Dunst
(actriz)
Stephen Harper
(primer ministro canadiense)
Willie Nelson
(cantante, compositor)
Michael John Smith
(astronauta)
Isiah Thomas
(jugador de baloncesto)
Bobby Vee
(músico y cantante)

MEDITACIÓN:

Si la pasión conduce tu vida, deja que la razón lleve las riendas.

Mayo 1

Eres una persona determinada que sabe lo que quiere y lo consigue. Tienes talento artístico y un don para la música. Tu impulso interior y tu fuerza forman una combinación dinámica. Además de carisma tienes otras características que te señalan como líder. Tienes un sentido del humor contagioso —raya en lo exagerado— y a los demás les parece divertido. Algunas veces, tu temperamento saca lo peor de ti; tiendes a impacientarte cuando las cosas no se mueven con suficiente velocidad. Deseas una vida segura y cómoda en tu hogar. Tener pareja se te da de manera fácil —siempre y cuando tú estés al mando—. Tu vida amorosa será apasionada, pero con muchos altibajos hasta que aprendas a controlar tu necesidad de hacer dramas. El ejercicio físico, en especial con un amigo, es esencial para ayudarte a liberar la tensión.

Carta del tarot: El Mago
Planetas: Marte y Venus
Frase: *Más que una batalla perdida, la desgracia más grande es una batalla ganada.* Duque de Wellington

Fortalezas: Tenaz y artístico con un ingenio contagioso.
Debilidades: Buscapleitos, tiende a cambios de humor.

NACIERON EN ESTE DÍA:
Antonio Banderas
(actor)
Scott Carpenter
(astronauta y buzo)
Rita Coolidge
(cantante)
Glenn Ford
(actor)
Joseph Heller
(escritor)
Duque de Wellington
(general británico y
hombre de estado)

MEDITACIÓN:

*Escucha a la voz
de tu interior más
que a la voz que sale.*

Mayo 2

Tienes la capacidad de tratar a la gente y a los problemas de manera inteligente y posees una enorme atracción por la belleza en todas sus formas. Sientes una atracción natural por el mundo de la moda, el arte y la industria del maquillaje. Eres una persona muy táctil y física, extremadamente realista y con una enorme capacidad de resistencia. Te importa tu apariencia, aunque eres inconstante con el ejercicio —puedes enorgullecerte por entrenar tu cuerpo y estar en excelente forma o puedes estar totalmente inactivo tirado en el sillón viendo la tele—. Trabajas a un ritmo lento y constante, tienes un profundo deseo de que haya tranquilidad en tu vida. Este control significa que puedes tragarte el enojo y no dejar salir tus sentimientos, aunque algunas veces explotas repentinamente. Te atraen los signos de fuego, que son imaginativos e intuitivos. Bailar al ritmo de rock es una excelente forma de liberar tu control y desinhibirte.

Carta del tarot: La Suma Sacerdotisa
Planetas: Venus y Venus
Frase: *La moda tiene que ver con la felicidad. Es divertida. Es importante. Pero no es una medicina.* Donatella Versace

Fortalezas: Persistente y pragmático.
Debilidades: Reprimido con tendencias a explotar con enojo.

NACIERON EN ESTE DÍA:
David Beckham
(jugador de futbol soccer)
Catalina la Grande
(emperatriz de Rusia)
Eduardo II
(monarca inglés)
Engelbert Humperdinck
(cantante y compositor)
Dwane "the Rock" Johnson
(actor y luchador)
Donatella Versace
(diseñadora de modas y
empresaria)

MEDITACIÓN:

*Lo único que se destruye
con el enojo es el respeto
por uno mismo.*

Mayo 3

Eres una persona ágil y flexible, con una gran habilidad para influir en la gente para que vea las cosas de la misma manera que tú. Y lo haces tan sutilmente que los demás creen que ha sido su idea, lo cual no es un problema para ti, siempre y cuando coincida con tu forma de pensar, así estás satisfecho. Este talento te convierte en un gran negociador y mediador. Tu capacidad de razonamiento es excelente y serías un muy buen profesor porque le agradas a la gente. Entiendes rápidamente los conceptos y aplicas lo que aprendes de una manera particular. Trabajas bien con gente joven y con estudiantes, quienes te consideran uno de ellos aunque seas mucho mayor. Cuando estás enamorado puedes quedarte despierto toda la noche platicando con tu amado. Demasiada cafeína o azúcar puede ponerte nervioso y alterado, es mejor que seas amable con tu cuerpo y tus amigos te lo agradecerán.

Carta del tarot: La Emperatriz	**Fortalezas:** Buen intermediario, alumno flexible.
Planetas: Mercurio y Venus	**Debilidades:** Con tendencias a
Frase: *Para ser un campeón tienes que creer en ti mismo cuando nadie más cree en ti.* Sugar Ray Robinson	ponerse tenso y ansioso.

Mayo 4

Eres una persona reservada y tranquila, con enormes cualidades para cuidar y proteger. La gente se siente relajada cuando está contigo pues tienes la misma capacidad para escuchar que para platicar. Tus amigos y tu familia te importan profundamente, siempre hay una rica cena de bienvenida y un abrazo cuando llegan a verte. Eres del tipo de tierra-madre, da igual de qué sexo seas, y puedes tener éxito en el negocio de la hotelería o de banquetes. Eres sagaz y capaz de localizar una barata, lo cual te hace excelente en las subastas o para una venta de garaje. Eres protector y tiendes a ser demasiado posesivo y protector con tu familia. Por otro lado puedes ser extremadamente sensible y sentirte molesto por las críticas. Necesitas una pareja que comparta tus preocupaciones y que tenga un punto de vista más objetivo y equilibrado que el tuyo. Cuida tu dieta, pues tiendes a comer cuando estás molesto.

Carta del tarot: El Emperador	**Fortalezas:** Cariñoso y astuto.
Planetas: La Luna y Venus	**Debilidades:** Posesivo, es lastimado
Frase: *Algunos alcanzan el éxito. Otros no.* Andre Collins	con facilidad.

Mayo 5

Eres un gobernante con la profunda creencia interior de que nació para mandar. Pones el corazón en cualquier cosa que emprendes y estás dispuesto a correr riesgos. Eres un ejemplo brillante para los demás, quienes te admiran por tu confianza y seguridad en ti mismo. El lugar al que entras se ilumina con tu presencia. Eres muy divertido y siempre estás dispuesto a entretener a tus amigos con una canción y un baile. Tienes valores convencionales y sientes respeto por la autoridad. En una relación amorosa eres muy cariñoso y físico. Mientras tu pareja te preste atención, te sientes muy a gusto y contento. Los problemas comienzan cuando sientes que te descuidan y hieren tu orgullo. Invierte tu energía, organizando una fiesta elegante o alguna otra celebración social que estimule tu creatividad y te ayude a recuperar tu deseo natural por la vida.

Carta del tarot: El Hierofante
Planetas: El Sol y Venus
Frase: *De cada uno de acuerdo a sus habilidades, a cada uno de acuerdo a sus necesidades.* Karl Marx

Fortalezas: Incondicional, tranquilo durante las crisis.
Debilidades: Busca atención, necesitado.

MEDITACIÓN:

Deja que otros tengan su momento de gloria —tras bambalinas también hay gloria.

Mayo 6

Te importa el bienestar de los demás y les das consejos inteligentes y ayuda práctica. Aspiras a una vida simple cerca de la naturaleza, aunque te encuentras atrapado en trivialidades —atascado en el papeleo, por ejemplo—. Sientes que tu trabajo nunca termina y puedes pasar muchas horas metido en la oficina o haciendo los quehaceres de la casa. Te fijas estándares demasiado altos, de manera que eres muy bueno trabajando por tu cuenta. Eres ético y muy bueno con el dinero, tienes un gran sentido común, aunque algunas veces puedes perder la concentración y olvidar lo que quieres lograr por medio de tu trabajo. Eres una pareja leal y fiel, te atrae la belleza física. Disfrutas mucho cuando te das gusto con una buena comida y una botella de vino con esa persona especial. Por tu bien procura relajarte y aprender a dejar a un lado el trabajo durante las noches.

Carta del tarot: Los Amantes
Planetas: Mercurio y Venus
Frase: *Ser completamente honesto con uno mismo es un buen ejercicio.* Sigmund Freud

Fortalezas: Virtuoso y comprensivo ante las necesidades de los demás.
Debilidades: Adicto al trabajo, rígido.

MEDITACIÓN:

Concede la misma importancia a la diversión que al trabajo.

Mayo 7

Eres sumamente encantador y estar contigo es un placer, pues creas una atmósfera tranquila y relajada a tu alrededor. Sofisticado de nacimiento y bendecido con la capacidad de encajar en cualquier ámbito social, eres la pareja perfecta para cualquier evento. Podrías ser un modelo profesional o establecer tu propio negocio de decoración de interiores. Destacas en cualquier cosa que haces y eres recompensado por ello, lo más seguro es que alcances un estilo de vida adinerado. Posees una mente racional y te encantan las discusiones intelectuales. Enfatizas demasiado las soluciones lógicas a los problemas y puedes sentir que pisas terrenos desconocidos cuando es necesario que comprendas sentimientos profundos. Anhelas una relación ideal y das gran valor a la belleza física. Cuando estés estresado usa aceites esenciales, que son ideales para ti, el aceite de ylang ylang es excelente para mejorar tu estado de ánimo.

NACIERON EN ESTE DÍA:
Johannes Brahms
(compositor)
Robert Browning
(poeta)
Angela Carter
(escritora)
Gary Cooper
(actor)
Eduardo IV
(monarca inglés)
Eva Perón
(primera dama argentina)

MEDITACIÓN:

Sobre todas las cosas, ámate a ti mismo, y ama a los demás en la misma medida.

Carta del tarot: El Carro
Planetas: Venus y Venus
Frase: *Soy mujer de mí misma.* Eva Perón

Fortalezas: Cariñoso, lógico e inteligente.
Debilidades: Vano y superficial.

Mayo 8

Eres una persona carismática con un efecto magnético sobre la gente que conoce. Tu comportamiento tranquilo y afectuoso esconde una personalidad intensamente creativa y vigorosa que prefiere dejar que sus acciones hablen por sí solas. Eres como búho y te encuentras a gusto trabajando hasta altas horas de la madrugada. La gente sabe que es mejor tenerte de buenas porque hay una pequeña advertencia de peligro sobre ti. Corres riesgos y vives siempre al límite. Eres estratégico en los negocios y tu instinto de supervivencia se encarga de que rara vez seas sorprendido. Tu fuerte espíritu de lucha te sacará de las peores situaciones. Eres devoto de tu pareja y te mantienes fiel en las buenas y en las malas. Tu secretismo puede ser difícil para ella, de manera que sé más abierto —y te querrá más por ello—. Las artes marciales son un antídoto perfecto contra el estrés que viene de la mano con tu estilo de vida.

NACIERON EN ESTE DÍA:
Henry Dunant
(fundador de la Cruz Roja)
Enrique Iglesias
(cantante y compositor)
Ricky Nelson
(cantante y compositor)
Roberto Rossellini
(director de cine)
Gary Snyder
(poeta)
Harry S. Truman
(presidente de Estados Unidos)

MEDITACIÓN:

Confía en tus propios instintos y hazlo con todo tu corazón.

Carta del tarot: La Fuerza
Planetas: Plutón y Venus
Frase: *En toda mi vida, cada vez que llega el momento de tomar una decisión, la tomo y me olvido de ella.* Harry S. Truman

Fortalezas: Juicioso, lleno de magnetismo.
Debilidades: Frío, toma riesgos, dominante.

Mayo 9

Eres una persona inspirada que está en busca de la verdad. De joven eres más bien descontrolado y te sientes atraído por la belleza física, pero conforme creces, lo que te atrae es la inteligencia. Siempre ves las posibilidades y aprovechas las oportunidades a medida que se te presentan. Esta impulsividad se basa en tu intuición que invariablemente está en lo cierto. Tienes el alma de un gitano. Vivir en una isla desierta sólo por tener la experiencia sería la aventura de tu vida. Tu vida tiene un toque épico y naciste para vagar libremente. En las relaciones necesitas a alguien que sea físicamente bello y que esté dispuesto a explorar junto a ti lo que la vida tiene para ofrecer. A pesar de tu naturaleza bohemia no te agradan las aventuras amorosas. Si te dan ansias por viajar tranquilízate estudiando filosofía o date escapadas cortas a los lugares sagrados del mundo.

Carta del tarot: El Ermitaño
Planetas: Júpiter y Venus
Frase: *Los viejos tiempos no siempre fueron buenos y el futuro no es tan malo como parece.* Billy Joel

Fortalezas: Inspirado, explorador nato.
Debilidades: Inestable, vagabundo.

MEDITACIÓN:

Explora para descubrir el valor de las demás personas.

Mayo 10

Eres una persona ingeniosa y concienzuda, con una gran dosis de integridad. A medida que asciendes por la escalera del trabajo, lo consideras como una labor de amor. Aprecias la formalidad y los buenos modales, y tu presencia es digna y grácil. Valoras las virtudes clásicas, como el honor, la amabilidad y la cortesía. Eres un profesional serio, aunque también te gusta la vida en tu hogar. Quieres los estándares más altos, sólo te conformas con lo mejor y ahorras hasta que puedes comprarte las cosas que quieres. Inviertes dinero en renovar tu casa y te enorgulleces de tener un jardín tan bien cuidado. El romance saca tu lado sensual. Eres muy cariñoso y tienes un sentido del humor atrevido que sólo conocen las personas cercanas a ti. La jardinería o la alfarería ayudan a relajar tu mente y tu cuerpo, además de ayudarte a expresar tu lado artístico.

Carta del tarot: La Rueda de la Fortuna
Planetas: Saturno y Venus
Frase: *En verdad, si no fuera por la música, habría más razones para volverse loco.* Tchaikovsky

Fortalezas: Apasionado y tierno.
Debilidades: Melancólico, materialista.

MEDITACIÓN:

La pasión fluye de la posesión de la sabiduría.

NACIERON EN ESTE DÍA:
Irving Berlin
(compositor)
Eric Burdon
(compositor, cantante
de The Animals)
Salvador Dalí
(artista)
Marco Ferreri
(director de cine)
Martha Graham
(coreógrafa y bailarina de *ballet*)
Valentino
(diseñador de modas)

MEDITACIÓN:

La felicidad es una decisión que algunas veces requiere un esfuerzo.

Mayo 11

Eres una persona excéntrica y única, te gusta el cambio y experimentar nuevas cosas. Eres civilizado y evitas el conflicto a toda costa, prefieres persuadir poco a poco a los demás hasta que estén de acuerdo contigo. Eres un instructor excelente porque explicas muy bien las cosas, eres servicial y amigable. Eres extremadamente confiado y algunas veces das la impresión de ser engreído. Trabajas arduamente y puedes terminar agotado, pues tu mente siempre está activa. Tienes muchos amigos y te gusta estar en grupos. Estas consciente de la conexión entre el cuerpo y la mente, de manera que el tai chi o el yoga sería una profesión excelente para ti. Eres independiente y de mente abierta, tus relaciones pueden ser poco convencionales. Sin embargo, en el fondo de tu corazón eres todo un romántico. Los ejercicios de estiramiento regulado te ofrecen la mejor manera para relajarte, hacer pilates sería lo mejor para ti.

Carta del tarot: La Justicia
Planetas: Urano y Venus
Frase: *Los que no quieren imitar nada, producen nada.* Salvador Dalí

Fortalezas: Liberal y amable.
Debilidades: Egocéntrico, tiende a la ansiedad.

NACIERON EN ESTE DÍA:
Burt Bacharach
(compositor, pianista y cantante)
Yogi Berra
(jugador de beisbol)
Tony Hancock
(actor y comediante)
Katharine Hepburn
(actriz)
Jeddu Krishnamurti
(líder religioso y filósofo)
Florence Nightingale
(pionera de la enfermería moderna)

MEDITACIÓN:

Perder el tiempo sintiendo lástima por uno mismo significa que el problema dista mucho de ser resuelto.

Mayo 12

Eres una persona muy espiritual, sumamente creativa, con una fuerte visión de la vida e ideas fascinantes. Podrías ser un músico o artista visionario que inspire a otros, así de profundo es el campo de creatividad que te rodea. Te fijas metas altas y sigues tus sueños. Viajas lejos y terminas viviendo en otro continente debido a tu búsqueda por ese lugar que sientes que es el Paraíso en la Tierra. Eres un romántico imposible —la más trillada de las canciones atrae tu nobleza y compasión—. Te enamoras del amor, te decepcionas profundamente cuando no funciona bien y te hundes en la autocompasión. En los primeros lugares de tu lista de prioridades está una pareja que te sea fiel. Tiendes a los cambios de humor y eres muy sensible, necesitas cuidar tu ingesta de alcohol. La mejor manera de sanar tu espíritu es llamar a un amigo que pueda consolarte.

Carta del tarot: El Colgado
Planetas: Neptuno y Venus
Frase: *Lo importante no es lo que nos hace el destino, sino lo que nosotros hacemos de él.* Florence Nightingale

Fortalezas: Imaginativo, espiritual, electrizante.
Debilidades: Temperamental, tiende a compadecerse de sí mismo.

Mayo 13

Eres un alma lírica y poética cuya preocupación por la gente va más allá de su propia familia. Puedes llegar al corazón de muchas personas gracias a tu capacidad natural de hacerlas sentir apreciadas. Pero puedes ser persuadido con facilidad y no poner ninguna objeción cada vez que te piden algo, en especial si se trata de una causa que implique el bienestar de los animales o los niños. Ésta es una cualidad muy especial y ten cuidado de no dejar que los demás se aprovechen de ella. Tu infancia fue, y sigue siendo, muy importante para ti. Te complace la vida familiar. Te tomas tu tiempo antes de comprometerte puesto que debes estar seguro. Eres una pareja estable que cuida y protege a los demás, incluyendo a tu amado. Ten cuidado de no asfixiarlos, ¡necesitan respirar! Debes regalarte tiempo libre para darte un espacio; una idea fantástica es que te vayas a un spa a que te consientan.

Carta del tarot: El Emperador
Planetas: La Luna y Venus
Frase: *Los escritores deben ser leídos, pero ninguno debe ser visto o escuchado.*
Daphne Du Maurier

Fortalezas: Profundo y protector.
Debilidades: Sobreprotector, fácilmente persuadido.

NACIERON EN ESTE DÍA:
Bruce Chatwin
(escritor)
Daphne Du Maurier
(escritora)
Harvey Keitel
(actor)
Denis Rodman
(jugador de baloncesto y actor)
Zoë Wanamaker
(actriz)
Stevie Wonder
(músico, cantante, compositor y productor)

MEDITACIÓN:

Quién eres no es lo que te frena, sino quién crees que no eres.

Mayo 14

Eres una persona generosa con un corazón cálido, un anfitrión nato con un encanto y creatividad enormes. Tienes una imaginación vívida y una inocencia infantil que la gente considera adorable. Haces que los demás vuelvan a sentirse jóvenes y les encanta participar en tus juegos. Trabajas bien con los niños y te atrae el mundo teatral, en donde puedes mostrar tu alegre corazón. Eres confiable en los negocios y una vez que comienzas un proyecto perseveras para terminarlo. Estás dedicado a disfrutar de la vida y tu personalidad irradia luz a todas las personas que conoces. En las relaciones te involucras al cien por ciento, pero si te sientes ignorado puedes mimarte en exceso y gastar demasiado. Cuando esto ocurra es mejor que tengas una conversación íntima con tu pareja y que planeen una escapada romántica.

Carta del tarot: El Hierofante
Planetas: El Sol y Venus
Frase: *Los líderes crueles son reemplazados por nuevos líderes que se vuelven crueles.* Che Guevara

Fortalezas: Amoroso, magnánimo, de corazón joven.
Debilidades: Exhibicionista, infantil.

NACIERON EN ESTE DÍA:
Cate Blanchet
(actriz)
Bobby Darin
(cantante, músico y actor)
Ernesto "Che" Guevara
(revolucionario argentino)
George Lucas
(cineasta)
Eric Morecambe
(comediante)
Thomas Gainsborough
(artista)

MEDITACIÓN:

El niño interior también puede ser un anciano sabio —todo es cuestión de equilibrio.

Mayo 15

Eres una persona llana, con los pies en la tierra que desea servir a los demás. Disfrutas del trabajo metódico en el que creas algo de valor duradero. Eres sensible, te importa la nutrición y vigilar lo que comes. La comida orgánica es una prioridad, al igual que cultivar tus propias verduras. Te gustan las comodidades de tu hogar y para ti es un enorme placer poner tu casa en orden y reorganizarla con regularidad. Necesitas sentirte útil y con gusto tomas cursos para entrenarte y mejorar tus habilidades. Eres muy bueno para hacer remodelaciones en tu casa y eres un trabajador manual nato. Tus relaciones son duraderas. Es esencial que valores a tu pareja, elige a alguien que te estimule y que te ayude a explotar tu potencial. Los colores dramáticos alegran tu mundo y le dan un brillo especial.

MEDITACIÓN:

El futuro se presenta un día a la vez.

Carta del tarot: Los Enamorados
Planetas: Mercurio y Venus
Frase: *Un hombre honesto siempre es un niño*. Sócrates

Fortalezas: Artesano, con los pies en la tierra.
Debilidades: Complaciente en el amor, neurótico.

Mayo 16

Exudas *sex appeal* y elegancia. Tu encanto y tu sonrisa amable se ganan de inmediato a la gente. Tus halagos te abren puertas y hacen que los demás se sientan especiales. Tendrías éxito en los medios, en TV o como recepcionista —tu cara es la que la gente quiere ver—. Procuras mantener la paz y no puedes soportar enojos, discusiones o cualquier cosa que perturbe tu equilibrio. Trabajas mejor con un socio porque necesitas a alguien que te complemente. En el amor necesitas mucho cariño físico y reafirmación, pues te preocupa tu apariencia. En la juventud puedes enamorarte de alguien cuya belleza física no corresponda con su carácter. Tu juicio mejora con la edad y aprendes a valorar la compañía. Caminar en la naturaleza es muy satisfactorio y fortificante.

MEDITACIÓN:

Después de la tormenta, siempre sale el Sol.

Carta del tarot: El Carro
Planetas: Marte y Venus
Frase: *Correr es 80 por ciento mental.* Joan Benoit

Fortalezas: Hospitalario, encantador y pacífico.
Debilidades: Superficial e inseguro.

Mayo 17

Eres una persona enigmática y glamorosa con una mirada hipnótica. Te gusta ocultarte detrás de unos lentes oscuros o de unas ventanas polarizadas porque prefieres ver al mundo en lugar de ser visto. Te mueves en círculos interesantes y los barrios de la ciudad que tienen mala fama no te perturban. La gente puede creer que eres una persona encantadora y poco seria, pero puedes ser un oponente peligroso. Te encanta entrar en debates y ser el abogado del diablo sólo por alborotar la situación y aumentar la emoción. Para ti no existen las medias tintas, o amas u odias. Eres un amante apasionado y profundamente comprometido, tiendes a tener una sola pareja para toda la vida. Algunas veces te tomas la vida con demasiada seriedad, de manera que es importante que te permitas reírte y divertirte.

Carta del tarot: La Fuerza
Planetas: Plutón y Venus
Frase: *Antes de una pelea siempre rezo porque nadie salga herido.* Sugar Ray Leonard

Fortalezas: Leal y extremadamente elegante, física y mentalmente.
Debilidades: Intimidante, no se compromete.

NACIERON EN ESTE DÍA:
Dennis Hopper
(actor)
Ayatollah Khomeini
(líder supremo de Irán)
Sugar Ray Leonard
(campeón de boxeo profesional)
Tony Parker
(jugador de beisbol)
Bill Paxton
(actor)
Ronald Wayne
(cofundador de Apple Inc.)

MEDITACIÓN:

La risa es tan importante como el dedo pulgar de la mano del hombre.

Mayo 18

Eres un gran tipo de persona, un visionario que está en una misión para traer belleza e inspiración a la vida de los demás. Puedes ser profundamente filosófico y espiritual desde una edad temprana —siempre estás buscando el significado de la vida—. Debido a esto tienes una fuerte necesidad de explorar y conocer el mundo, aunque también necesitas una base hogareña confortable. Viajas para expandir tu mente y ampliar tu experiencia; te sientes atraído por lugares apartados de los caminos trillados y no te inmutas por las cosas que son "diferentes". La práctica asegura tu éxito a la hora de manifestar tu visión. En el amor eres cálido y generoso. Te gustan las emociones y te aburres fácilmente, por lo que es imporante encontrar la manera de mantener la llama de la pasión viva. Está atento en contra de los excesos y date el descanso suficiente.

Carta del tarot: La Hermita
Planetas: Júpiter y Venus
Frase: *Toma tu palabra en serio, pero nunca a ti mismo.* Margot Fonteyn

Fortalezas: Contemplativa y de mente abierta, ardiente.
Debilidades: Emociones fuertes, con tendencia al agotamiento.

NACIERON EN ESTE DÍA:
Frank Capra
(cineasta)
Perry Como
(cantante y animador)
Margot Fonteyn
(bailarín de *ballet*)
Walter Gropius
(arquitecto y fundador de Bauhaus)
Papa Juan Pablo II
Bertrand Russell
(escritor, matemático y filósofo)

MEDITACIÓN:

La felicidad nunca disminuye cuando se comparte.

41

Mayo 19

NACIERON EN ESTE DÍA:
Kevin Garnett
(jugador de baloncesto)
Grace Jones
(cantante)
Ho Chi Minh
(primer presidente de
Vietnam del Norte)
Malcolm X
(activista de los derechos
humanos)
Pol Pot
(líder de Camboya)
Pete Townsend
(músico)

MEDITACIÓN:

*Cada momento
es una experiencia.*

Eres una persona leal y responsable que demanda respeto, incluso en tu niñez tenías un toque de autoridad. Eres un líder nato, con buen ojo para juzgar a la gente y varias personas confían en ti —algunas veces demasiado—. Dices las cosas como son y tu manera es directa, pero de forma que no molesta a la gente. Permaneces imperturbable y como una roca cuando los tiempos no son buenos. Prefieres hacer cosas que ya hayan sido probadas. En tu vida necesitas producir algo tangible que resista el paso del tiempo. Tus relaciones son para toda la vida y haces un gran esfuerzo para que tu matrimonio funcione. Tienes una fuerte necesidad de seguridad y tu casa es como tu castillo. Tiendes a comer cuando estás cansado, así que cuida de tu cuerpo —un masaje funciona de maravilla para ti.

Carta del tarot: La Rueda de la Fortuna
Planetas: Saturno y Venus
Frase: *Ama a los demás seres humanos igual que como te amas a ti mismo.* Ho Chi Minh

Fortalezas: Confiable con grandes habilidades de liderazgo.
Debilidades: Demasiado cauteloso y tenso.

Mayo 20

NACIERON EN ESTE DÍA:
Cher
(cantante y actriz)
Joe Cocker
(cantante y guitarrista)
El Cordobés
(torero de renombre)
John Stuart Mill
(filósofo)
James Stewart
(actor)
Louis Theroux
(creador de documentales)

MEDITACIÓN:

*Con nuestros pensamientos
creamos al mundo.*

Eres una persona sensata y posees un buen estilo y gran gusto para elegir la ropa y los muebles. Eres estable e imperturbable, con un sentido del humor seco que la gente adora u odia. Te encantan la comida y el vino y los rituales que conllevan, lo que significa que tiendes a darte gustos en exceso algunas veces. Te gustan los aromas y los sonidos de la vida, tienes lo necesario para vivir en el campo. Eres una persona amable, que ofrece ayuda práctica a los demás. Te inclinas a cargar el peso del mundo sobre tus hombros y a descuidar tus propias necesidades. Eres propenso a las enfermedades porque lo que quieres en realidad es que te pongan atención. Compartir con tu pareja y dejar que los demás te ayuden es esencial para tu bienestar. Algunas veces te relajas demasiado y caes en la rutina, de manera que sería inteligente que tu pareja te aliente a que seas activo.

Carta del tarot: La Suma Sacerdotisa
Planetas: Venus y Venus
Frase: *Los maridos son como las fogatas —se apagan cuando no les pones atención.* Cher

Fortalezas: Extremadamente elegante, amable y fiel.
Debilidades: Se inquieta con facilidad, glotón.

Mayo 21

Eres como Peter Pan y tu mente se mueve rápidamente de una cosa a otra. Eres una persona cerebral y autoanalítica, que adora los hechos y recopilar información. Sorprendentemente, también te gusta jugar juegos, mientras más simples, mejor. Todo el día estás en movimiento y naciste con un teléfono en la mano. Algunas veces estás tan ocupado, haciendo muchas cosas a la vez y comunicándote con el mundo que te olvidas de la persona con quien estás. A tu pareja le puede parecer primero una distracción y con el tiempo puede parecerle muy molesto. Si apagas tu celular y te desconectas de Internet en las tardes tendrás grandes recompensas. Sé consciente de que tu mente puede dar la impresión de ser enérgica e incluso incisiva, especialmente cuando estás cansado. Baja un poco la velocidad, tómate un té para relajarte y deja que tu pareja te consuele de verdad.

Carta del tarot: Los Enamorados
Planetas: Mercurio y Venus
Frase: *No podemos cambiar al mundo si no cambiamos nosotros.* The Notorious BIG

Fortalezas: De buen humor y cautivador.
Debilidades: Se distrae con facilidad, maníaco.

NACIERON EN ESTE DÍA:
Malcolm Fraser
(primer ministro australiano)
Robert Montgomery
(actor y director)
The Notorious BIG
(rapero)
Henri Rousseau
(artista)
Laurence Tureaud, "Mr. T"
(actor)
Fats Waller
(pianista)

MEDITACIÓN:

Es mejor conquistarse uno mismo que ganar miles de batallas.

TAURO TÍPICO:

DAVID BECKHAM

"Amo el futbol. Lo más importante para mí es la familia, pero sin el futbol estaría perdido".

Rasgos de Tauro:

Tauro es el más cálido de los tres signos de aire; el amante de la naturaleza, de las artes y de sus semejantes. A Tauro le gusta sentirse seguro y estar rodeado de las cosas que le encantan —incluyendo buena ropa, carros y joyas—. Para ser un signo que está tan sintonizado con la naturaleza, Tauro es extremadamente materialista.

3 ♊ Géminis

LOS ENAMORADOS

CARTA DEL TAROT: Los Enamorados

ELEMENTO: Aire

ATRIBUTOS: Mutable

NÚMERO: 3

PLANETA REGENTE: Mercurio

PIEDRAS PRECIOSAS: Esmeralda, aguamarina, cristal, granate, topacio, olivín

COLOR: Verde

DÍA DE LA SEMANA: Miércoles

SIGNOS COMPATIBLES: Aries, Capricornio, Virgo

PALABRAS CLAVE: Alegre, divertido, inteligente, versátil, de pensamientos claros, le gusta hablar, nervioso e inquieto

ANATOMÍA: Manos y brazos, pulmones

HIERBAS, PLANTAS Y ÁRBOLES: Milenrama, madreselva, verbena, atanasia, grama, rubia roja

FRASE CLAVE:
Yo pienso

Géminis es el mensajero del Zodiaco y corresponde a la transición entre la primavera y el verano. Este signo gobierna los pulmones y los brazos, razón por la que Géminis tiende a utilizar mucho sus manos durante una conversación. Es inmensamente curioso, siempre está en busca de nueva información, pero puede sufrir agotamiento nervioso si es estimulado en exceso, de manera que debe tener cuidado con ello.

Como tercer singo del Zodiaco, Géminis explora el vecindario que Tauro ha cultivado. Mercurio rige los caminos y los ríos, el comercio y el intercambio, y como consecuencia, a Géminis le encanta vivir en ciudades, disfrutando del bullicio y sobresaliendo en los negocios. Géminis es visto con frecuencia en las cafeterías y en los foros de *chat* en Internet —en cualquier lugar donde la gente se reúna e intercambie ideas—. Géminis representa la época en la que un niño pequeño comienza a hablar y a relacionarse con sus hermanos y sus vecinos.

REGENTE PLANETARIO Y ATRIBUTOS
Géminis es un signo mutable de aire. Como el primer signo de aire, él circula los mensajes y las noticias, en consecuencia, Géminis formula unas preguntas excelentes y podría ser un reportero brillante. Estás regido por Mercurio, el cual permanece invisible muy a menudo debido a su cercanía al Sol. Géminis es como el mercurio; siempre cambiante, con movimientos rápidos y es camaleónico. Mercurio, también conocido como Hermes, siempre estaba haciéndoles bromas a los demás dioses. Fue un niño precoz, al día siguiente de su cumpleaños inventó la lira y la noche siguiente robó el ganado de Apolo. Con suerte para él, el dios estaba encantado por la lira y lo perdonó. Géminis puede ser un imitador o un lingüista excelente y le encanta hacer juegos de adivinanzas.

RELACIONES
Géminis es muy divertido. Siempre estás hablando y una buena conexión mental con tu pareja es esencial para ti. Haces amigos fácilmente y tu punto de vista sobre las relaciones es muy sencillo. Eres muy jovial y atractivo, necesitas que en tu vida haya variedad. Debido a ello, y a tu necesidad de libertad para tener relaciones sexuales casuales y de probar todo lo que el amor te ofrece, el matrimonio no está dentro de tu lista de prioridades.

Sin embargo, cuando llegas a los treinta esto puede cambiar —pero sólo hasta que no encuentres a esa persona especial a la que respetes como igual.

Géminis es atraído por los otros signos de aire, Libra y Acuario, y es fascinado por Sagitario, que es su opuesto y con quien comparte el amor por el conocimiento. Los mejores amigos y los cónyuges de Géminis son Aries; y Capricornio es el mejor socio para los negocios. Comparte un lazo común con Virgo, signo que también es regido por Mercurio.

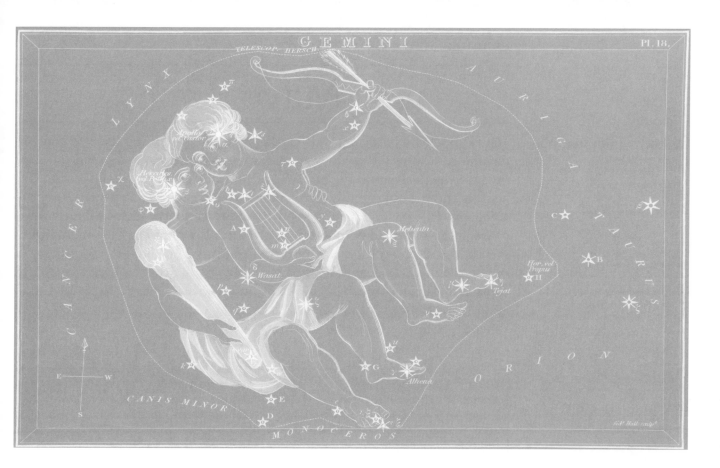

MITO

Géminis es la constelación de los hermanos gemelos Cástor y Pólux. Los gemelos compartían a la misma madre, pero tenían padres diferentes y por ello Pólux era inmortal y Cástor era mortal. Cástor era un hábil entrenador de caballos y Pólux era boxeador experto. Eran inseparables y nunca se distanciaron, cuando Cástor murió, Pólux le pidió a Zeus que le permitiera compartir su propia inmortalidad con su gemelo para que pudieran estar juntos. Ambos fueron transformados en la constelación de Géminis.

FORTALEZAS Y DEBILIDADES

A Géminis le encanta la variedad y por lo general tiene dos de cada cosa —dos coches, dos casas, dos trabajos y, algunas veces, dos amantes—. Es la típica mariposa, puede ser inconstante y distraerse con facilidad, se le dificulta estar centrado. Géminis es el locutor del Zodiaco y le dirá a todo el mundo lo que hacen los demás. Es un comunicador excelente, aunque puede ser chismoso. Esto no es en sentido negativo —simplemente le encanta estar enterado de todo—. Si quieres que algo "se filtre", díselo a Géminis.

Naciste con un teléfono en la mano y disfrutas del rápido movimiento del mercado y del comercio. Géminis inventó la multitarea, los teléfonos con conexión a Internet y el arte de tener más de un proyecto en marcha.

GÉMINIS TÍPICO:
JOHNNY DEPP

"Si mi trabajo me ha enseñado algo, es que al final está bien ser diferente, es bueno ser diferente; debemos reflexionar antes de juzgar a alguien que tiene apariencia diferente, que se comporta diferente, que habla diferente o que es de un color diferente."

PODERES DE GÉMINIS: Amante de la diversidad, mariposa social, hábil con las palabras.

ASPECTOS NEGATIVOS DE GÉMINIS: Chismoso, tiende a la ansiedad.

3

Naomi Campbell
(supermodelo)
Mary Stevenson Cassalt
(actriz)
Arthur Conan Doyle
(escritor)
Hergé
(caricaturista, creador de Tintin)
Sir Laurence Olivier
(actor)
Richard Wagner
(compositor y poeta)

MEDITACIÓN:

Recuerda lo que es el verdadero amor.

Mayo 22

Tienes un talento particular con las palabras y eres capaz de ganarte el corazón de niños y adultos por igual. Eres un gran pensador, aunque tus emociones influyen en las decisiones que tomas. Tu actitud ante la vida es desenfadada y a la gente le encanta estar en tu alegre compañía. Trabajas bien con los niños porque compartes su entusiasmo por aprender y absorber nuevas ideas. Algunas veces aparentas inseguridad porque eres impresionable y cambias de opinión dependiendo del último consejo que recibiste. Te casas joven, amas a los niños y la vida en familia. Te enamoras fácil y rápidamente; necesitas cariño y mimos constantes. Sin embargo, tus cambios de humor pueden alejar a tu pareja. Cuida lo que comes y sigue el consejo de un nutriólogo, pues tu sistema digestivo se resiente por tus cambios emocionales.

Carta del tarot: El Emperador
Planetas: La Luna y Mercurio
Frase: *No podemos mandar sobre nuestro amor, pero sí sobre nuestras acciones.*
Arthur Conan Doyle

Fortalezas: Amigable, con un punto de vista despreocupado sobre la vida.
Debilidades: Caprichoso y ambivalente.

Abdul Baha'i
(fundador del bahaísmo)
Helene Boucher
(piloto pionera)
Rosemary Clooney
(cantante y actriz)
Joan Collins
(actriz)
Douglas Fairbanks Sr.
(actor)
Aldo Gucci
(diseñador de modas)

MEDITACIÓN:

La simplicidad es la sofisticación fundamental.

Mayo 23

Eres una estrella glamorosa en el espectáculo de tu vida. Incluso en tu niñez tenías cierto aire de realeza y tu naturaleza amigable, mezclada con la calidez que irradias hacia los demás, de inmediato te garantiza la popularidad. A temprana edad aprendiste a exagerar sólo para llamar la atención y a nadie le importa si lo que dices es verdad porque las historias que cuentas son verdaderamente divertidas —tienes cautivada a la gente durante horas—. Eres un actor natural y, aunque eres muy divertido, también eres una persona ambiciosa con una fuerte determinación que contradice tu carácter algunas veces frívolo. Necesitas una pareja que te dé gran cantidad de cariño y caricias. Esta necesidad de halagos, algunas veces desesperada, puede molestar a tu pareja, pero mientras le devuelvas el favor de vez en cuando, te adorará siempre.

Carta del tarot: El Hierofante
Planetas: El Sol y Mercurio
Frase: *O sea, incluso en mi vestidor del estudio hay velas y cojines y alfombras de casimir y cosas así.* Joan Collins

Fortalezas: Divertido, convincente.
Debilidades: Emocionalmente inseguro, demasiado extravagante.

Mayo 24

Eres una persona con los pies en la tierra, aplicas de una manera práctica lo que aprendes. Deseas servir de verdad a los demás. Eres muy crítico y tienes una fuerte tendencia al perfeccionismo. Esta característica puede dar lugar a la frustración de tener muchos proyectos que nunca terminas porque no te permites dejarlos hasta que no estén perfectos. A pesar de lo anterior, tienes la capacidad de tomar buenas decisiones y de pensar con los pies en la tierra. Trabajar en el mundo del radio, la televisión o de la bolsa es bueno para ti porque ahí aprenderías a cumplir con las fechas límite de entrega. Siempre estás en movimiento y ese estilo de vida frenético puede provocar problemas en tus relaciones. Tu necesidad de perfeccionismo se extiende a tu pareja, quien tiene que ser guapo, intelectual e ingenioso. Relájate y reconoce el hecho de que nadie es perfecto.

Carta del tarot: Los Enamorados
Planetas: Mercurio y Mercurio
Frase: *Un hombre es exitoso si se levanta por las mañanas y se va a la cama en las noches, y mientras tanto hace lo que quiere hacer.* Bob Dylan

Fortalezas: Modesto, rápido pensador.
Debilidades: Perfeccionista, exigente.

NACIERON EN ESTE DÍA:
Jim Broadbent
(actor)
Eric Cantona
(jugador de futbol soccer y actor)
George Washington Carver
(botánico, naturalista y químico)
Bob Dylan
(cantante, compositor, músico, artista y poeta)
Priscilla Presley
(actriz y esposa de Elvis Presley)
Reina Victoria
(monarca británica)

MEDITACIÓN:

El oro no puede ser puro y la gente no puede ser perfecta.

Mayo 25

Eres un comunicador talentoso y sumamente encantador. Eres muy sociable, te encanta estar con la gente y llenar tu agenda con eventos sociales y paseos. Te gusta el barullo de la vida en la ciudad, incluso cuando no estás trabajando; explorar las grandes ciudades del mundo —especialmente en Europa— son las vacaciones ideales para ti. Eres un buen amigo y siempre estás dispuesto a platicar. Eres imparcial, así que la gente recurre a ti cuando hay alguna disputa. Tu propósito en la vida es hacer feliz a la gente y lo haces muy bien. Tu círculo de amigos es muy grande. Tu pareja debe tener una apariencia deseable porque el físico es importante para ti. También debe ser inteligente pues de otra manera te aburriría. No soportas estar en un lugar desagradable. Cuando estás estresado necesitas escaparte a un santuario tranquilo y hermoso para recuperar la paz interior.

Carta del tarot: El Carro
Planetas: Venus y Mercurio
Frase: *Un amigo puede ser considerado una obra maestra de la naturaleza.* Ralph Waldo Emerson

Fortalezas: Cautivador y extremadamente sociable.
Debilidades: Desea emociones constantemente, algunas veces es demasiado imparcial.

NACIERON EN ESTE DÍA:
Ralph Waldo Emerson
(escritor y poeta)
Ian McKellen
(actor)
Claudio Monteverdi
(compositor)
Mike Myers
(actor, comediante, guionista y productor)
Padre Pio
(moje capuchino y sanador)
Zim Zimmerman
(caricaturista)

MEDITACIÓN:

Recuerda que el aburrimiento es un insulto a uno mismo.

Mayo 26

Eres una persona compleja con un lado brillante y un lado oscuro. Dejas una excelente primera impresión porque eres magnético y tienes una personalidad vivaz. Tienes una manera hipnótica, grácil e intensa de mover tu cuerpo. Posees un gran valor y, una vez que te comprometes a algo, jamás te rindes. Continúas hasta el final y puedes recuperarte de un dolor emocional contando un chiste y con una alegría que sorprende a los demás. Eres inmensamente curioso e investigas todo. Eres receloso por naturaleza, nunca aceptas nada por su apariencia, sin antes estudiarlo más de cerca. Tu magnetismo sexual es fuerte y en el romance tienes encuentros sexuales casuales. Una vez que sientas cabeza puedes sentir celos y debes aprender a confiar en tu pareja. Necesitas un confidente o un terapeuta con quien hablar de tus sentimientos más profundos.

NACIERON EN ESTE DÍA:
Zola Budd
(campeona de pruebas
de larga distancia)
Miles Davis
(músico)
Isadora Duncan
(bailarina y actriz infantil)
Príncipe Eduardo, Duque de York
(miembro de la familia real)
Peggy Lee
(cantante)
John Wayne
(actor, director de cine y productor)

MEDITACIÓN:

Ningún hombre se vuelve tonto hasta que no deja de hacerse preguntas.

Carta del tarot: La Fuerza
Planetas: Plutón y Mercurio
Frase: *Yo sé qué he hecho por la música, pero no me llamen leyenda. Sólo llámenme Miles Davis.* Miles Davis

Fortalezas: Lleno de vida y animoso.
Debilidades: Escéptico y tiende a sentir celos.

Mayo 27

Eres un viajero en cuerpo y alma. Constantemente estás aprendiendo algo nuevo, eres el eterno estudiante. Dependiendo de tu educación y de lo disciplinado que seas, cuando seas mayor te volverás filósofo. Eres tanto maestro como alumno y trabajas bien con la gente joven, no importa tu edad. Tu curiosidad insaciable puede meterte en problemas cuando te pases de la raya, haciendo demasiadas preguntas. Eres una compañía fascinante y serías un guía maravilloso pues siempre estás muy bien informado. En las relaciones, tu sed de información significa que puedes hablar sin estar pendiente de la respuesta y esta costumbre puede desesperar a tu pareja. Para ayudar a que te concentres, cada mañana durante media hora escribe todo lo que te venga a la cabeza.

NACIERON EN ESTE DÍA:
Rachel Carson
(bióloga marina y
ecologista pionera)
Joseph Fiennes
(actor)
Neil Finn
(cantante de Crowded House)
Henry Kissinger
(científico, político y diplomático)
Christopher Lee
(actor)
Vincent Price
(actor)

MEDITACIÓN:

Por lo general, la preocupación proyecta una gran sombra sobre algo pequeño.

Carta del tarot: El Ermitaño
Planetas: Júpiter y Mercurio
Frase: *Nunca nadie ganará la batalla de los sexos; hay demasiada fraternización con el enemigo.* Henry Kissinger

Fortalezas: Pensador profundo, adaptable.
Debilidades: Preocupado, pregunta demasiado.

Mayo 28

Eres una persona seria aunque divertida. Eres un escritor disciplinado y experto en el uso de las palabras; estás preparado para trabajar diligentemente durante mucho tiempo para crear con habilidad una carta, poema o texto muy bien redactado. Tu manera de pensar y de hablar corresponde a una persona mayor, con más experiencia, y puedes conseguir que te promuevan a un puesto más alto. A los jefes les gusta el respeto que les tienes. Puedes decir "sí" en un impulso, pero cambiar después de opinión y tardarte una eternidad en tomar una decisión final. Eres sagaz y tu mente trabaja rápidamente, por lo que eres excelente para los negocios, en especial por tu habilidad para las matemáticas, las finanzas y la administración. En las relaciones eres serio, puedes estar muy bien con una pareja mayor que tú. Te encanta la soledad, de manera que te entenderías mejor con alguien que tenga su propio empleo o que esté de acuerdo en manejar sus propios asuntos sin ti. Una forma de meditación para ti es escribir una novela.

Carta del tarot: La Rueda de la Fortuna
Planetas: Saturno y Mercurio
Frase: *Parte de mí es una exhibicionista sexual.* Kylie Minogue

Fortalezas: Perceptivo, con buenos modales.
Debilidades: Indeciso, solitario.

NACIERON EN ESTE DÍA:
Carol Baker
(actriz)
Ian Fleming
(escritor, creador de James Bond)
Rudolph Giuliani
(alcalde de Nueva York)
Gladys Knight
(cantante)
Kylie Minogue
(cantante)
William Pitt the Younger
(político británico)

MEDITACIÓN:

Recuerda la diferencia entre sentirse solo y estar solo.

Mayo 29

Eres un reformador natural, una persona extraordinaria con una manera inusual de expresarse que resulta cautivadora. Eres un pensador libre y único en su especie, con ideas revolucionarias que pueden estar adelantadas a su época. Das la impresión de ser poco serio, pero dicha impresión se desmiente con la profunda conexión de tu alma con el resto de la humanidad y la creencia de que estás en esta vida para servirle. Tu intención es hacer que el mundo sea un lugar mejor por medio de lo que dices. En el amor necesitas un intelectual como tú y un mejor amigo, aunque huyes de las emociones profundas. Tienes una gran necesidad de tener un espacio personal, lo cual puede evitar la verdadera intimidad con tu pareja. La falta de ejercicio puede ser un problema, en especial si tiendes a pasar muchas horas al día, trabajando en un escritorio; intenta darte tiempo para hacer pilates o yoga y estirar tu cuerpo.

Carta del tarot: La Justicia
Planetas: Urano y Mercurio
Frase: *No me siento viejo. No siento nada antes del mediodía, cuando es la hora de mi siesta.* Bob Hope

Fortalezas: Progresivo, un filántropo.
Debilidades: Miedo de las emociones personales, a veces demasiado independiente.

NACIERON EN ESTE DÍA:
Melanie Brown
(cantante de Spice Girls y personalidad de televisión)
G.K. Chesterton
(escritor y poeta)
Rupert Everett
(actor)
Patrick Henry
(revolucionario estadunidense y líder de guerra)
Bob Hope
(actor y comediante)
John F. Kennedy
(presidente de Estados Unidos)

MEDITACIÓN:

Si descuidas tus propias emociones, alguien a quien amas saldrá lastimado.

3 ♊

Mayo 30

NACIERON EN ESTE DÍA:
Alberto Durero
(artista y pintor)
Peter Carl Fabergé
(orfebre y diseñador de joyas)
Benny Goodman
(clarinetista y director de orquesta)
Pedro el Grande
(emperador ruso)
Wynonna Judd
(cantante)
Larry G. Spangler
(director de cine)

Eres increíblemente versátil y hábil, en especial con las manos. Te expresas con las manos igual que con la boca cuando hablas. Tu mente es ágil y eres sensible ante los matices del sonido y del lenguaje. Tu naturaleza amigable es irresistible. Eres muy divertido y te encanta contar chistes infantiles. Eres ingenioso y te encantan las cosas nuevas, de tal manera que te aburres pronto de cualquier cosa que esté "vieja". Tienes muchísimos contactos en tu libreta de direcciones y eres la red social ideal, siempre pones en contacto a la gente. En las relaciones amorosas necesitas saber qué está pasando en la mente de tu pareja y pueden reclamarte que mandes mensajes de texto con demasiada frecuencia. Manda mensajes al mundo por *Twitter* o ve los noticieros en los canales de 24 horas para satisfacer tus ansias de comunicarte por medio de textos cortos.

MEDITACIÓN:

Una sola conversación con un sabio es mejor que diez años de estudio.

Carta del tarot: Los Enamorados
Planetas: Mercurio y Mercurio
Frase: *Logré conquistar un imperio, pero no he logrado conquistarme a mí mismo.* Pedro el Grande

Fortalezas: Práctico, divertido.
Debilidades: Se aburre con facilidad, tiene necesidad de información.

Mayo 31

NACIERON EN ESTE DÍA:
Clint Eastwood
(actor)
Colin Farrell
(actor)
Rainiero
(soberano de Mónaco)
Brooke Shields
(actriz y modelo)
Terry Waite
(altruista y rehén liberado)
Walt Whitman
(poeta)

Eres una persona vital, amable y compasiva. Tienes la capacidad de percibir el estado de ánimo de la gente y, gracias a tu habilidad de expresar los sentimientos de aquellos que no pueden hablar por sí mismos, eres el portavoz ideal de un grupo. Te deleitas estando con la gente y tu familia y tu gran grupo de amigos están ansiosos por reunirse contigo. Mantienes en contacto a todos y tiendes a preocuparte si alguien desaparece de tu radar; no olvides que quizá sea porque quiere estar un tiempo a solas. Tu carácter parlanchín y encantador es ideal para tratar con ancianos porque los animas con sólo ser tú mismo. Muchas veces sientes tanta familiaridad con tu pareja como si la conocieras de toda la vida, es posible que termines casándote con tu vecino. Algunas veces tomas demasiado personal lo que la gente dice. Sacúdete sus comentarios con una sonrisa encantadora.

MEDITACIÓN:

No puedes darle la mano a nadie si tienes el puño cerrado.

Carta del tarot: El Emperador
Planetas: La Luna y Mercurio
Frase: *Mientras más insegura es una persona, más probable es que tenga prejuicios extremos.* Clint Eastwood

Fortalezas: Compasivo y protector.
Debilidades: Demasiado sensible y regido por las emociones.

Junio 1

Eres una persona efervescente que derrocha energía. Puedes hacer varias cosas al mismo tiempo y siempre estás al tanto de las últimas noticias y chismes. Tu mente es tan ágil que a menudo te irrita la gente que no te entiende con rapidez. Tu curiosidad innata sobre la vida y el fascinante aspecto infantil de tu personalidad te mantienen por siempre joven —aunque esto conlleva un aire de inocencia—. Eres muy persuasivo. Tus bienes más importantes son tu ingenio y tu sentido del humor. Cuando estás enamorado puedes aburrirte con facilidad, de manera que necesitas una pareja con un intelecto vivaz como el tuyo para mantenerte estimulado mentalmente. Expresar tus sentimientos más profundos puede ser una dificultad para ti. Si hablas mucho puedes sentirte agotado y una manera de corregirlo es hacer caminatas o correr para entrar en contacto con tu cuerpo y tu respiración.

Carta del tarot: El Mago
Planetas: Marte y Mercurio
Frase: *He aparecido en calendarios, pero nunca he aparecido a tiempo.* Marilyn Monroe

Fortalezas: Inquisitivo y vibrante.
Debilidades: Inmaduro e impaciente.

MEDITACIÓN:

Respétate a ti mismo y los demás te respetarán.

Junio 2

Eres una persona sensual con un fuerte intelecto. Te caracterizan dos aspectos: puedes pensar con la cabeza y con el corazón. Un minuto estás apurado, corriendo por la ciudad y al siguiente minuto estás relajado en el jardín, disfrutando de una botella de vino. Por suerte te das cuenta de que necesitas equilibrar tu vida social tan ajetreada con un poco de tiempo de inactividad. Eres una persona elegante y te gusta estar actualizada en cuanto a la moda se refiere. Tiendes a tomar todo en sentido literal en detrimento de tu lado espiritual. Las relaciones son esenciales para ti y nunca estás solo durante mucho tiempo. Eres extremadamente coqueto porque te encanta el sexo opuesto y tú le encantas a él también. Aunque, en el fondo de tu corazón, eres increíblemente leal y fiel. Te relajas más cuando estás utilizando todos tus sentidos, por lo que la diversión para ti significa preparar y cocinar una cena exótica.

Carta del tarot: La Suma Sacerdotisa
Planetas: *Venus y Mercurio*
Frase: *Para una mujer es difícil definir sus sentimientos con un idioma creado principalmente para que los hombres puedan expresar los suyos.* Thomas Hardy
Fortalezas: Sensato y cordial.
Debilidades: Coqueto y algunas veces carece de profundidad.

MEDITACIÓN:

La belleza es poder, la sonrisa su espada.

3 ♊

Junio 3

NACIERON EN ESTE DÍA:
Raúl Castro
(presidente de Cuba)
Tony Curtis
(actor)
Rey Jorge V
(monarca británico)
Allen Ginsberg
(escritor y poeta)
Curtis Mayfield
(cantante)
Suzi Quatro
(músico, cantante, compositora)

Eres la juventud eterna y mantienes un aire infantil, sin importar la edad que tengas. Estás lleno de entusiasmo, siempre piensas y hablas muy rápido. Para la gente que es más lenta que tú es difícil seguirte. Tienes un don para los idiomas e imitas fácilmente las voces, lo cual te hace un excelente actor o intérprete. Tienes una inmensa curiosidad por la gente y siempre estás haciendo preguntas. Esto puede malinterpretarse como coquetería, la gente puede creer que estás interesada en ella, y sí lo estás, pero no necesariamente en un sentido romántico. Te es incómodo expresar tus emociones y tienes cuidado de la gente que es demasiado intensa. Necesitas una pareja que te cuide y te proteja y valoras que esté en casa al regresar de un ajetreado día de trabajo. Sería muy bueno para ti que aprendieras sobre inteligencia emocional, ya que disfrutarías los resultados en tu vida amorosa.

MEDITACIÓN:

Haz caso a tu propia luz de luna interior, no escondas la locura.

Carta del tarot: La Emperatriz
Planetas: Mercurio y Mercurio
Frase: *¿Cómo está el Imperio?*. Rey Jorge V

Fortalezas: Elocuente, con una perspectiva jovial de la vida.
Debilidades: Incómodo con los sentimientos del corazón, habla demasiado rápido.

Junio 4

NACIERON EN ESTE DÍA:
Gene Barry
(actor)
Matt Gonzalez
(activista y poeta)
Angelina Jolie
(actriz y altruista)
Dennis Weaver
(actor)
Heinrich Otto Wieland
(químico y ganador del Premio Nobel)
Noah Wyle
(actor)

Eres una persona amable y encantadora, con una profunda conexión con el pasado, con tu familia y con tus antepasados. Tu capacidad para recordar y registrar datos es ideal para la profesión de cronista o escritor, en especial de ficción infantil. Necesitas crear un hogar donde haya mucha actividad para toda la familia y que siempre esté llevándose a cabo una actividad de grupo. Te encanta ir de paseo a los lugares que conociste de niño y que te traen recuerdos de los buenos momentos. El camino para llegar a tu corazón es fácil; te emociona el sonido de la voz de las personas y, si cocinan como tu mamá, todavía mejor. Tu pareja es sin duda tu mejor amigo y es más como un hermano algunas veces. Cuando estés cansado de hablar es mejor que comas la comida que disfrutabas cuando eras niño, así te sentirás aliviado por el sabor y los recuerdos.

MEDITACIÓN:

No hables demasiado rápido —puedes decir algo que aún no has pensado.

Carta del tarot: El Emperador
Planetas: La Luna y Mercurio
Frase: *Amamos a alguien no porque sea la persona perfecta, sino porque vemos de manera perfecta a una persona imperfecta.* Angelina Jolie

Fortalezas: Hábil con las palabras, sentimental.
Debilidades: Descentrado, algunas veces habla demasiado.

Junio 5

Aunque tienes el porte de la realeza, en el fondo eres una persona relajada y accesible. Eres un narrador de cuentos nato y no puedes resistirte a adornar tu vida con anécdotas brillantemente comentadas que de alguna manera alargan la verdad. Sin embargo, eres una persona íntegra y el objetivo de tus historias es sólo para entretener. Como comediante de ti mismo eres ideal para el mundo de las películas o la comunicación. También tienes buen futuro en las ventas porque tienes la capacidad de convencer a la gente de que compre lo que sea. Tu carácter travieso verdaderamente da alegría a un mundo monótono. En el amor eres muy exigente y quieres lo mejor —lo cual no incluye a los simples mortales—. Una excelente forma de liberar energía es jugar a adivinar con mímica porque eres muy hábil para ello y te ganarás el aplauso que tanto te gusta.

Carta del tarot: El Hierofante
Planetas: El Sol y Mercurio
Frase: *El propósito de la antropología es hacer del mundo un lugar más seguro para las diferencias humanas.* Ruth Benedict

Fortalezas: Afable y juguetón.
Debilidades: Presumido, cuenta cuentos.

NACIERON EN ESTE DÍA:
John Couch Adams
(matemático y astrónomo)
Ruth Benedict
(antropóloga)
William Boyd
(actor)
Igor Stravinsky
(compositor)
Francisco Villa
(revolucionario mexicano)
Mark Wahlberg
(actor y productor de cine)

MEDITACIÓN:

No hables a menos que lo que digas sea mejor que el silencio.

Junio 6

Eres una persona consciente que nunca decepcionaría a nadie. Estás en esta vida para servir a la gente y beneficiar a los demás con tu experiencia práctica. Tienes un ingenio sutil que algunas veces usas para coquetear con discreción. Tu mente analítica es ideal para trabajar con detalles. Tus manos y tus ojos están perfectamente coordinados, lo cual es ideal para los deportes o el diseño técnico. Tienes muchos pasatiempos porque te aburres si tu mente no recibe un estímulo constante. En el romance te gusta la conquista y necesitas a alguien que esté consagrado a ti. Cásate con alguien que te mantenga joven. Tu capacidad de ayudar es tu mejor característica, pero ten cuidado de que no abusen de ti. Cualquier tipo de autocompasión es desagradable, así que centra tus energías en la creatividad —pintar o hacer esculturas te absorberá por completo.

Carta del tarot: Los Enamorados
Planetas: Mercurio y Mercurio
Frase: *Todo se relaciona con la política.* Thomas Mann

Fortalezas: Servicial y diligente.
Debilidades: Tiende a compadecerse de sí mismo, maniático.

NACIERON EN ESTE DÍA:
David Abercrombie
(empresario)
Sara Bernhard
(comediante y actriz)
Björn Borg
(campeón de tenis)
Thomas Mann
(escritor y ganador del Premio Nobel)
Alexander Pushkin
(escritor)
Capitán Robert Falcon Scott
(explorador que dirigió expediciones a la Antártida)

MEDITACIÓN:

La autocompasión es la autodestrucción.

3

NACIERON EN ESTE DÍA:
Paul Gauguin
(artista)
Jorge I
(monarca británico)
Allen Iverson
(jugador de baloncesto)
Tom Jones
(cantante)
Charles Rennie Mackintosh
(artista y diseñador)
Dean Martin
(actor y cantante)

MEDITACIÓN:

Concéntrate; en dondequiera que estés, no estés en ningún otro lugar.

Junio 7

Eres encantador y eres un anfitrión maravilloso gracias a tu capacidad para reunir gente. A las personas les gusta estar contigo pues tienes un extraño talento natural para saber qué decir y cuándo decirlo —para tranquilizar y hacer que todos se sientan en paz—. Eres artístico de nacimiento o de profesión y tienes un gran sentido del estilo. Tienes un modo alegre y despreocupado que resulta estimulante y anima a la gente. Te encanta viajar a lugares que no conoces. En la vida amorosa tienes éxito cuando tu pareja comparte tu vida ajetreada. Eres leal, pero debido a que eres capaz de ver ambos puntos de vista, puede parecer que no eres solidario; hay ocasiones en las que tu pareja necesita saber que ciertamente estás de su lado. Cuando estés descansando en tu casa apaga la televisión y centra tu atención en tu pareja. Platicar con ella te tranquilizará y beneficiará tu relación.

Carta del tarot: El Carro
Planetas: Venus y Mercurio
Frase: *Cierro los ojos para poder ver*. Paul Gauguin

Fortalezas: Encantador y hospitalario.
Debilidades: Indeciso, falta de concentración algunas veces.

NACIERON EN ESTE DÍA:
Tim Berners-Lee
(inventor de la Web)
Jessica Delfino
(cantante y comediante)
Joan Rivers
(comediante)
Robert Schumann
(compositor)
Nancy Sinatra
(cantante, hija de Frank Sinatra)
Frank Lloyd Wright
(arquitecto)

MEDITACIÓN:

Un proverbio es la sabiduría de muchos y la inteligencia de uno.

Junio 8

Eres un bromista nato con una inteligencia mordaz que puede ser de gran utilidad en la política o cuando luches por una causa en la que crees. Tienes la capacidad de usar las palabras de una manera tan tajante y humorística que puede poner en ridículo a tus enemigos, en especial a los que erróneamente te consideran superficial. Eres un excelente consejero porque entiendes las emociones humanas y ofreces un consejo sensato. Tu capacidad de reír ante la adversidad te da un optimismo que los demás admiran. Algunas veces repartes tu energía y puedes cambiar tu fidelidad a tu antojo y poner en una situación difícil a los que creen en ti. Necesitas una pareja apasionada que entienda que detrás de tus bromas se encuentra un alma sensible, que no pierde fuerza cuando te gana el temperamento. Un largo baño de tina es bueno para relajarte cuando la vida se vuelve muy ajetreada.

Carta del tarot: La Fuerza
Planetas: Plutón y Mercurio
Frase: *Mis muslos son flácidos, pero afortunadamente mi estómago los tapa.* Joan Rivers

Fortalezas: Comprensivo y apasionado.
Debilidades: Indeciso, de humor mordaz.

Junio 9

Eres cálido y entusiasta, tienes un gran don para platicar de forma amena. Puedes comprender las cosas con una rapidez que quita el aliento. Le caes bien a la gente y eres popular, tienes muchos amigos de diferentes entornos. Tiendes a emocionarte sobremanera en cuanto a tu proyecto más reciente, el cual generalmente involucra a mucha gente de todo el mundo. Consideras que la vida es una aventura. Te atrae el estudio de los grandes pensadores y filósofos de la historia, te encanta sumergirte en el conocimiento antiguo. Te enamoras de gente de otras culturas y es muy probable que termines casado con un extranjero. Cuando se trata de asuntos del corazón eres muy jovial. Necesitas libertad para vagar, lo cual dificulta que te asientes en un mismo lugar. El ejercicio perfecto para ti es correr, pues liberas el exceso de energía.

Carta del tarot: El Ermitaño
Planetas: Júpiter y Mercurio
Frase: *La gente me ve como si fuera muy joven y sin embargo mi condición clínica es la de un anciano.* Michael J. Fox

Fortalezas: Aventurero, encantador.
Debilidades: Emocionalmente inmaduro, inquieto.

NACIERON EN ESTE DÍA:
Matthew Bellamy
(músico, cantante, compositor de Muse)
Patricia Cornwell
(escritora)
Johnny Depp
(actor, guionista, productor y director)
Michael J. Fox
(actor y escritor)
Cole Porter
(compositor)
Eugen Verboeckhoven
(artista)

MEDITACIÓN:

Nada es una pérdida de tiempo si aprovechas la experiencia de manera inteligente.

Junio 10

¡Eres una persona que parece mayor cuando es joven y más joven cuando es mayor! Tienes conciencia social y puedes trabajar bien con la gente desvalida, en especial con los jóvenes. Te conocen por tu ingenio mordaz que algunas veces raya en lo cínico. Eres inteligente y estudias mucho para tener éxito en la vida. Es posible que sigas estudiando cuando seas un adulto maduro. Escondes tu pesimismo y las dudas internas detrás de una capa de resplandor y risa. En las relaciones eres tímido y reservado, pero tu gracia y tu elegancia atrae a tus parejas. Aplicas el sentido común ante los problemas de la vida, aunque puedes parecer confiado cuando se trata de tu vida personal por la dificultad que tienes para compartir tus emociones con la gente a quien quieres. Necesitas estar activo, dominar pasos difíciles de baile puede ser divertido.

Carta del tarot: La Rueda de la Fortuna
Planetas: Saturno y Mercurio
Frase: *Si soy una leyenda, entonces ¿por qué estoy tan sola?* Judy Garland

Fortalezas: Elegante, sensato.
Debilidades: Cínico, duda de sí mismo.

NACIERON EN ESTE DÍA:
Gustave Courbet
(artista)
Faith Evans
(cantante)
Judy Garland
(cantante y actriz)
Patachou
(actor y cantante)
Príncipe Felipe
(consorte de la Reina Isabel II)
Henry Morton Stanley
(explorador)

MEDITACIÓN:

Alguien que nunca ha cometido un error jamás ha hecho nada nuevo.

Géminis: junio 11 – junio 12

Junio 11

NACIERON EN ESTE DÍA:
John Constable
(artista)
Jacques Yves Cousteau
(oceanógrafo y productor
de documentales)
Hugh Laurie
(actor)
Jackie Stewart
(piloto campeón de Fórmula 1)
Richard Strauss
(compositor)
Gene Wilder
(comediante y actor)

Eres una persona que aspira conocer la verdad y busca métodos inteligentes para resolver los problemas del mundo. Te fascina la gente y te encanta discutir sobre temas intelectuales hasta bien entrada la noche. Eres un experto en establecer contactos profesionales y estás siempre al tanto de los últimos avances de la tecnología. Eres un excelente negociador porque eres objetivo y tienes la mente despejada. Tienes la capacidad de localizar las oportunidades de negocio. Te encanta salir con tus amigos, en especial con los más excéntricos —que a ti te parecen fascinantes—. Con tu pareja buscas comprensión mutua a nivel intelectual y muchas veces estás a favor de las relaciones "abiertas", lo que en realidad se debe a que sientes que estás en terreno desconocido en cuanto a las emociones. La acupuntura es muy buena para ti porque mantiene en movimiento a tu *chi*.

MEDITACIÓN:

*Sólo amando puedes
aprender a amar.*

Carta del tarot: La Justicia
Planetas: Urano y Mercurio
Frase: *En cuanto el hombre descubre otra inteligencia trata de involucrarla con su propia estupidez.* Jacques Cousteau

Fortalezas: Resuelve los problemas, es un buen mediador.
Debilidades: Teme al compromiso, emocionalmente inocente.

Junio 12

NACIERON EN ESTE DÍA:
George H. W. Bush
(presidente de Estados Unidos)
Milovan Djilas
(revolucionario yugoslavo)
Sir Anthony Eden
(primer ministro británico)
Ana Frank
(autora del famoso diario de la
Segunda Guerra Mundial)
Charles Kingsley
(sacerdote inglés y escritor)
Kenny Wayne Shepherd
(cantante, compositor y
guitarrista de *blues*)

Eres un alma muy sensible que utiliza muchas palabras para disimular y ocultar su vulnerabilidad. Tiendes al sentimentalismo y puedes ser caprichoso porque tus emociones hacen que hagas cosas, aunque sepas que están mal. Tienes un radar integrado que detecta las críticas hacia ti. Además de ser muy adaptable, tienes una imaginación que es muy creativa. Posees un talento innato natural para la música y para escribir letras de canciones. El romance te emociona, aunque algunas veces te sientes atraído por gente que no comparte tus mismos sentimientos. Tú vales más y necesitas a alguien que valore el hecho de que muestras lo que sientes y que aprecie tus demostraciones de amor. Las diferencias son un problema; te identificas profundamente con las víctimas en todo el mundo. Tu tendencia a resfriarte es producto de que no te permites llorar cuando te sientes triste.

MEDITACIÓN:

*El único remedio para el
amor es amar más.*

Carta del tarot: El Colgado
Planetas: Neptuno y Mercurio
Frase: *No pienso en todo el misterio, sino en la belleza que permanece.* Ana Frank

Fortalezas: Amoroso y lleno de inspiración.
Debilidades: Temperamental y demasiado sensible.

Junio 13

Eres una persona conversadora y amable, capaz de entretener a la gente con tus ingeniosas ocurrencias. Aprendes rápidamente y eres más bien auditivo, por lo que prefieres escuchar que leer. Estás indeciso y no acabas de decidir si regirte por el corazón o por la cabeza. Algunas personas consideran que estás confundido y podrías examinar tus opiniones en privado más que hablar de ellas abiertamente con la gente que domina el tema. Cuando te critican, te pones a la defensiva y la mayoría de las críticas se relacionan con que tiendes a involucrarte en demasiadas cosas, de manera que tu energía y tu tiempo se desperdician. Tu vida social tan ajetreada y tu preocupación por los menos afortunados pueden distraerte de encontrar a tu amor verdadero. Tu pareja deberá entender que tu coquetería natural es inocente. Necesitas relajarte; cuando tengas problemas para dormir date un baño de tina con lavanda o coloca un poco en tu almohada.

Carta del tarot: La Muerte
Planetas: La Luna y Mercurio
Frase: *Lo peor de algunos hombres es que cuando no están borrachos, están sobrios.*
William Butler Yeats

Fortalezas: Divertido, versátil.
Debilidades: Se distrae con facilidad, es caótico.

NACIERON EN ESTE DÍA:
Malcolm McDowell
(actor)
Ban Ki-moon
(Secretario General
de Naciones Unidas)
James Clerk Maxwell
(físico)
Ashley y Mary Kate Olsen
(gemelas actrices)
Basil Rathbone
(actor)
William Butler Yeats
(escritor y poeta)

MEDITACIÓN:

Convierte el caos en arte.

Junio 14

Eres un jugador nato y ves la vida a través de los ojos de un niño, usas tu tendencia imaginativa y tu lado competitivo en todo lo que haces. Destacas en hablar en público, gracias a que combinas tu humor con tu modo alegre y a que irradias confianza. Tus principios son fuertes y los demás los admiran o los odian, depende de su punto de vista. Eres un líder nato y te encanta el ajetreado mundo de los negocios, siempre y cuando tú seas el líder. Con tu amabilidad te abres camino hacia la cima; dejas la huella de una persona que tiene algo importante que comunicar. Irradias carisma y te cuesta trabajo encontrar a alguien a quien puedas respetar como tu igual y que te trate de la manera en que estás acostumbrado. Cuando te entregas, lo haces incondicionalmente.

Carta del tarot: El Hierofante
Planetas: El Sol y Mercurio
Frase: *Perder un par de veces hace que te des cuenta de lo difícil que es ganar.* Steffi Graf

Fortalezas: Carismático con grandes aspiraciones.
Debilidades: Mal perdedor, incapaz de obedecer órdenes.

NACIERON EN ESTE DÍA:
Alois Alzeheimer
(patólogo)
Steffi Graf
(campeona de tenis)
Burl Ives
(cantante y actor)
Nikolaus Otto
(inventor del motor
de combustión)
Donald Trump
(empresario)
Sam Wanamaker
(actor)

MEDITACIÓN:

Ser cortés es igual de importante que ser un ganador.

3

Géminis: junio 15 – junio 16

Junio 15

Eres un comediante nato, hábil en el arte de decir frases cortas e ingeniosas y te gusta divertirte. Aunque tu carácter tiene otro lado que es muy diferente, pues tu mente es astuta e inteligente y te gusta estar en un ambiente intelectual en tu casa y en el trabajo. Te gusta aprender, en especial si puedes aplicar de inmediato tus estudios en una manera práctica. No puedes evitar compartir tus conocimientos con los demás, de manera que serías un profesor excelente. En el romance disfrutas la danza del cortejo y puedes comunicarte bien con tu pareja. Tu debilidad es negarte a compartir tus sentimientos y te ves atrapado en las trivialidades de todos los días. Algo bueno para ti y tu pareja sería que aprendieran a dar masajes, lo cual te ayudaría a estar más en contacto con tus sentidos.

NACIERON EN ESTE DÍA:
Simon Callow
(actor)
Courtney Cox Arquette
(actriz)
Johny Hallyday
(cantante y actor)
Helen Hunt
(actriz)
Waylon Jennings
(cantante y músico)
Eduardo el Príncipe Negro
(duque británico)

MEDITACIÓN:

Tú, así como cualquiera, mereces tu amor y cariño.

Carta del tarot: El Diablo
Planetas: Mercurio y Mercurio
Frase: *Puede que esté loco, pero eso evita que pierda la cabeza.* Waylon Jennings

Fortalezas: Alegre y erudito.
Debilidades: Tiende a descuidarse, se abruma por los mínimos detalles.

Junio 16

Eres muy persuasivo y elocuente, tienes la cualidad de tranquilizar a la gente. Crees firmemente en que la justicia y la verdad son importantes. Posees fuertes habilidades diplomáticas, eres excelente como árbitro y para mantener la paz. Eres muy civilizado y posees un aire de elegancia. Gracias a tu habilidad para la oratoria, tus ideas pueden inspirar a los demás. Te gusta la belleza, te encantan las fiestas pseudoartísticas y ser parte de las celebridades glamorosas. En tus relaciones personales necesitas variedad y en la vida diaria te gusta estar rodeado de mucha gente. Estar solo con una persona durante largos periodos puede ser difícil para ti. Te cuesta trabajo aceptar que la vida tiene un lado oscuro. Tus parejas decepcionadas pueden acusarte de ser superficial. Evita tomar cafeína y trata de no desvelarte porque tus ciclos del sueño se alteran con facilidad.

NACIERON EN ESTE DÍA:
Gerónimo
(líder estadunidense nativo)
Stan Laurel
(comediante pareja
de Oliver Hardy)
Joyce Carol Oates
(escritora, poeta y crítica)
Jean Pierre Peugeot
(magnate automotriz)
Enoch Powell
(político)
Tupac Shakur
(rapero)

MEDITACIÓN:

La vida no es un problema que resolver, sino una realidad que experimentar.

Carta del tarot: El Carro
Planetas: Venus y Mercurio
Frase: *Si en mi funeral alguien está triste, no volveré a hablarle jamás.* Stan Laurel

Fortalezas: Refinado y elocuente.
Debilidades: Superficial y de miras estrechas.

Junio 17

Eres una persona alegre y chispeante con un lado perversamente competitivo. Te encantan los juegos, en especial los de misterio e intriga y los que pongan a prueba tus habilidades estratégicas. Puedes parecer poco compasivo, pero en el fondo eres provocador e intenso. Es curioso que tus rivales también sean tus amigos, pues se estimulan mutuamente para sobresalir. Todo lo que haces en tu vida lleva un poder inherente al mensaje que transmites. Tu corazón puede gobernar a tu mente y puedes poner tu profesión en peligro debido a tus creencias. Después de una alocada juventud de experimentar, una vez que te casas eres una pareja devota y dedicada. Cuando por fin entregas tu corazón, lo haces para siempre. Te encanta la vida nocturna y buscas emociones que pueden dejarte agotado. Para encontrar el equilibrio que tu alma necesita puedes estar un tiempo cerca del agua.

Carta del tarot: La Fuerza
Planetas: Plutón y Mercurio
Frase: *Para mi cabeza siempre soy la mejor. Si entro a la cancha y pienso que el otro es mejor que yo, entonces ya perdí el partido.* Venus Williams

Fortalezas: Entusiasta y comprometido.
Debilidades: Frívolo, tiende a esforzarse demasiado.

NACIERON EN ESTE DÍA:
André Derain
(artista)
Greg Kinnear
(actor)
Ken Loach
(director de cine)
Barry Manilow
(cantante, compositor, arreglista y productor)
Igor Stravinsky
(compositor)
Venus Williams
(campeona de tenis)

MEDITACIÓN:

Habla poco y escucha más.

Junio 18

Eres inquisitivo, por siempre joven y un comunicador extravagante. Tienes el don de un cuenta cuentos. Vale la pena escuchar tus historias porque generalmente encierran un significado profundo y un mensaje moral. Eres optimista, siempre ves el lado bueno, incluso después de haber recibido un duro golpe de la vida. Puedes ser impaciente y ganar la mayoría de los debates gracias a tu mente ágil. Aprendes a sobrevivir, usando tu ingenio para sacarte de los problemas. La gente cercana a ti te considera engreído porque de verdad piensas que tú sabes más y que tienes razón. Esto provoca discusiones que tú tomas como oportunidades para mostrar tu superioridad con las palabras. Hazte la pregunta, ¿quieres tener la razón o ser feliz? Necesitas expandir tu mente y estirar tu cuerpo. Una excelente manera de relajarte es haciendo caminatas en espacios abiertos.

Carta del tarot: La Luna
Planetas: Júpiter y Mercurio
Frase: *Sudáfrica pertenece a todos los que viven en ella, negros y blancos.* Thabo Mbeki

Fortalezas: Comunicadora, optimista.
Debilidades: Polémico, inquieto.

NACIERON EN ESTE DÍA:
Red Adair
(bombero de pozos petrolíferos)
Richard Boone
(actor)
Paul McCartney
(cantante, compositor y músico de The Beatles)
George Mallory
(explorador)
Thabo Mbeki
(presidente de Sudáfrica)
Isabella Rossellini
(actriz)

MEDITACIÓN:

Recuerda que las rosas llegan con el tiempo.

3 ♊

NACIERON EN ESTE DÍA:
Poppy Montgomery
(actor)
Blaise Pascal
(científico y matemático)
Salman Rushdie
(escritor)
Wallis Simpson
(miembro de la alta sociedad,
esposa de Eduardo VIII)
Mike Todd
(productor de cine)
Kathleen Turner
(actriz)

MEDITACIÓN:

No puedes cambiar la dirección del viento, pero sí puedes ajustar las velas.

Junio 19

Eres una persona confiable y metódica, seria y a la vez despreocupada. No te molesta la rutina y eres capaz de encontrar la manera más eficaz para que las cosas funcionen —te encanta encontrar atajos—. Eres un excelente profesor pues tu forma de explicar conceptos complejos es interesante y tiene sentido. Tienes un don para expresar juicios modestos y pareces reservado, pero cuando te desinhibes eres muy divertido y rayas en lo descarado. En el amor das la impresión de ser muy controlado, de manera que necesitas una pareja que esté preparada para asegurarte que ¡nadie ha muerto por expresar sus sentimientos! Algunas veces organizas la vida de tu pareja y no siempre es lo que ella quiere. Se casó con un amante, no con una figura paterna, ni de autoridad. Los bailes de salón son una excelente solución en la que tu control puede ser admirado.

Carta del tarot: El Sol
Planetas: Saturno y Mercurio
Frase: *Un libro es una versión del mundo. Si no te gusta esa versión, ignórala u ofrece a cambio tu propia versión.* Salman Rushdie

Fortalezas: Sistemático, atrevido.
Debilidades: Emocionalmente reprimido, controlador.

NACIERON EN ESTE DÍA:
Catherine Cookson
(escritora)
Errol Flynn
(actor)
Nicole Kidman
(actriz)
Jacques Offenbach
(compositor)
Lionel Richie
(músico, cantante, compositor)
Brian Wilson
(músico de The Beach Boys)

MEDITACIÓN:

Cada objeto, cada ser es un frasco lleno de gozo.

Junio 20

Eres un poeta nato, alguien capaz de transformar las ideas en música, arte o versos. Como experto nato en el uso de las palabras puedes sentirte atraído por alguien con pico de oro, pero necesitas darte tiempo para descubrir si es genuino. Das la impresión de ser impredecible, pero en el fondo eres una persona estable que valora la seguridad. Tienes un sentido común nato y eres confiable una vez que te comprometes. Te atraen las personas descontroladas, que son lo opuesto a ti. Puedes ser la musa de un artista, pues inspiras en gran medida. Cuando estás estresado sueles tener antojo de algo dulce, pero el exceso sólo te hace sentir peor. Busca algún libro de poesía de Rumi en lugar de comerte un chocolate. También puedes buscar amigos en *Facebook* —fue inventado para ti.

Carta del tarot: El Juicio
Planetas: Venus y Mercurio
Frase: *Las mujeres no me permiten seguir soltero y yo no me permito seguir casado.* Errol Flynn

Fortalezas: Amante de las palabras, astuto.
Debilidades: Fácilmente seducido, inconstante.

Junio 21

Eres una persona alegre y sociable con una curiosidad insaciable ante la vida. Amas las palabras y expresarte a través de la poesía o la canción. Hay cierto aire siempre jovial en ti y estás en contacto con tu niño interno. Eres un excelente conversador, tienes una memoria privilegiada para los nombres y recuerdas hasta el más mínimo detalle sobre la vida de las personas. En verdad te agrada la gente —a menos que sea grosera— y tú le agradas a ella. Te preocupa el bienestar de los demás, lo cual te sirve para desempeñarte como trabajador social. Las relaciones son prioritarias en tu vida y necesitas tener afinidad mental con tu pareja. Algunas veces platicas y cuentas chistes para evitar demostrar tus sentimientos más profundos. Tiendes a desperdiciar tu energía, de manera que tomar una taza de té relajante te caerá muy bien.

Carta del tarot: El Mundo
Planetas: La Luna y Mercurio
Frase: *La democracia es necesaria para la paz y para debilitar las fuerzas del terrorismo.* Benazir Bhutto

Fortalezas: Sociable, bueno para relacionarse con los demás.
Debilidades: Nervioso, teme a las emociones profundas.

NACIERON EN ESTE DÍA:
Benazir Bhutto
(primer ministro pakistaní)
Ray Davies
(cantante, compositor
de The Kinks)
Ron Ely
(actor)
Juliette Lewis
(actriz)
Jane Russell
(actriz)
Jean Paul Sartre
(escritor)

MEDITACIÓN:

Cuando damos un sorbo al té, estamos en el camino a la serenidad.

GÉMINIS TÍPICO:

JOHN F. KENNEDY

"El cambio es la ley de la vida. Aquellos que sólo miran al pasado o al presente seguramente se perderán el futuro".

RASGOS DE GÉMINIS:

Géminis es competitivo y suele meterse o salirse de determinadas situaciones según le convenga —una cualidad que tiene un efecto secundario— ya que no es capaz de guardar secretos. Y no lo hace con malicia, es sólo que tiene un gusto constante por la comunicación.

4♋9

Cáncer

22 de junio – 22 de julio

Carta del tarot: El Carro

Elemento: Agua

Atributo: Cardinal

Número: 4

Planeta regente: La Luna

Piedras preciosas: Perla y feldespato

Colores: Blanco y plateado

Día de la semana: Lunes

Signos compatibles: Capricornio, Tauro, Virgo

Palabras clave: Sensible ante los sentimientos de los demás, amable y afectuoso, malhumorado, nostálgico y sentimental

Anatomía: Pecho, senos y útero, estómago, tracto digestivo

Hierbas, plantas y árboles: Pepino, calabaza, melón, todas las plantas que crecen en el agua, como los lirios de agua

FRASE CLAVE:
Yo siento

Cáncer es la madre y quien cuida del Zodiaco, es el signo que corresponde al pecho, los senos, el útero y el estómago. La gente nacida bajo este signo es regida por sus emociones y, al igual que su símbolo, el cangrejo, carga su hogar en su espalda. El cangrejo tiene una concha protectora que Cáncer muchas veces adopta para ocultar su interior, que es suave y vulnerable. Igual que el cangrejo, puedes dar tres pasos hacia adelante y dos hacia atrás, pero una vez que te comprometes eventualmente alcanzas tus metas.

Regente planetario y atributos
Cáncer es un signo cardinal de agua. Como primer signo de agua le pone el sentimiento a las ideas distribuidas por Géminis, de manera que los Cáncer son excelentes para proteger a los demás como una madre. Cáncer es regido por la Luna, la cual nos guía a través del frío y la oscuridad de la noche, pero siempre está menguando y creciendo.

La Luna es el objeto más brillante y más fascinante del cielo porque constantemente cambia de forma y circula por todo el Zodiaco en un mes. La Luna es objeto de poesía, de canciones y películas, y todos sabemos el efecto que puede tener sobre nuestras emociones. La Luna es la gran madre y en el año solar hay 13 meses lunares. En la carta astral, la Luna nos indica cómo nos cuidó nuestra madre y cómo lo haremos nosotros con nuestros hijos.

Relaciones
Para un nativo de Cáncer todas las relaciones son personales y no puede fingir que está muy interesado por alguien. El hombre Cáncer es muy apegado a su madre y compara a sus parejas con ella. La mujer Cáncer busca a un hombre para cuidarlo y atenderlo, como una madre. Puedes aparentar ser tímido, eres muy sensible y tomas las cosas personalmente; cuando te lastiman te refugias en tu caparazón. Cáncer necesita calor —necesitas la luz del Sol para absorberla y reflejarla a tu pareja—. Cáncer necesita cuidar de la gente y que ese cuidado sea reconocido. Eres leal y fiel y tienes amigos de toda la vida. El matrimonio fue hecho para Cáncer. Tu pareja perfecta es Capricornio, el signo opuesto a ti que puede ofrecerte la seguridad que anhelas. Con Tauro y Virgo, signos de tierra, hay potencial para una hermosa amistad. Aries es el masculino y Cáncer el femenino, lo cual contribuye a una buena combinación. Las relaciones con Leo están bien, siempre y cuando éste pueda ser el rey. Escorpión puede ser una pareja demasiado poderosa y Piscis es la pareja perfecta, sin embargo, Cáncer debe ser el que toma las decisiones.

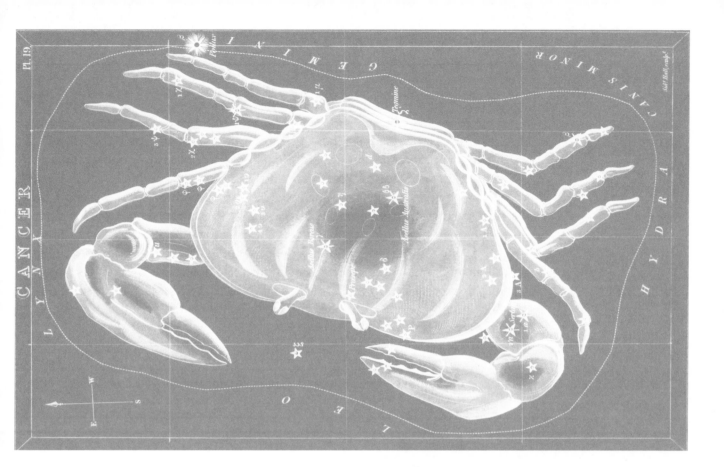

Mito

Cáncer fue el cangrejo enviado para distraer a Hércules cuando éste realizaba su segundo trabajo. Cuando estaba luchando contra la hidra de Lerna, Hera —la celosa esposa de Zeus— envió a un cangrejo para que le mordiera los tobillos. Hércules aplastó al cangrejo con sus pies y Hera lo envió al firmamento como recompensa por su fiel servicio.

Fortalezas y debilidades

Cáncer es el más maternal de todos los signos, es el que más cuida y estimula. Tu suavidad y tu sensibilidad son una cualidad y un defecto a la vez. Eres muy receptivo y empático, eres emocionalmente transparente. Eres ideal para cuidar a la gente y el mejor calificado para cualquier trabajo que requiera servir al público, de manera que serías un consejero, ama de casa o cocinero perfecto. Sin embargo, puedes ser susceptible y contestar bruscamente a la gente cuando te ofende. Te lastiman con mucha facilidad y tus emociones toman el control, lo cual hace que tengas reputación de malhumorado e inestable. Tienes una imaginación vívida y eres nostálgico, por lo que puedes ser un gran escritor o cronista. También tiendes a aferrarte demasiado al pasado. Defiendes a tu familia y a tus amigos hasta el final, valoras sobre todas las cosas la seguridad de tu hogar.

CÁNCER TÍPICO:

NELSON MANDELA

"Esta hermosa tierra jamás, nunca jamás, volverá a experimentar la opresión de una persona sobre otra".

PODERES DE CÁNCER: Cuidador verdadero que siempre piensa en la gente que le rodea. Gran poder de perseverancia —al final, alcanza su meta.

ASPECTOS NEGATIVOS DE CÁNCER: Toma las cosas personalmente, se encierra en sí mismo cuando es lastimado emocionalmente.

469

Junio 22

Eres una persona suave y perceptiva con una excelente memoria, cualidades que te son muy útiles en la vida. Retienes la información y tienes una mente astuta para los negocios. Eres devoto de tu familia y tus amigos, tienes el don de hacer que la gente se sienta incluida. Eres imaginativo, poético y observador. Tienes un extraño don natural para captar con tu cámara o en papel los momentos tiernos y divertidos de tu vida en familia. Sin embargo, eres demasiado sensible y puedes aferrarte a dolores del pasado. Aprender a perdonar y a olvidar es una lección de vida. Valoras mucho tus relaciones porque necesitas tener una familia propia. Los niños le dan significado a tu vida. Debido a que eres tan emocional, el tai chi o el yoga, que sirven para fortalecer tu interior, te ayudarán a mantener tu centro.

MEDITACIÓN:

En tiempos de pruebas, la familia es lo mejor.

Carta del tarot: El Emperador
Planetas: La Luna y La Luna
Frase: *Mi familia verdaderamente está primero. Siempre ha sido así y siempre lo será.* Meryl Streep

Fortalezas: Fuertes valores familiares, intuitivo.
Debilidades: No perdona, demasiado sensible.

Junio 23

Eres una persona dramática, aunque sensible, con una apariencia tímida que esconde un corazón amable. Te importan los demás e irradias una energía tan extraordinaria que la gente quiere estar cerca de ti. Naciste para brillar, eres muy talentoso y tienes una gran seguridad en ti mismo que proviene de una infancia feliz. No importa qué género seas, siempre tomas la iniciativa. Eres un intérprete nato y puedes ser un poco malcriado, pero la gente te perdona porque en verdad eres genuino en lo que haces. En el romance eres muy cariñoso y atento, te entregas por completo. Eres muy unido a tu familia. Necesitas una pareja creativa, cuya naturaleza sea apasionada y te adore de la manera que esperas. Te gustan los juegos para relajarte, ya que pueden ser muy divertidos —en especial los que recuerdas de tu infancia, como brincar la cuerda.

MEDITACIÓN:

No hay almohada más suave que una conciencia tranquila.

Carta del tarot: El Hierofante
Planetas: EL Sol y La Luna
Frase: *Después de escuchar, sientes que nos conoces un poco mejor.* June Carter

Fortalezas: Confía en sí mismo, es considerado ante las necesidades de los demás.
Debilidades: Egoísta e inseguro.

Junio 24

Eres una persona encantadora y creativa que siempre es amable y ayuda a los demás. Te preocupa el bienestar de la gente y le ofreces ayuda práctica. Eres detallista; te acuerdas de los cumpleaños y de los aniversarios. Eres organizado, lo cual es una cualidad importante, pues mucha gente lleva una vida ajetreada. Podrías dedicarte a organizar el desorden en la oficina o en el hogar de la gente —clasificar es tu fuerte—. Tu capacidad para pensar con claridad y tu preocupación natural por los sentimientos de los demás significan que jamás desperdiciarás algo que ellos atesoren. Una de tus prioridades es una relación feliz y comprometida, y te esfuerzas por hacer que dure. Algunas veces eres demasiado exigente y te centras en cosas sin importancia. Cuando tu mente esté atorada en las minucias de la vida te caerá bien recibir un buen masaje.

Carta del tarot: Los Enamorados
Planetas: Mercurio y La Luna
Frase: *Fui un boxeador muy bueno. Pero los escritores fueron quienes me hicieron grandioso.* Jack Dempsey

Fortalezas: Considerado, organizado.
Debilidades: Exigente y tenso.

NACIERON EN ESTE DÍA:
Jeff Beck
(guitarrista de rock)
Billy Casper
(golfista profesional)
Jack Dempsey
(campeón de boxeo)
Rey Eduardo I
(monarca británico)
Sam Jones
(jugador de baloncesto)
Horatio Herbert Kitchener
(militar y político británico)

MEDITACIÓN:

Lo importante no es lo que ves, sino lo que tú percibes.

Junio 25

Eres una persona cortés y agradable con una enorme necesidad de ser reconocido por tu talento y tu belleza. Disfrutas dando placer a la gente y te agrada genuinamente hacer felices a los demás. Tienes conciencia social y eres patriótico, pero puedes ser demasiado defensivo si alguien critica a tu familia o a tu país. Te gusta formar parte de una gran organización y te sientes atraído al trabajo en recursos humanos. Tu debilidad es la tendencia a la indecisión, pues no te gusta molestar a la gente. Es posible que te comprometas a temprana edad y que seas un padre devoto. Sin embargo, también necesitas que te adoren y te consientan. Cuando sientas que te falta energía ve a la estética para alegrarte y eleva tu autoestima con un cambio de imagen.

Carta del tarot: El Carro
Planetas: Venus y La Luna
Frase: *La guerra es un deporte serio sin los disparos.* George Orwell

Fortalezas: Encantador y ético.
Debilidades: Inseguro a la hora de tomar decisiones, demasiado sensible.

NACIERON EN ESTE DÍA:
Apo Gaga
(figura religiosa tibetana)
Antoni Gaudí
(arquitecto)
Ricky Gervais
(actor y comediante)
June Lockhart
(actriz)
George Michael
(cantante, compositor)
George Orwell
(escritor)

MEDITACIÓN:

Un hombre sabio toma sus propias decisiones, un ignorante sigue la opinión de los demás.

Junio 26

NACIERON EN ESTE DÍA:
Peter Lorre
(actor)
Willy Messerschmitt
(diseñador de aeronaves)
Eleanor Parker
(actriz)
Joahnnes Schultz
(compositor)
William Thomson, 1er barón
Kelvin
(científico)
Babe Zaharias
(deportista)

Eres una persona carismática y muy emocional, eres inolvidable. Te envuelve un aire de misterio y puedes ser un maestro del disfraz. Cuando te lastiman te escondes en tu caparazón durante mucho tiempo, hasta que sanan tus heridas. Exploras a fondo tus emociones y te encanta investigar el lado oscuro de la vida. Eres un excelente detective y te encanta que te confíen secretos. Te atrae la profesión en el cuerpo de policía o de forense. Eres tenaz y decidido, tienes una fuerza interior capaz de sobrevivir a casi todo. Necesitas que te adoren y por lo general tienes muchos pretendientes. El que elijas debe entender que tus defensas esconden un ser suave y sensible. Una excursión familiar diferente, como visitar cavernas, te dejará encantado y emocionado.

MEDITACIÓN:

Haz que tu juicio sea confiable creyendo en él.

Carta del tarot: La Fuerza
Planetas: Plutón y La Luna
Frase: *Toda mi vida he tenido la necesidad de hacer las cosas mejor que todos los demás.*
Babe Zaharias

Fortalezas: Inolvidable y confiable.
Debilidades: Tiende a los cambios de humor, difícil de interpretar.

Junio 27

NACIERON EN ESTE DÍA:
J.J. Abrams
(productor de cine)
Bruce Johnston
(músico, escritor
de The Beach Boys)
Helen Keller
(escritora y educadora
ciega y sorda)
Tobey Maguire
(actor)
Lewis Bernstein Namier
(historiador)
Vera Wang
(diseñadora de modas)

Eres una persona pintoresca y sensacional, con un toque delicado y tranquilizador que le gusta a la gente. Te fijas metas altas y te dedicas a cumplirlas. Tienes una fe interior que te inspira y también a los demás. A lo largo de tu vida buscas pertenecer a grandes grupos de gente. Hay un aire creativo en todo lo que haces, pero puedes ser demasiado impetuoso y no ver los detalles. En los negocios eres emprendedor y necesitas contar con un equipo que te respalde. En las relaciones personales esperas tener mucha libertad y necesitas a alguien que te apoye totalmente en lo que emprendas. Te relacionas bien con la gente, aunque tienes un lado introvertido y necesitas un espacio privado para relajarte por completo y recuperarte. Una isla desierta sería ideal para ti, pero a nivel práctico te sentirás feliz en una sauna o en un baño de tina.

MEDITACIÓN:

Debes estar preparado para vivir con las consecuencias de una decisión.

Carta del tarot: EL Ermitaño
Planetas: Júpiter y La Luna
Frase: *Una mujer nunca es más sexy que cuando se siente a gusto con su atuendo.*
Vera Wang

Fortalezas: Tranquilizador e inspirador.
Debilidades: Impulsivo, depende demasiado de los demás.

Junio 28

Eres una persona con un aire de autoridad, tu fuerte habilidad de liderazgo tiende a opacar tu interior suave y preocupado por los demás. En momentos de crisis eres un pilar de fuerza porque eres sólido y confiable. Estás en contacto con tus sentimientos, lo que significa que sueles responder más que actuar. Te acercas a la gente en una manera maternal, aunque tienes las características de un padre sabio. Algunas veces eres demasiado controlador y la gente siente que la tratas como a un niño. Eres romántico y buscas una relación en la que tu pareja también sea tu aliado. Y el broche de oro sería que pudieran trabajar juntos en un negocio. Tu mejor característica es tu sentido del humor conciso. Tiendes a contraer el pecho para protegerte. Te haría muy bien practicar natación, sobre todo el estilo de pecho.

Carta del tarot: La Rueda de la Fortuna
Planetas: Saturno y La Luna
Frase: *La gente que sabe poco generalmente habla mucho, cuando la gente que sabe mucho, generalmente habla poco.* Jean Jacques Rousseau
Fortalezas: Confiable, con sentido del humor conciso.
Debilidades: Dominante, algunas veces condescendiente.

MEDITACIÓN:

Uno nunca necesita tanto de su humor como cuando discute con un necio.

Junio 29

Eres una persona amable y progresista con un gran intelecto. Te preocupas profundamente por la humanidad y de verdad crees que todos los humanos son iguales. Buscas el contacto con la gente y tienes una gran cantidad de amigos en la vida. Te fascinan las ideas radicales y te encanta debatir con los demás. Sin embargo puedes aferrarte a tu familia y a tus amigos y sobreprotegerlos. Tu habilidad para tratar con la gente te puede servir en la vida política, ya que te interesa participar en el bienestar de las personas. En el amor puedes sentirte atraído por un estilo de vida bohemio durante la juventud porque valoras la libertad, pero después predomina tu necesidad emocional por tener un hogar y un refugio. Una forma excelente de relajarte es jugar ajedrez o practicar deportes poco comunes, como volar con ala delta.

Carta del tarot: La Justicia
Planetas: Urano y La Luna
Frase: *Me encanta ser famoso; confirma que tengo algo qué decir.* Richard Lewis
Fortalezas: Amable y comunicativo.
Debilidades: Depende emocionalmente de los demás, posesivo.

MEDITACIÓN:

Aprende a ser líder sin ser posesivo.

Junio 30

Eres una persona pintoresca y expresiva que esconde un alma sensible detrás de una fachada de ingenio y bromas. Tienes un excelente don para la comedia y tus chistes levantan el ánimo de la gente. Te mueves de manera rápida y graciosa, tienes un modo amigable y chispeante que es encantador. Eres muy bueno para las relaciones públicas porque te encanta hablar con gente nueva. Te gusta estar en circulación y poner en contacto a la gente, te mueves en un círculo amplio. Sueles hablar sinceramente. Sin embargo no olvidas el dolor del pasado —característica que no te es útil—. En las relaciones valoras a alguien amable y tierno; necesitas confiar en una persona antes de abrirte por completo. Lleva un diario en el que todos los días escribas qué te hizo sentir feliz ese día, es una excelente manera de promover una actitud positiva.

Carta del tarot: La Emperatriz
Planetas: Mercurio y La Luna
Frase: *Quiero saber cuál es mi límite y hasta dónde puedo llegar. Y quiero cambiar el mundo de la natación.* Michael Phelps

Fortalezas: Elocuente y vivaz.
Debilidades: Le es difícil perdonar y olvidar, lo cual origina negatividad.

NACIERON EN ESTE DÍA:
Shirley Fry
(campeona de tenis)
Susan Hayward
(actriz)
Lena Horne
(cantante y actriz)
Michael Phelps
(campeón olímpico de natación)
Ralf Schumacher
(piloto de Fórmula 1)
Mike Tyson
(campeón de boxeo)

MEDITACIÓN:

La persona que dice que algo no puede hacerse, no debe interrumpir a la persona que está haciéndolo.

Julio 1

Eres una persona espontánea e inconstante con un fuerte sentido de su individualidad. Defiendes tus derechos, eres sensible y protector ante los derechos de los demás. Tienes mucho para dar, aunque puedes ser demandante y necesitas que los demás te den mucho cariño y reafirmación para sentirte seguro. Hay cierta cualidad infantil en ti, en ocasiones puedes ser demasiado temperamental si las cosas no se hacen a tu modo. Vuelves a recuperarte una vez que tus preocupaciones han sido escuchadas. Das tu opinión de manera franca y metes la pata cuando hablas sin pensar en lo que vas a decir. Las relaciones te satisfacen emocionalmente, aunque puede haber una mezcla de ternura y peleas. Una forma divertida de liberar sentimientos reprimidos es practicar un deporte como kick boxing o jugar ping-pong con la familia.

Carta del tarot: El Mago
Planetas: Marte y La Luna
Frase: *Nada me da más felicidad que tratar de ayudar a los más vulnerables de esta sociedad.* Diana, princesa de Gales

Fortalezas: Amable y desenvuelto.
Debilidades: Temperamental e inseguro en las relaciones.

NACIERON EN ESTE DÍA:
Olivia DeHavilland
(actriz)
Amy Johnson
(piloto pionera)
Charles Laughton
(actor, guionista y productor)
Carl Lewis
(campeón olímpico de atletismo)
Gustav Mahler
(compositor y conductor)
Diana, princesa de Gales
(primera esposa de Carlos,
príncipe de Gales)

MEDITACIÓN:

La inseguridad no sirve —piensa positivo o aléjate de la situación.

Julio 2

Eres una persona afectuosa y confiable, cuyos valores están arraigados en el amor al campo y a la naturaleza. Tienes fuertes habilidades artísticas y talento musical. Siempre traes una canción en la cabeza y a menudo tarareas para ti mismo. Eres tenaz y te aferras a tus amigos, demandas su amistad y su lealtad. Sabes lo que quiere la gente y te iría bien en el negocio restaurantero o del entretenimiento. En tu casa y en tu trabajo estás contento con ser el segundo al mando, más que siendo el líder. La vida familiar es tu prioridad y eres una pareja fiel. En las relaciones amorosas, tu tendencia a controlar puede asfixiar a tu pareja y arruinar su relación. Te relajas con facilidad y la apatía puede tomar el control. Tener una rutina diaria de caminar, escuchando música te mantendrá con los pies en la tierra y te devolverá la paz interior.

Carta del tarot: La Suma Sacerdotisa
Planetas: Venus y La Luna
Frase: *Nunca he tenido tres mil pares de zapatos, sólo tengo mil sesenta.* Imelda Marcos

Fortalezas: Creativo y afectuoso.
Debilidades: Tiende a ser apático, posesivo.

NACIERON EN ESTE DÍA:
Larry David
(productor de cine y actor)
Sir Alec Douglas-Home
(primer ministro británico)
Jerry Hall
(actor y modelo)
René Lacoste
(campeón de tenis)
Lindsay Lohan
(actriz)
Imelda Marcos
(primera dama de Filipinas)

MEDITACIÓN:

La ociosidad es la madre de todos los vicios.

Julio 3

Eres una persona con una gran variedad de rostros que se adaptan de maravilla a cada persona con quien estés. Tienes facilidad para imitar a los demás, lo cual te divierte mucho y a ellos les entretiene. Gracias a que eres sensible puedes usar hábilmente este don sin ofender a nadie. La programación neuro-lingüística es el entrenamiento y la profesión perfecta para ti porque conectas con la gente de manera natural. Te influye lo que la gente piensa de ti y lo que captas en el ambiente, así que te deprimes de repente. En las relaciones eres soñador y eso puede confundir a tu pareja; primero te importa profundamente y dos segundos después te muestras despreocupado. Es importante que mantengas el equilibrio; hablar demasiado y ser empático te agota, así que escápate un rato leyendo un buen libro.

Carta del tarot: La Emperatriz
Planetas: Mercurio y La Luna
Frase: *Una cosa nombrada es una cosa domada.* Joanne Harris

Fortalezas: Versátil y comprensivo.
Debilidades: Fantasioso y demasiado sensible.

NACIERON EN ESTE DÍA:
Tom Cruise
(actor)
Joanne Harris
(escritora)
Rey Luis XI
(monarca francés)
Ken Russell
(director de cine)
Tom Stoppard
(dramaturgo)
Edward Young
(poeta)

MEDITACIÓN:

Se necesita valor para madurar y convertirte en quien realmente eres.

Julio 4

Eres una persona emocional y sensible a quien le importa mucho lo que sientan los demás. Tus sentimientos te gobiernan y te influyen, quizá sin que te des cuenta, dependiendo de las fases de la Luna. Así como ésta crece y mengua, un día puedes estar feliz y al día siguiente sentirte triste. Si concentras tu energía en ayudar a quienes te rodean podrás cambiar tu estado de ánimo cuando te sientas deprimido. Trabajas bien en el sector público, ayudando a las personas que necesitan protección. Eres la persona ideal para representarlas y ahí es donde tu tenacidad se vuelve un tesoro. Puedes casarte joven; tener un hogar seguro y estable es esencial para tu felicidad. Eres un poco preocupón y eso irrita a tu sensible estómago, así que procura escuchar las necesidades de tu cuerpo y evita la comida condimentada.

MEDITACIÓN:

Si te caes siete veces, levántate ocho.

Carta del tarot: El Emperador	**Fortalezas:** Determinado y comprensivo.
Planetas: La Luna y La Luna	**Debilidades:** Ansioso y tiende a la depresión.
Frase: *Hace falta ser un gran hombre para ser un gran escucha.* Calvin Coolidge	

Julio 5

Eres una persona afectuosa y devota, que tiene grandes aspiraciones para llenar su potencial creativo. Tienes un aire imperial, casi de la realeza, y de manera natural tomas la posición de líder. Trabajas bien con ambos sexos porque estás bien equilibrado. Algunas veces puedes ser un poco engreído. Tu debilidad sale a flote cuando los demás no hacen lo que tú dijiste —y entonces te separas de ellos hasta que no te obedecen—. Sin embargo, eventualmente aprendes a reírte de ti mismo, lo cual hace que la gente vuelva a tu lado; con la edad debes aprender a resistir la necesidad de controlar. Eres la estrella y, si no eres un actor profesional, la actuación *amateur* te encantará, pues consideras que la vida es una producción teatral. En las relaciones te involucras con el corazón por delante y amas la idea del amor. Respondes a los gestos románticos y te derrites ante cualquier regalo de un niño.

MEDITACIÓN:

Ningún hombre está en una isla para él solo; cada ser humano es una parte del continente.

Carta del tarot: El Hierofante	**Fortalezas:** Cariñoso y tierno.
Planetas: El Sol y La Luna	**Debilidades:** Mandón e incapaz de acatar las órdenes de los demás.
Frase: *No hay mal que por bien no venga.* P.T. Barnum	

Julio 6

Eres una persona empática y leal con una gran integridad. Tienes un fuerte sentido del deber que te inculcaron desde muy pequeño. Tienes el deseo de servir y dedicar tu vida a ese propósito. Sin embargo, eres muy sensible a las críticas y una palabra cruel te lastima con facilidad. El resultado es que te proteges demasiado y parece que te limitas a ti mismo. Cuando te sientes estresado te pones nervioso y rezongas entre dientes. Tienes un buen sentido común y valores tradicionales con una familia cercana que te apoya. Tu relación es tu refugio; un lugar en el que recibes el cariño y la atención que mereces. Puedes verte atrapado en las preocupaciones y sufrir padecimientos nerviosos. Un paseo relajante, en un ambiente lindo, con una compañía agradable es excelente para tu bienestar.

Carta del tarot: Los Enamorados
Planetas: Mercurio y La Luna
Frase: *Jugar polo es como querer jugar golf durante un terremoto.* Sylvester Stallone

Fortalezas: Dedicado, honesto.
Debilidades: Ansioso y reprimido.

NACIERON EN ESTE DÍA:
George W. Bush
(presidente de Estados Unidos)
Frida Kahlo
(artista)
Bill Haley
(cantante)
50 Cent
(rapero)
Sylvester Stallone
(actor)
Lhamo Thondup
(Dalai Lama)

MEDITACIÓN:

Considera cada día como si fuera un lienzo en blanco y conviértelo en una obra de arte.

Julio 7

Eres una persona perspicaz, amable e inteligente. Tienes ideas originales y progresivas. Eres alguien que actúa, das prioridad a tus conceptos con elocuencia y determinación. Puedes ser un poco pedante intelectualmente y te cuesta trabajo mezclarte con gente de una clase más baja o menos inteligente. Tienes un talento natural para la belleza y la armonía, eres un talentoso diseñador de interiores gracias a tu habilidad para llevar tu hogar. Eres bueno para el feng shui o el vastu. Eres perfeccionista y te quejas cuando la gente no está a la altura de tus exigencias de excelencia. Eres bueno en las relaciones porque necesitas a alguien que le dé equilibrio a tu vida, pero debe ser tu igual intelectualmente. Poesía de amor, música romántica y un ramo de flores aromáticas son el regalo perfecto para ti y para compartir con tu amado.

Carta del tarot: El Carro
Planetas: Venus y La Luna
Frase: *Todo aquello que no sea perfecto hasta el más mínimo detalle está condenado a fracasar.* Gustav Mahler

Fortalezas: Culto y resuelto.
Debilidades: Elitista con estándares demasiado altos.

NACIERON EN ESTE DÍA:
Pierre Cardin
(diseñador de modas)
Shelley Duvall
(actriz)
Rey Enrique VIII
(monarca inglés)
Tony Jacklin
(golfista profesional)
Gustav Mahler
(compositor)
Ringo Starr
(cantante, compositor, baterista
—integrante de The Beatles)

MEDITACIÓN:

Un libro es como un jardín que se lleva en el bolsillo.

71

4 6 9

NACIERON EN ESTE DÍA:
Ernst Bloch
(filósofo)
Billy Eckstine
(cantante)
Marty Feldman
(comediante y actor)
Anjelica Houston
(actriz)
Nelson A. Rockefeller
(vicepresidente de Estados Unidos)
Ferdinand Graf von Zeppelin
(general alemán y fabricante de aeronaves)

MEDITACIÓN:

Ve las cosas como quieres que sean en lugar de como son.

Julio 8

Eres una persona magnética y fascinante. Eres sensual y muy atractivo. Eres muy subjetivo y respondes de acuerdo a lo que sientes en el momento y según la lógica. Puedes ser irritable y es difícil quitarte el mal humor una vez que estás hundido en él. Eres perceptivo y posees un excelente detector para adivinar los sentimientos de los demás. Te iría bien en el campo del psicoanálisis y del bienestar infantil. También serías bueno para la obstetricia, pues puedes enfrentarte a la muerte y al nacimiento. Tu sentido del humor es satírico y te encanta desmentir tabús, aunque no es algo que agrade a todo el mundo. Tu relación amorosa es intensa y tu pareja debe reafirmarte constantemente o te sientes irracionalmente celoso. Cuando las emociones te dominen mueve tu cuerpo para tranquilizarte, sal a andar en bicicleta o a caminar cerca de un río.

Carta del tarot: La Fuerza
Planetas: Plutón y La Luna
Frase: *La pluma es más sabia que la espada y es infinitamente más fácil escribir con ella.* Marty Feldman

Fortalezas: Encantador e intuitivo.
Debilidades: Inseguro y suelen darle ataques de ansiedad.

NACIERON EN ESTE DÍA:
Tom Hanks
(actor y cineasta)
Sir Edward Heath
(primer ministro británico)
David Hockney
(artista)
Donald Rumsfeld
(Secretario de Defensa de Estados Unidos)
O.J. Simpson
(jugador de la NFL y actor)
Jack White
(músico y líder de White Stripes)

MEDITACIÓN:

Si nunca te pierdes, no hay posibilidad de que te encuentren.

Julio 9

Eres una persona con buen humor, afectuosa y sumamente honesta. Tienes una perspectiva entusiasta y optimista sobre la vida que te ayuda a atravesar los momentos más difíciles —siempre ves el lado positivo de una situación—. Para ti, la vida debe tener un significado, así que puedes ser religioso o espiritual. Eres inquieto e impaciente, una persona de acciones más que de pensamientos y no soportas a los que pierden el tiempo. Tu grandeza se deriva de una combinación de estar en contacto con los sentimientos de las personas y de tu visión de un mundo positivo. Puedes ser franco, aunque cautivador, por lo que la gente puede sentirse seducida. Eres vulnerable. Para ti es importante tener una relación cercana. Necesitas a alguien que adore hablar tanto como tú y que comparta tu filosofía. Te hará bien liberar un poco de energía, así que sería excelente que vieras un partido emocionante en el que puedas animar a gritos a tu equipo.

Carta del tarot: El Ermitaño
Planetas: Júpiter y La Luna
Frase: *Si hay que tener un empleo en este mundo, una estrella de cine muy cotizada es una buena chamba.* Tom Hanks

Fortalezas: Ético y cordial.
Debilidades: Inquieto, desprevenido.

Julio 10

Eres una persona leal y responsable, con capacidad para escuchar, lo que te convierte en un confidente en quien la gente confía. Tienes valores conservadores y te gustan las tradiciones. Eres una persona ambiciosa y trabajas arduamente para llegar a la cima. Eres un patriota de verdad, trabajas por amor a tus semejantes y a tu país. Tienes un sentido protector que es admirable. Siempre te mantendrás dentro de los márgenes de la ley. Eres astuto para los negocios, en especial con la madurez. Necesitas ser respetado. Tienes cierto aire de agobio y muchas veces la gente comenta que eres demasiado serio. La vida en solitario no es para ti; anhelas tener una relación segura y estable y que alguien esté esperándote cuando regreses a tu casa. Nadar es un excelente antídoto para contrarrestar todo el trabajo que realizas.

Carta del tarot: La Rueda de la Fortuna
Planetas: Saturno y La Luna
Frase: *El éxito es un viaje, no un destino. La forma de hacerlo muchas veces es más importante que el resultado.* Arthur Ashe

Fortalezas: Atento y confiable.
Debilidades: Sombrío con puntos de vista ortodoxos.

NACIERON EN ESTE DÍA:
Arthur Ashe
(campeón de tenis)
Camille Pissarro
(artista)
Marcel Proust
(escritor)
Neil Tennant
(cantante de Pet Shop Boys)
Virginia Wade
(campeona de tenis)
James McNeill Whistler
(artista)

MEDITACIÓN:

Sólo aquellos que soportan la vida en solitario pueden conquistar la soledad.

Julio 11

Eres una persona cariñosa y compasiva con una gran inteligencia. Eres generoso y caritativo —un humanitario capaz de comunicar sus ideas con una convicción genuina que estimula a los demás para que entren en acción—. Te atraen las sociedades y los grupos que apoyan los derechos humanos. Te encantan los símbolos, las metáforas y aprender a descifrar los sueños. Tienes un don natural para la astrología y la lectura del tarot. El trabajo social es un buen empleo para ti. Eres impredecible y cambias de opinión de acuerdo a cómo te sientes. Tu debilidad es que te encierras en ti mismo para evitar problemas emocionales, prefieres resolver los conflictos del mundo antes que los tuyos. Para ti es esencial que tu pareja comparta tus convicciones y que tenga el toque necesario para persuadirte de cambiar tu actitud cuando te pones muy pesado.

Carta del tarot: La Justicia
Planetas: Urano y La Luna
Frase: *Los* jeans *representan la democracia dentro de la moda.* Giorgio Armani

Fortalezas: Generoso y compasivo.
Debilidades: Errático, impredecible.

NACIERON EN ESTE DÍA:
John Quincy Adams
(presidente de Estados Unidos)
Giorgio Armani
(diseñador de modas)
Robert the Bruce
(monarca escocés)
Yul Brynner
(actor)
Tokugawa Mitsukini
(comandante japonés)
Richie Sambora
(guitarrista de Bon Jovi)

MEDITACIÓN:

Si no puedes alimentar a cien personas, alimenta sólo a una.

469

MEDITACIÓN:

*Madurar es aceptar
la vulnerabilidad
y seguir adelante.*

Julio 12

Eres una persona imaginativa, con un gran don creativo para compartir con el mundo. Puedes llegar al corazón de las personas con lo que expresas, puesto que estás conectado con lo divino. Algunas veces te sientes abrumado por el sufrimiento del mundo y para tu corazón compasivo es demasiado fuerte ver escenas de gente que muere de hambre o víctimas de la violencia. Ayudar a la humanidad es algo natural para ti. Sin embargo, necesitas aprender a decir no cuando te piden ayuda o caerás en un patrón de sacrificio. Necesitas cuidarte emocional y físicamente. En el romance te despistas con facilidad y puedes intentar rescatar a la gente, así que reflexiona antes de comprometerte con alguien. La mejor medicina para ponerte de buen humor es la risa. Lo mejor para ti es tener una pareja y unos amigos que sean prácticos y que tengan los pies en la tierra.

Carta del tarot: El Colgado
Planetas: Neptuno y La Luna
Frase: *Los seres humanos son las únicas criaturas de la tierra que permiten a sus hijos regresar a casa.* Bill Cosby

Fortalezas: Muy creativo, atento.
Debilidades: Incapaz de decir que no, vulnerable.

MEDITACIÓN:

*Si nunca fracasas,
nunca tendrás éxito.*

Julio 13

Eres una persona muy subjetiva, que tiene un radar para saber cómo se sienten los demás. Das compasión, cariño y comprensión y a cambio esperas recibir lo mismo. La gente siente de inmediato una buena relación contigo. No obstante, algunas veces te rebasan los sentimientos y te vuelves demasiado exigente, lo cual resulta sofocante. Te encanta la historia y te gusta adquirir objetos de valor y antigüedades. Coleccionas muchas cosas y te apegas a ellas por razones sentimentales, esto se traduce en que acumulas demasiados objetos y es esencial que hagas limpieza periódicamente. Eres fiel y hay fuertes posibilidades de que te cases con el novio de tu juventud. Tu relación te da la estabilidad que anhelas. Necesitas junto a ti a una persona terrenal y práctica para que te dé equilibrio. Pide ayuda cuando te veas atrapado en sentimientos negativos. Respondes bien a las esencias de flores o a la homeopatía.

Carta del tarot: La Muerte
Planetas: La Luna y La Luna
Frase: *De verdad que no considero que sea un ícono, pero el Cubo ha tenido mucho éxito.* Ernö Rubik

Fortalezas: Empático y amable.
Debilidades: Agobiante, acumula demasiadas cosas.

Julio 14

Eres una persona demostrativa e imaginativa, inspiras a los demás por medio de tu valor y liderazgo. Eres amable y franco, tienes el don de la hospitalidad y siempre haces que los demás se sientan bienvenidos. Eres muy bueno para promover una causa o a una persona en la que crees, tu aprobación y tu apoyo marcan la diferencia. Podrías dedicarte a ello pues la gente te toma en serio. Tienes una vena artística y eres un ávido coleccionista de objetos valiosos, en especial de joyería de oro. Sabes el valor de las cosas. En las relaciones eres un amante ardiente que quiere impresionar y deslumbrar a su pareja, aunque también quieres ser quien tiene la sartén por el mango. Tu pareja estará más que satisfecha por brillar bajo la luz de tu amor. Una comida familiar al aire libre comandada por ti siempre será un éxito y agradará a los demás tanto como a ti.

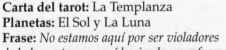

Carta del tarot: La Templanza
Planetas: El Sol y La Luna
Frase: *No estamos aquí por ser violadores de la ley; estamos aquí haciendo un esfuerzo por cuidarla.* Emmeline Pankhurst

Fortalezas: Complaciente, valiente.
Debilidades: Exhibicionista, controlador.

NACIERON EN ESTE DÍA:
Ingmar Bergman
(director de cine)
Gerald Ford
(presidente de Estados Unidos)
Woody Guthrie
(cantante, compositor y músico)
William Hanna
(animador, director y productor)
Gustav Klimt
(artista)
Emmeline Pankhurst
(fundadora del movimiento sufragista británico)

MEDITACIÓN:

No presumas todos los días o dejarás de sorprender a la gente.

Julio 15

Eres una persona sensible y atenta con un excelente poder de observación. Estas cualidades te permiten hacer comentarios pertinentes e inteligentes sobre la gente y la condición humana. Eres un escritor dotado —en especial para escribir guiones para telenovelas, un *blog* o un diario. El ajetreo de la vida cotidiana puede afectar tu equilibrio y puedes verte atrapado, tratando de satisfacer las necesidades de los demás. Eres reflexivo y necesitas tiempo a solas para comunicarte con tu mundo interior. Eres hábil con las manos, así que tejer puede ser un pasatiempo que te dé felicidad, además de que te gusta crear cosas útiles. Tu esencia es pura y floreces en una relación donde tu pareja sea fiel y le guste pasear contigo mientras platican. La cocina asiática, en la que se pican muchos de los ingredientes, es muy terapéutica.

Carta del tarot: El Diablo
Planetas: Mercurio y La Luna
Frase: *Supongo que cualquier cosa puede ser santa si es adorada con sinceridad.* Iris Murdoch

Fortalezas: Perceptivo y considerado.
Debilidades: Precipitado, tiende a descuidarse a sí mismo.

NACIERON EN ESTE DÍA:
Ian Curtis
(cantante líder de Joy Division)
Clive Cussler
(escritor)
Íñigo Jones
(arquitecto)
Iris Murdoch
(escritora)
Rembrandt van Rijn
(artista)
Forest Whitaker
(actor)

MEDITACIÓN:

Una mente alterada no te permite descansar por las noches.

NACIERON EN ESTE DÍA:
Roald Amundsen
(explorador)
Pierre Benoir
(escritor)
Jean-Baptiste Camille Corot
(artista)
Will Ferrell
(actor y comediante)
Ginger Rogers
(actriz y bailarina)
Barbara Stanwyck
(actriz)

MEDITACIÓN:

*Ninguna persona
realmente grandiosa ha
pensado que lo era.*

Julio 16

Eres una persona elegante y sofisticada que tiene un gran estilo en todo lo que hace. Eres compasivo y te importan los demás. Tienes capacidad de observación, dones artísticos y un gusto refinado. Quieres ser parte de la sociedad de la moda —de la élite— y tienes una gran necesidad por ser reconocido. Te gusta ser la cara pública de una compañía, de manera que eres bueno para trabajar en el espectáculo o en relaciones públicas. Te enorgulleces de tu imagen y puedes parecer engreído de cara al público, pero en tu casa estás muy contento cuando te pones ropa cómoda. En el amor eres cariñoso y devoto de tu pareja, ya que ella te da la seguridad que anhelas. También necesitas y valoras a tus amigos y no soportas a una pareja posesiva. Tu idea de estar en la gloria es bailar abrazado a tu pareja.

Carta del tarot: La Torre
Planetas: Venus y La Luna
Frase: *Cuando dos personas se aman, no se miran el uno al otro, sino que miran en la misma dirección.* Ginger Rogers

Fortalezas: Elegante y tierno.
Debilidades: Engreído, se da aires de grandeza.

NACIERON EN ESTE DÍA:
James Cagney
(actor)
Camila Parker
(esposa de Carlos,
Príncipe de Gales)
Diahann Carroll
(actriz y cantante)
Phyllis Diller
(comediante)
David Hasselhoff
(actor y cantante)
Donald Sutherland
(actor)

MEDITACIÓN:

*El cascarón debe romperse
antes de que el pájaro
pueda volar.*

Julio 17

Eres una persona fascinante y seductora con una dignidad natural. Te sientes atraído por el peligro y puedes ser muy atrevido y correr grandes riesgos. La gente no llega a conocerte realmente porque eres celoso de tu vida privada. A cambio tú respetas la privacidad de los demás. Puedes parecer orgulloso y arrogante, pero es sólo en apariencia. Tienes un lado suave y sentimental que se manifiesta cuando estás con tu familia. Eres un investigador nato y puedes ser exitoso en una profesión que te ponga a prueba emocional e intelectualmente. Puedes trabajar como consejero de la gente poderosa porque sabes guardar sus secretos. Tus relaciones son complejas, cualquier cosa sencilla te aburre. Cuando te comprometes lo haces para mucho tiempo. Una obra de teatro o una película de misterio y asesinatos es un deleite para ti.

Carta del tarot: La Estrella
Planetas: Plutón y La Luna
Frase: *Mido 1.90 cm, todo un tipo americano, y también soy guapo y talentoso.* David Hasselhoff

Fortalezas: Cautivador y atractivo.
Debilidades: Reservado y enigmático.

Julio 18

Eres una persona sociable y generosa con una gran integridad moral. Hay dos aspectos sobre ti. Tu lado público es abierto y de buen humor, pero en privado eres tímido y sensible. Buscas justicia para los demás y puedes hablar de manera convincente sobre alguna causa noble. Te sientes atraído al trabajo de caridad o como explorador. Eres romántico de nacimiento, te encantan la música sinfónica y la ópera que te hagan estremecer. Floreces con tus relaciones personales. Te gusta tener detalles caros —irte de fin de semana con tu pareja a algún lugar lujoso es típico en ti—. Tiendes a los cambios de humor porque te creas expectativas tan altas sobre la gente que te sientes destrozado cuando no las cumple. Hacer largas caminatas e irte de campamento son actividades que van de acuerdo con tu estilo —vives para la aventura.

Carta del tarot: La Luna
Planetas: Júpiter y La Luna
Frase: *Siempre bailaré en las calles.*
Martha Reeves

Fortalezas: Amoroso, justo.
Debilidades: Temperamental, demasiado idealista.

NACIERON EN ESTE DÍA:
Sir Richard Branson
(empresario)
James Brolin
(actor)
Vin Diesel
(actor)
Nelson Mandela
(primer presidente de Sudáfrica)
Martha Reeves
(cantante)
William Makerpeace Thackeray
(escritor)

MEDITACIÓN:

*Asegúrate de tener
algo más que sólo ideales.*

Julio 19

Eres una persona considerada que es muy consciente de sí misma. El trabajo es muy importante para ti y eres profesional de pies a cabeza. Todo lo que haces está planeado para que dure mucho tiempo. Reflexionas sobre ti mismo y entiendes tus emociones y las de los demás. Una de tus prioridades es entrenarte. Podrías ser terapeuta familiar o trabajar en una casa hogar. Aunque tienes buenos modales no eres un rival fácil y te mantienes firme con una gran madurez. En las relaciones necesitas tiempo para determinar si tu pareja es la que te conviene y no dejas que te presionen para tomar una decisión apresurada. Y tu pareja, a su vez, siente que estás siendo evasivo. Cuando estás molesto puedes cerrarte y hacer un berrinche que dure días. Remar es un excelente ejercicio que te fortalece físicamente y, por estar en contacto con el agua, te tranquiliza emocionalmente.

Carta del tarot: El Sol
Planetas: Saturno y La Luna
Frase: *El arte no es lo que ves, sino lo que haces que vean los demás.* Edgar Degas

Fortalezas: Asertivo y atento.
Debilidades: Evasivo, tiende a los cambios de humor.

NACIERON EN ESTE DÍA:
Vikki Carr
(cantante)
Samuel Colt
(inventor del revólver)
A. J. Cronin
(escritor)
Edgar Degas
(pintor)
Brian May
(astrofísico y guitarrista de Queen)
Ilie Nastase
(campeón de tenis)

MEDITACIÓN:

*Aunque la felicidad
se olvide un poco
de ti, tú nunca la olvides
por completo.*

Julio 20

Eres una persona realista y sensual que tiene una fuerte conexión con el lugar en el que nació. Te gusta el lujo y aprecias las cosas tangibles y que agradan a la vista. El buen diseño es importante para ti y podrías convertirlo en tu profesión. Eres amable y servicial en las cosas que dices y que haces, siempre ofreces consejos prácticos. Eres muy buen organizador y utilizas estrategias útiles en tus tareas. Una relación larga te proporciona la estabilidad que necesitas y te encanta hacerte cargo de tu familia. Te gusta estar cómodo y te sientes feliz cuando estás en tu casa con tu amado. Sin embargo te vuelves necio e irritable si hace varias horas que no comes o te sientes cansado. Vigila los niveles de azúcar y lleva contigo un tentempié para mantener altos tus niveles de energía.

NACIERON EN ESTE DÍA:
Nacieron en este día:
Gisele Bundchen
(supermodelo y actriz)
Frantz Fanon
(filósofo, revolucionario y escritor)
Sir Edmund Hillary
(aventurero y escritor)
Dame Diana Rigg
(actriz)
Carlos Santana
(cantante y guitarrista)
Natalie Wood
(actriz)

MEDITACIÓN:

No olvides comer —barriga llena, corazón contento.

Carta del tarot: El Juicio
Planetas: Venus y La Luna
Frase: *Hay poquísimas cosas en la civilización que sean atractivas para el Yeti.*
Sir Edmund Hillary

Fortalezas: Bondadoso, práctico.
Debilidades: Obstinado e irritable.

Julio 21

Eres una persona ingeniosa y amable que tiene el don de la empatía; en verdad entiendes el significado de ponerse en los zapatos de otro. Esta extraña habilidad de identificarte con las emociones de las personas te hace un consejero genuino. Aunque no te dediques a ello, la gente se siente cómoda al exponer sus sentimientos ante ti. Esto puede resultar agotador, pues tiendes a descuidarte a ti mismo mientras escuchas los problemas de los demás. Necesitas dedicar un tiempo para ti mismo, para relajarte —y tener un confidente con quien compartir lo que está pasando en tu vida—. Las relaciones son esenciales para ti porque siempre estás comunicándote. Necesitas una pareja a quien le guste divertirse, pues algunas veces puedes ser infantil. Una forma excelente de estar en contacto con tu mundo interior es escribir un diario.

NACIERON EN ESTE DÍA:
Josh Harnett
(actor y productor de cine)
Ernest Hemingway
(escritor)
Cat Stevens
(cantante, compositor)
Sir Walter Raleigh
(cortesano y explorador)
Tony Scott
(director de cine)
Robin Williams
(actor y comediante)

MEDITACIÓN:

La madurez significa saber cuándo ser inmaduro.

Carta del tarot: El Mundo
Planetas: Mercurio y La Luna
Frase: *¿Tú crees que Dios se droga? Yo creo que sí…mira al ornitorrinco.* Robin Williams

Fortalezas: Divertido y comprensivo.
Debilidades: Maniático e inmaduro.

Julio 22

Eres una persona que cuida y protege a los demás y eres increíblemente receptiva en cuanto a las emociones de los que te rodean. Es como si no tuvieras protección y pudieras contagiarte por cualquier bicho a tu alrededor. A temprana edad tuviste que ponerte un caparazón para protegerte o de otra manera no habrías sobrevivido. Todos te buscan para pedirte ayuda y puedes terminar encargándote de todos los niños abandonados y de los vagabundos de tu colonia. Tienes un importante talento, como escritor o como músico, que descuidas algunas veces porque los demás te absorben demasiado. Tiendes a vivir cerca del lugar donde naciste, aunque el agua es tu elemento y eres muy feliz viviendo cerca del mar o de un río. Las relaciones íntimas estimulan tu crecimiento y te permiten florecer. Puedes volverte inactivo, así que una desintoxicación es una forma efectiva de limpiarte energéticamente.

Carta del tarot: El Emperador
Planetas: La Luna y La Luna
Frase: *La vida es un juego y el amor verdadero es un trofeo.* Rufus Wainwright

Fortalezas: Protector, de mente abierta.
Debilidades: Perezoso, tiende a descuidarse a sí mismo.

NACIERON EN ESTE DÍA:
Willem Dafoe
(actor)
Don Henley
(músico de Eagles)
Edward Hopper
(artista)
Mireille Mathieu
(cantante)
Terence Stamp
(actor)
Rufus Wainwright
(músico)

MEDITACIÓN:

Los malos hábitos son más fáciles de abandonar hoy que mañana.

CÁNCER TÍPICO:

DIANA, PRINCESA DE GALES

"La mayor dolencia que el mundo sufre actualmente, es el mal de la falta de amor. Sé que puedo dar mucho a esas personas carentes, por un minuto, una hora, un día o un mes, y es eso lo que quiero hacer".

RASGOS DE CÁNCER:

Para los nacidos bajo el signo de Cáncer, la paz interior es sumamente importante y hacen lo que está en sus manos para que los problemas se mantengan lo más lejos que puedan —y si es necesario, se refugian en su caparazón. Emocionalmente, Cáncer es un signo de altibajos, aunque tienen mucho amor que dar y no soportan ver que alguien está sufriendo.

5 ♌ ♌ Leo

23 de julio – 23 de agosto

CARTA DEL TAROT: La Fuerza

ELEMENTO: Fuego

ATRIBUTOS: Fijo

NÚMERO: 5

PLANETA REGENTE: El Sol

PIEDRAS PRECIOSAS: Rubí y granate

COLOR: Dorado

DÍA DE LA SEMANA: Domingo

SIGNOS COMPATIBLES: Aries, Sagitario, Piscis

PALABRAS CLAVE: Incondicional, fuertes habilidades de liderazgo, cálido y sincero, protector y cariñoso, engreído, egocéntrico, presumido

ANATOMÍA: Corazón, pecho, columna y espalda superior

HIERBAS, PLANTAS Y ÁRBOLES: Anís, manzanilla, narciso, hinojo, lavanda, amapola, caléndula, muérdago y perejil

FRASE CLAVE:
Yo creo
(crear)

Leo es el león, el rey —o la reina— del Zodiaco, es dominante y es difícil que pase inadvertido. Este signo gobierna al corazón y por ello Leo nació para estar en el centro de la acción, indicando el camino. Leo es el piloto, la superestrella, el papel principal o el director de la orquesta y el centro de todo el Zodiaco. La representación gráfica es como la melena del león, de manera que por lo general, Leo tiene una melena abundante e, igual que un gato, necesita que lo acaricien. Leo es la mitad del verano, la época del año en que los niños están de vacaciones y los Leo también pueden ser infantiles y el más juguetón de todos los signos.

REGENTE PLANETARIO Y ATRIBUTOS
Leo es regido por el Sol, el cual no es un planeta sino una estrella. Leo está aquí para brillar y para compartir su calidez. Es un signo fijo de fuego y la energía del fuego es muy estable, como la flama eterna. El Sol está en el centro del Zodiaco y sigue un camino estable a lo largo de la elíptica. Otorga luz y calor, sin los cuales moriríamos. Apolo, el dios del Sol, era la hermosa juventud que conducía su carro a través del cielo. Representaba las cualidades de verdad, luz y profecía.

RELACIONES
Leo es un signo apasionado y extremadamente romántico. Te encanta lo teatral y adoras las etapas del cortejo. Eres cálido y no guardas rencores, amas la idea del amor —para Leo, la vida no vale la pena sin amor—. Puedes sentirte sumamente deprimido cuando una relación no funciona, en especial si la otra persona es quien la termina —te lames tus heridas y regresas emocionalmente más fuerte que nunca.

El hombre Leo es seguro de sí mismo, lo cual es muy atractivo, y la mujer Leo es aristocrática y posee una gracia innata. Sin embargo, ambos necesitan ser el líder en sus relaciones, de manera que hay conflicto con Capricornio, a quien también le gusta mandar, y con Acuario, que valora la igualdad. Los signos más compatibles con Leo son los otros signos de fuego: Aries y Sagitario. Es interesante que el matrimonio también puede funcionar con Piscis. Géminis es alegre y divertido, cualidades que Leo adora. Leo y Libra se llevan bien, pero necesitan el dinero para mantener el estilo de vida extravagante que a ambos les encanta.

MITO
Leo es la constelación del León, con la estrella más brillante, Regulus, en el centro. Leo era el león de Nemea que vivía en la caverna, su piel era impenetrable y el primer trabajo de Hércules fue matar al león. Hércules luchó contra el león de Nemea y finalmente lo estranguló hasta matarlo, después de comprobar que la espada y la lanza eran inútiles. Con las propias garras del león, le quitó la piel y desde ese día la utilizó como armadura para protegerse en las batallas.

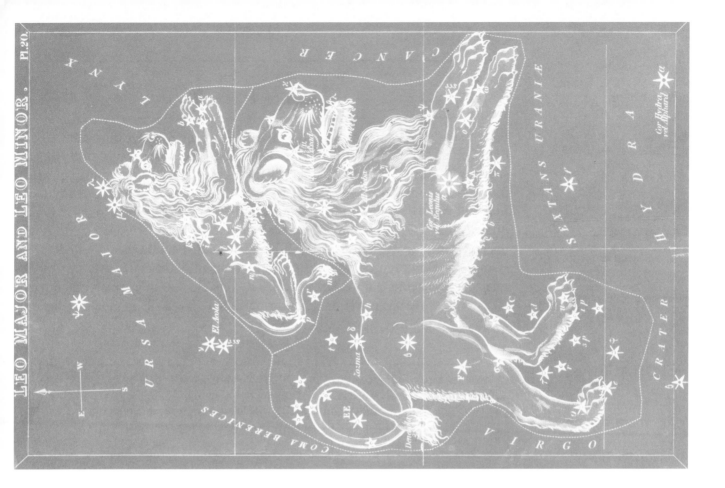

FORTALEZAS Y DEBILIDADES

Debido a que el Sol es el punto central de los Leo, algunas veces pueden ser impulsivos e irritables, en especial cuando las cosas no salen a su manera.

Aunque son fuertes y orgullosos, los nacidos bajo el signo de Leo son todo corazón. Esta calidez puede ser atractiva, en especial cuando surge de manera pura e incondicional. Por lo general, mientras los acaricien, los Leo responden con amor. Necesitan ser valorados y que los elogien mucho por lo que hacen, son sensibles ante las bromas. Igual que el león, no hay nada más triste que cuando hieren el orgullo de Leo y se esconde en su refugio para lamerse las heridas. Sin embargo, Leo es el rey y puede volverse un dictador en un abrir y cerrar de ojos. Los Leo odian dar la impresión de ser dependientes o de necesitar de los demás, así que rara vez piden ayuda, incluso cuando de verdad la necesiten. Leo debe estar en el centro de las cosas y su anhelo de estar bajo los reflectores puede resultar en que los demás sean hechos a un lado. Igual que el león del signo, pueden ser flojos y desechar ideas nuevas, hasta que no vuelven a estar listos para atacar.

LEO TÍPICO:

MADONNA

"Desde que era niña he tenido el mismo objetivo. Quiero gobernar el mundo".

PODERES DE LEO: Mente poderosa y fuerte con un gran corazón. Si logras entrar en la vida de Leo, te adorará.

ASPECTOS NEGATIVOS DE LEO: Impulsivo, con una necesidad constante de dirigir a los demás. Incapaz de estar tras bambalinas.

Julio 23

Eres una persona entusiasta, exuberante y llena de vida. Destilas confianza y tienes un modo convincente. Puedes deslumbrar a la gente con tu brillo y necesitas ser siempre el centro del escenario principal. Tomas el mando sin que te lo pidan —te parece lo correcto—. Tu vida es casi mítica pues las oportunidades maravillosas tocan a tu puerta, lo que puede poner nerviosos a los demás porque alcanzas el éxito incluso sin proponértelo. En las relaciones necesitas una enorme cantidad de cariño y de admiración. Puedes dominar tu alrededor y no siempre es fácil vivir contigo. Algunas veces es muy difícil tratarte y necesitas relajarte y aprender a apreciar más a los demás. Eres exhibicionista, así que entretener a los demás te ayuda a liberar parte del exceso de energía que tienes y a ellos les divierte.

MEDITACIÓN:

No subestimes el poder de la subestimación.

Carta del tarot: El hierofante
Planetas: El Sol y El Sol
Frase: *Actuar nunca me ha desilusionado porque me encanta actuar.* Woody Harrelson

Fortalezas: Alegre y lleno de positivismo.
Debilidades: Necesita atención constantemente, presumido.

Julio 24

Eres una persona dedicada y elocuente que inspira a los demás con su deseo de excelencia. Eres amable y cálido y la gente te considera alguien con mucha confianza en sí mismo. Sin embargo hay una voz en tu interior que no es tan segura y siempre critica lo que haces o dices. Tu debilidad principal es que tiendes a analizarte en exceso a ti mismo y a los demás. En el ámbito profesional trabajas mejor solo o independiente —puedes contribuir en un equipo, pero los grupos no te interesan gran cosa—. Trabajas bien con los detalles y puedes pasar horas perfeccionando tus creaciones. Eres muy exigente cuando se trata de relaciones; necesitas a alguien que esté dispuesto a empaparte de cariño y a estar a la altura de tu idiosincrasia. Puedes ponerte muy tenso, así que cuida tu dieta y evita comer alimentos demasiado condimentados.

MEDITACIÓN:

Cuando lo que piensas, dices y haces está en armonía, la felicidad llega.

Carta del tarot: Los Enamorados
Planetas: Mercurio y El Sol
Frase: *Quiero hacerlo porque quiero hacerlo.* Amelia Earhart

Fortalezas: Elocuente y comprometido.
Debilidades: Quisquilloso, tenso.

Julio 25

Eres una persona tierna y cariñosa con cualidades innatas de diplomático. Consideras, quizá con un toque de inocencia, que el mundo es un lugar de armonía y que tú aportas dulzura y chispa con tu sola presencia. No puedes evitar llamar la atención de los demás, pues tienes un aura que brilla con un profundo sentido de paz y felicidad. Eres bien educado y tus modales son impecables. Te gusta que las cosas estén en el lugar adecuado y tienes un gran sentido del diseño y talento artístico. Puedes sobresalir en el campo de la ilustración, del diseño de interiores o como florista. Tu casa siempre luce hermosa gracias a tu gusto impecable. Anhelas el romance y buscas a una pareja que tenga un fuerte sentido de identidad. Los alimentos azucarados pueden ser tu perdición, tu necesidad de dulces es en realidad necesidad de amor.

Carta del tarot: El Carro
Planetas: Venus y El Sol
Frase: *El entusiasmo es el motor del mundo.* Arthur James Balfour

Fortalezas: Cariñoso, creativo.
Debilidades: Empalagoso y goloso.

NACIERON EN ESTE DÍA:
Arthur James Balfour
(primer ministro británico)
David Belasco
(dramaturgo y productor de teatro)
Louise Brown
(primer bebé de probeta)
Thomas Eakins
(artista)
Matt LeBlanc
(actor)
Maxfield Parrish
(artista)

MEDITACIÓN:

Bailemos o no, somos tontos, así que bailemos de todas maneras.

Julio 26

Eres una persona magnética y atractiva con una presencia muy poderosa. Tienes las cualidades de una verdadera estrella, una fuerte motivación y la determinación de ganar a toda costa. Nuca te rindes y tu ambición no tiene límites. Tienes una gran fuerza de voluntad y una vez que estás en la cima, puedes derrotar cualquier competencia. Las relaciones son esenciales para ti y es muy posible que tengas más de un amor verdadero. El aura de misterio que emana de ti es extremadamente seductora. Eres ferozmente leal a la gente que quieres, aunque tus parejas sienten que nunca terminan de entenderte. Tu necesidad de tener secretos evita que establezcas una intimidad real. Aprende a confiar más y ábrete. Te encantan las historias de asesinatos y de misterio, así que una de tus formas favoritas de relajarte es yendo al teatro o al cine.

Carta del tarot: La Fuerza
Planetas: Plutón y El Sol
Frase: *Gracias por dejarnos en paz dándonos suficiente atención para inflar nuestro ego.* Mick Jagger

Fortalezas: Devoto, entusiasta cuando está interesado.
Debilidades: Cruel y reservado.

NACIERON EN ESTE DÍA:
Aldous Huxley
(escritor)
Mick Jagger
(cantante, compositor de Rolling Stones, productor y actor)
Carl Jung
(psiquiatra)
Stanley Kubrick
(director de cine)
Roger Taylor
(baterista de Queen)
Kevin Spacey
(actor)

MEDITACIÓN:

No intentes convertirte en una persona de éxito, sino que trata de convertirte en una persona valiosa.

NACIERON EN ESTE DÍA:
Hilaire Belloc
(escritora)
Charlotte Corday
(aristócrata francesa y asesina)
Hans Fischer
(químico)
Geoffrey de Havilland
(diseñador de aeronaves)
Julian McMahon
(actor)
Gregory Vlastos
(filósofo)

MEDITACIÓN:

*Viaja por realización,
no por distracción.*

Julio 27

Eres una persona con una perspectiva positiva sobre todo lo que la vida ofrece; alguien con una enorme creencia de que la vida debe ser una aventura y que debe vivirse al máximo. Exploras el mundo, ya sea de manera literaria o en tu imaginación. Tienes unas ansias de conocer el mundo que duran toda tu vida y puedes tardar mucho tiempo en sentar cabeza, si es que lo haces. Eres increíblemente cálido y generoso —y te encantan las fiestas— y ofreces amabilidad a todos los que conoces. Tienes altos estándares morales y defiendes la verdad, así que el campo legal te atrae de maneta natural. Los tribunales le sientan bien a tu personalidad. Eres un nómada y una relación larga puede ser difícil, aunque valoras mucho la amistad de tu pareja. Te encanta aprender, estudiar en tu casa te mantendrá ocupado y tranquilizará tu espíritu inquieto.

Carta del tarot: El Ermitaño
Planetas: Júpiter y El Sol
Frase: *Vagamos para distraernos, pero viajamos para realizarnos.* Hilaire Belloc

Fortalezas: Aventurero y generoso.
Debilidades: Nómada, consumido por sus ansias de viajar.

NACIERON EN ESTE DÍA:
Marcel Duchamp
(artista)
Malcolm Lowrry
(escritor)
Jackie Kennedy Onassis
(primera dama de Estados Unidos)
Jacques Piccard
(explorador)
Beatrix Potter
(escritora)
Rudy Vallee
(músico y actor)

MEDITACIÓN:

*La risa es al alma lo
que el jabón es al cuerpo.*

Julio 28

Eres una persona formidable y ambiciosa con una actitud positiva aunque en el fondo eres muy tímido. El apoyo de gente mayor que tú te ayuda a lo largo de tu vida. Conforme creces desarrollas un refinamiento autocontrolado; te gusta la formalidad y los grandes eventos sociales. Añoras las épocas antiguas en donde las formas y las tradiciones eran valoradas. La gente siempre te respeta y te mantienes impresionantemente distante de algunas personas, así que es necesario que desarrolles un poco de compasión. Llegas a la cima, ya sea con una pareja o tú solo; es una posición para la que eres ideal. También eres una pareja fiel y el matrimonio te atrae, pues anhelas seguridad material y un hogar estable. El trabajo te da satisfacción, pero también necesitas reír y divertirte con mayor frecuencia o envejecerás más pronto.

Carta del tarot: La Rueda de la Fortuna
Planetas: Saturno y El Sol
Frase: *Si te equivocas al educar a tus hijos, no creo que sirva de mucho cualquier cosa que hagas.* Jackie Kennedy Onassis

Fortalezas: Decidido y optimista.
Debilidades: Tímido y serio.

Julio 29

Eres un líder innovador que hace las cosas según su estilo único. Eres ingenioso y estás dispuesto a probar métodos nuevos —mientras más raros, mejor— y nunca te desanimas, aunque las cosas no salgan según las planeaste. Eres verdaderamente creativo y puedes llegar a los extremos cuando estás preparado para hacer algo. Tu problema es la falta de perspectiva y muestras gran resistencia a rectificar una vez que has decidido la estrategia. Sueles incluir a la gente y trabajas muy bien en equipo, siempre y cuando tú seas el que manda. En las relaciones quieres tener un mejor amigo y alguien que te admire. Tienes una relación de amor–odio con la tecnología y necesitas desconectarte en las noches porque tu mente es demasiado activa. Para relajarte sal a caminar, pero deja tu celular en casa.

Carta del tarot: La Justicia
Planetas: Urano y El Sol
Frase: *Un juicio negativo te da más satisfacción que un halago, siempre y cuando suene a celos.* Jean Baudrillard

Fortalezas: Original, emprendedor.
Debilidades: Terco y dominante.

NACIERON EN ESTE DÍA:
Jean Baudrillard
(sociólogo)
Baron Marcel Bich
(fundador de la compañía Bic)
Clara Bow
(actriz)
Nelli Kim
(campeona olímpica de gimnasia)
Benito Mussolini
(dictador italiano)
William Powell
(actor)

MEDITACIÓN:

El mejor remedio para el mal genio es una larga caminata.

Julio 30

Eres una persona fuerte y llena de vida con el don del humor. Tienes un cálido toque de espontaneidad y una forma divertida con las palabras que te permite decir el comentario perfecto en el momento exacto. Puedes ser un payaso y nunca parecer tonto, ni perder esa innata confianza en ti mismo. Tu rápido ingenio y tu inteligencia son cautivadores y eres un líder popular. Eres el anfitrión y el invitado perfecto, pues mantienes el interés de la gente contándoles los últimos chismes. Tienes buenas intenciones y eres honorable, hablas con total honestidad. Aunque te gusta estar al mando, nunca te tomas demasiado en serio. En el romance te inclinas por la variedad y sueles asegurarte de estar siempre muy ocupado para evitar relacionarte a niveles profundos. Tu temperamento es de fuego y aire, de manera que te conviene evitar bebidas con mucho hielo que puedan caerte mal.

Carta del tarot: La Emperatriz
Planetas: Mercurio y El Sol
Frase: *La leche es para los bebés, cuando creces debes beber cerveza.* Arnold Schwarzenegger

Fortalezas: Alegre y de mente ágil.
Debilidades: Indiferente, chismoso.

NACIERON EN ESTE DÍA:
Peter Bogdanovich
(director de cine)
Emily Brontë
(escritora)
Henry Ford
(empresario automovilístico)
Henry Moore
(escultor)
Arnold Schwarzenegger
(actor y gobernador de California)
Hilary Swank
(actriz)

MEDITACIÓN:

Un problema compartido es un problema partido por la mitad.

5

Julio 31

Eres una persona con un gran corazón y tu familia y tu hogar te importan mucho. Te expresas de manera dramática y juguetona. Tienes un carisma natural y te haces promoción genuinamente ante los demás. Te va bien en la industria del espectáculo, en donde brillas con fuerza. Tuviste una relación cercana con tu figura materna o paterna y necesitabas mucho cariño y cuidados. En tu vida adulta llevas esa seguridad dentro de ti y formas un hogar en dondequiera que vas. Tiendes a echar raíces a temprana edad y eres una pareja confiable, además de que das seguridad emocional a las personas que amas. En el aspecto negativo puedes preocuparte demasiado por tus propias emociones y tiendes a reaccionar exageradamente cuando te critican, aunque tu naturaleza cálida provoca que no estés enfurruñado durante mucho tiempo. Jugar con tus hijos es una solución para evitar que te encierres en ti mismo.

MEDITACIÓN:

Si no existieran las críticas, tampoco existiría el éxito.

Carta del tarot: El Emperador
Planetas: La Luna y El Sol
Frase: *Si quieres conocer el verdadero valor de una persona, fíjate en cómo trata a quienes están por debajo de ella, no a los que están a su nivel.* J. K. Rowling

Fortalezas: Fiel, empático.
Debilidades: Egoísta e incapaz de tolerar las críticas.

Agosto 1

Eres una persona apasionada y creativa con cualidades de liderazgo fuertes y creativas. Eres intuitivo y valiente, tienes mucho qué expresar y qué dar al mundo. Tienes tanta confianza en ti mismo que sabes —no es que lo creas— que eres el centro del universo y tienes un grupo de seguidores que te adora y les gusta todo lo que tienes para ofrecer. Eres talentoso, te encanta el drama y eres ideal para el escenario. Tienes un coraje innato y eres capaz de arriesgarlo todo por lo que crees. También tienes un lado muy tierno y buscas estar en una relación. Te entregas de corazón a tu pareja y eres muy cortés, ya seas hombre o mujer. Puedes ser egoísta y necesitas a alguien a tu lado que te regrese a la tierra. Puedes agotarte con facilidad y te hace bien tener a alguien a tu alrededor que te recuerde que te cuides mejor.

MEDITACIÓN:

Si dedicas demasiado tiempo a ti mismo, entonces te perderás la grandeza de los demás.

Carta del tarot: El Mago
Planetas: Marte y El Sol
Frase: *La moda cambia, el estilo es permanente.* Yves Saint Laurent

Fortalezas: Valiente y romántico.
Debilidades: Se interesa por sí mismo, exhibicionista.

Agosto 2

Eres una persona carismática y magnética que ama el esplendor y la magnificencia. Te deleitas creando un estilo de vida en el que puedas disfrutar de las cosas buenas de la vida. Tienes cierto aire de comediante. Tu personalidad extravagante y glamorosa se refleja en tu gusto para decorar tu hogar —espejos con marcos dorados, edredones gruesos en colores metálicos, flores y pieles—. El dorado es tu color favorito y también te gusta el dorado del oro. Eres una persona creativa, capaz de producir las cosas que la gente quiere, ya sea una experiencia artística o un delicioso chocolate casero. Necesitas tener una pareja confiable; alguien atractivo que siempre esté al parejo de tu estilo. Puedes ser terco y tiendes a ver las cosas desde tu punto de vista, así que debes aprender a ser más flexible. Te encanta el perfume —lo ideal para relajarte es un baño con aromas deliciosos.

Carta del tarot: La Suma Sacerdotisa
Planetas: Venus y El Sol
Frase: *Soy el más sociable de los hombres y me encanta estar en buena compañía, pero nunca estoy menos solo que cuando estoy solo.* Peter O'Toole
Fortalezas: Cautivador y elegante.
Debilidades: Obstinado y narcisista.

NACIERON EN ESTE DÍA:
Wes Craven
(director de cine)
Myrna Loy
(actriz)
Nell Irvin Painter
(historiador)
Kevin Smith
(director de cine)
Peter O'Toole
(actor)
Jorge Rafael Videla
(dictador argentino)

MEDITACIÓN:

Que tu voluntad sea fuerte, pero escucha también al otro lado.

Agosto 3

Eres una persona jovial y optimista, que refleja un mensaje de esperanza y positividad. Eres persuasivo y crees con todo tu corazón en las causas. Puedes ser un activista político y te gusta moverte en círculos influyentes. Necesitas que te admiren por el trabajo que realizas. Eres un estudiante perene en el sentido de que te encanta probar cosas nuevas. Sin embargo, a veces te cuesta trabajo centrarte en una sola cosa a la vez. Necesitas una pareja que sea tu aliada y seguidora fiel y no alguien que te rete. En ocasiones pareces inocente e infantil; esta inmadurez emocional puede hacer estragos en tus relaciones. El humor es tu tabla de salvación y puede animarte si las cosas se ponen difíciles. Cuando te sientas deprimido quédate solo y ve una película de comedia hasta que mejore tu estado de ánimo.

Carta del tarot: La Emperatriz
Planetas: Mercurio y El Sol
Frase: *No creo que a los estadunidenses se les dé información suficiente sobre los países del tercer mundo.* Martin Sheen
Fortalezas: Confiado, persuasivo.
Debilidades: Emocionalmente inocente, inmaduro.

NACIERON EN ESTE DÍA:
Stanley Baldwin
(primer ministro británico)
Tony Bennett
(cantante)
Rupert Brooke
(poeta)
P. D. James
(escritora)
Martin Sheen
(actor)
Martha Stewart
(empresaria)

MEDITACIÓN:

Es mejor haber amado y haber perdido ese amor que nunca haber amado en absoluto.

NACIERON EN ESTE DÍA:
Louis Armstrong
(cantante y trompetista)
Elizabeth Bowes-Lyon
(la Reina Madre)
Barack Obama
(presidente de Estados Unidos)
Percy Bysshe Shelley
(poeta)
Louis Vuitton
(diseñador)
José Luis Rodríguez Zapatero
(presidente de España)

MEDITACIÓN:

La paciencia es la compañera de la sabiduría.

Agosto 4

Eres una gran personalidad con una enorme presencia y una fuerte motivación. Tienes un porte aristocrático y el extraño don de poder llegar a los demás. Toda persona que te conoce siente tu calidez y se siente incluido en tu círculo de influencia. Eres un líder excelente porque posees las cualidades protectoras de un buen padre, así como la profundidad emocional de una buena madre. Del lado negativo, te enojas cuando las cosas no salen a tu manera. En tus primeros años te aferrabas a tu madre y necesitabas tener su presencia física para sentirte a salvo. Consideras que una relación amorosa es para comprometerse para toda la vida, te sientes muy a gusto relajándote en tu casa con la familia. Puedes volverte irritable e impaciente si no puedes expresar tu creatividad. Cantar te ayuda a sacar la tensión acumulada.

Carta del tarot: El Emperador
Planetas: La Luna y El Sol
Frase: *Necesitamos interiorizar la idea de la excelencia. No mucha gente dedica su tiempo a tratar de ser excelente.* Barack Obama

Fortalezas: Afable y resuelto.
Debilidades: Voluble, irritable.

NACIERON EN ESTE DÍA:
Neil Armstrong
(astronauta)
Patrick Ewing
(jugador de baloncesto)
Edward John Eyre
(explorador)
John Houston
(director de cine)
Guy de Maupassant
(escritor)
Robert Taylor
(actor)

MEDITACIÓN:

Deja que los demás cometan sus propios errores y tengan sus propios triunfos.

Agosto 5

Eres una persona magnética y cálida cuya vida es un viaje de autodescubrimiento. Eres una inspiración y te entregas por completo a cualquier tarea en la que te involucres. Eres ideal para desempeñar un papel de dirección o ejecutivo y no te gusta ocupar una posición de poca importancia. Los detalles no son lo tuyo, simplemente no te interesan. Resplandeces ante el mundo y para ser exitoso necesitas que los demás te admiren. Ten en cuenta que tu ego puede ser aplastante y que debes dejar que otras personas también estén bajo los reflectores. Tu naturaleza apasionada puede hacer que caigas en tentaciones, si tu pareja no te adora de manera constante, la cambiarás por alguien que sí lo haga. El teatro es un campo maravilloso para ti y el arte dramático *amateur* es una forma de satisfacer tus necesidades.

Carta del tarot: El Hierofante
Planetas: El Sol y El Sol
Frase: *Lo único de lo que me arrepiento es de que mi trabajo me exigía una enorme cantidad de tiempo y viajar muchísimo.* Neil Armstrong

Fortalezas: Cautivador e inspirador.
Debilidades: Engreído, arrogante.

Agosto 6

Eres una persona ética y rigurosa con ideales fuertemente arraigados. Sin embargo, a pesar de que en tu interior sabes lo que piensas, tiendes a dudar y a postergar las cosas. Notas todas las fallas en un proyecto y quieres remediarlas —necesitas que haya una fecha límite o de otra manera no terminarías nunca—. Aunque, una vez que te centras haces todo lo necesario y obtienes resultados excelentes. Eres benevolente y te sientes realmente satisfecho cuando ayudas a los demás. Eres un buen profesor e investigador, en particular en la rama de la salud, y te sientes cómodo trabajando solo. En las relaciones eres exigente; quieres a alguien que se preocupe por su salud y que cuide lo que come. Hacer juntos una dieta de desintoxicación sería bueno para ambos y también ayudaría a satisfacer tu necesidad de autodisciplina.

Carta del tarot: Los Enamorados
Planetas: Mercurio y El Sol
Frase: *Sería de lo más glamoroso reencarnar en un hermoso anillo enorme en el dedo de Liz Taylor.* Andy Warhol

Fortalezas: Amable y virtuoso.
Debilidades: Pierde el tiempo, perfeccionista.

NACIERON EN ESTE DÍA:
Geri Halliwell
(cantante de Spice Girls)
Alexander Fleming
(científico, descubridor de la penicilina)
Robert Mitchum
(actor)
Alfred, Lord Tennyson
(escritor)
Andy Warhol
(artista y cineasta)
Barbara Windsor
(actriz)

MEDITACIÓN:

Es mejor hacer algo imperfecto que hacer nada a la perfección.

Agosto 7

Posees un gran atractivo y encanto. Amas el lujo y las mejores cosas de la vida. Tendrías mucho éxito en las ventas o en las relaciones públicas, pues tu personalidad cálida y simpática puede convencer fácilmente a la gente de que compre lo que sea que le ofrezcas. Tu deseo genuino de que los demás sean felices te hace el anfitrión perfecto. Y a cambio te dan el reconocimiento que necesitas. Existe el peligro de que te encierres en ti mismo cuando estás solo, así que es importante que pases tiempo con más gente. Necesitas una pareja y tu media naranja debe gozar del entretenimiento tanto como tú. No eres solitario y podrías llevar un negocio conjuntamente con tu cónyuge. Si te ignoran, de inmediato envías señales de molestia. En lugar de tener que pedir atención constantemente, dale tu amor y tu energía a una pareja que comparta tu miedo a que te descuiden.

Carta del tarot: El Carro
Frase: *Soy una mujer que se divierte mucho; algunas veces pierdo, algunas veces gano.* Mata Hari

Fortalezas: Elegante y encantador.
Debilidades: Busca que le presten atención, extravagante.

NACIERON EN ESTE DÍA:
Ralph Bunche
(político y diplomático)
David Duchovny
(actor)
Mata Hari
(bailarina y espía holandesa)
Wayne Knight
(actor)
Vladimir Sorokin
(escritor)
Charlize Theron
(actriz, productora y directora de cine)

MEDITACIÓN:

Varias ramitas unidas en un manojo jamás podrán romperse.

Agosto 8

Eres una persona muy competitiva que necesita sentir el peligro para sentirse viva de verdad. Los retos te cautivan y constantemente estás creando dramas de vida o muerte a los que debes sobreponerte. Eres sumamente apasionado, tus deseos y tus ideales son muy fuertes. En las crisis asumes el control de manera automática y la gente te respeta como el número uno. Sin embargo, tiendes a ser terco y posesivo y no dejas un proyecto, ni siquiera cuando los demás te aconsejan que lo hagas. Pones intensidad a todas tus relaciones y éstas nunca son aburridas. Incluso si te desvías un poco del camino, esperas que tu pareja te siga siendo fiel sin cuestionar nada. Puedes tener una personalidad esquiva y enigmática; es necesaria toda una vida para recorrer tu complejidad. Tus emociones pueden dominarte, de manera que la tranquilidad del agua, en especial la del océano, te ayudan a calmarte.

Carta del tarot: La Fuerza
Planetas: Plutón y El Sol
Frase: *Siento que me hicieron trampa porque nunca podré saber qué se siente estar embarazado, que un bebé crezca dentro de mí y darle pecho.* Dustin Hoffman

Fortalezas: Dominante y entusiasta.
Debilidades: Exagerado y obstinado.

Agosto 9

Eres una persona entusiasta con fuertes opiniones y que disfruta contar cuentos. Viajas mucho y prefieres ir a expediciones que tener unas vacaciones convencionales. Nunca estás quieto más de un minuto y siempre estás en busca de experiencias nuevas y maravillosas. Tu objetivo es llevar una vida de proporciones míticas —que la gente se acuerde de ella—. Corres grandes riesgos y te encanta apostar. Disfrutas vivir al límite y es muy emocionante estar contigo —te iría muy bien como instructor de deportes de riesgo—. En las relaciones, tus exigencias y tu exceso de paciencia constantemente ponen a prueba la paciencia de tu pareja. No soportas ser ordinario, lo cual te convierte en una persona desafiante para quien vive contigo. Necesitas aprender a reflexionar. Conectar con tu cuerpo por medio del yoga te resultará muy relajante.

Carta del tarot: El Ermitaño
Planetas: Júpiter y El Sol
Frase: *Hace mucho tiempo decidí no caminar a la sombra de nadie; si fracasaba o si tenía éxito, por lo menos lo hacía de acuerdo a lo que creía.* Whitney Houston

Fortalezas: Dinámico y entusiasta.
Debilidades: Insistente, corre riesgos.

Agosto 10

Eres una persona con muchos dones, un profesional con capacidades únicas. Tienes un deseo natural por la vida y tienes una estrategia atrevida para todo lo que haces. Estás orgulloso de tus logros y necesitas que te honren los certificados, un título universitario o un sillón en el consejo. Aunque disfrutas de las fiestas, también te sientes de maravilla cuando estás contigo mismo. Tienes una gran dignidad y tu orgullo puede verse herido si la gente no te muestra respeto, o peor todavía, si se burla de ti. No manifiestas tu orgullo herido y tu autocontrol se encarga de ello. Amas el romance y eres extravagante con tu pareja, vuelcas tu amor en ella. El físico sí te importa y necesitas a alguien que sea atractivo y digno de tu respeto. Necesitas bajar la guardia y jugar juegos tontos como antídoto contra tu seriedad.

Carta del tarot: La Rueda de la Fortuna
Planetas: Saturno y El Sol
Frase: *Lo único que quiero es salir al escenario, cantar y ser feliz.* Ronnie Spector

Fortalezas: Talentoso y tierno.
Debilidades: Solemne y tenso.

NACIERON EN ESTE DÍA:
Antonio Banderas
(actor, director y cantante)
Laurence Binyon
(poeta)
Leo Fender
(inventor de la guitarra eléctrica Fender)
Herbert Hoover
(presidente de Estados Unidos)
Jean-Francois Lyotard
(filósofo)
Ronnie Spector
(cantante)

MEDITACIÓN:

La felicidad es la llave del éxito.

Agosto 11

Eres una persona original, con un delicioso sentido del ridículo y la extravagancia. Tienes una imaginación fértil y experimentas con combinaciones fuera de lo normal, aunque inspiradas. Sobresales en un grupo porque eres la única persona con un talento natural creativo y de manera natural eres elegido para ser líder. En política eres radical y te revelas en contra del *statu quo*. A pesar de lo lejos que estés de la mayoría, quieres que la gente te respete y te trate como a un rey. Puedes ser desesperante cuando no te da la gana escuchar el punto de vista de los demás. En las relaciones necesitas cercanía y cariño, aunque también necesitas espacio y libertad. Los viajes de trabajo, que hacen que te ausentes constantemente de casa, mantienen viva tu relación y evitan que el aburrimiento se instale en ella. Pero ten cuidado de no trabajar en exceso, deja que los demás te cuiden.

Carta del tarot: La Justicia
Planetas: Urano y El Sol
Frase: *Cada sueño que he tenido en la vida se ha vuelto realidad más de diez veces.* Steve Wozniak

Fortalezas: Único y juguetón.
Debilidades: Obstinado y dominante.

NACIERON EN ESTE DÍA:
Enid Blyton
(escritora)
Alex Haley
(historiador y escritor)
Hulk Hogan
(luchador profesional)
Shidehara Kijuro
(primer ministro de Japón)
Jean Parker
(actriz)
Steve Wozniak
(cofundador de Apple Inc.)

MEDITACIÓN:

Lo más importante es lo que haces hoy.

Agosto 12

MEDITACIÓN:

Confía sólo en el movimiento; la vida sucede a nivel de los eventos, no de las palabras.

Eres una persona poética con una imaginación extraordinaria. Estás en contacto con una gran inspiración y la expresas por medio del arte, de la música o de la escritura. Eres intensamente romántico, quizá un genio creativo, y puedes abstraerte y perderte durante horas, cuando la inspiración toma el control. Te sientes profundamente conmovido y satisfecho cuando aprecian tu arte. Disfrutas salir a divertirte con otros artistas como tú y necesitas exhibir lo que produces. Lo que te hace más feliz es que los demás entiendan y compartan tu punto de vista. Puedes enamorarte de la persona incorrecta porque eres ingenuo y pueden engañarte con un cuento chino. Algunas veces te sientes desanimado y estás muy sensible ante el humor de los demás. En momentos así es cuando la meditación y estar un tiempo solo son esenciales para tu alma. Siéntate cerca del agua para restablecer tu equilibrio.

Carta del tarot: El Colgado
Planetas: Neptuno y El Sol
Frase: *Cada guitarra que tengo se acostumbra y tiene un propósito.* Mark Knopfler

Fortalezas: Creativo y compasivo.
Debilidades: Tiende a desanimarse, demasiado confiado.

Agosto 13

MEDITACIÓN:

Mirarte al espejo desvía tu atención del problema.

Eres una persona agradable y confiable con un gran sentido de la diversión. Estás decidido a producir y crear cosas que los demás disfruten. Esta habilidad significa que puedes establecer una conexión con los adultos y con los niños por igual. Tienes un fuerte sentido de la identidad y, por lo general, sigues los pasos de tus padres. Eres accesible y das la bienvenida a la gente a tu círculo íntimo, donde disfrutas ser el centro de atención. Buscas una pareja que tenga el mismo estatus que tú, pues te gusta presumirla. En una relación compartes tus sentimientos y permaneces fuerte. Eres una pareja y un padre devoto. Puedes sentirte agotado porque consideras que debes divertir a la gente todo el tiempo. Hazle saber a los demás cuando necesites tiempo para ti mismo. Una deliciosa cena en un buen restaurante te ayudará a recuperarte rápidamente.

Carta del tarot: La Muerte
Planetas: La Luna y El Sol
Frase: *Las rubias son las mejores víctimas. Son como la nieve virgen que revela las huellas llenas de sangre.* Alfred Hitchcock

Fortalezas: Amigable y atractivo.
Debilidades: Egoísta y un poco presumido.

Agosto 14

Eres una persona generosa con una gran personalidad que alumbra al mundo. Estás lleno de alegría y amor, te gusta compartir con todo el mundo —aunque eres fácil de halagar y por ello te cuesta trabajo darte cuenta cuando la gente está tratando de usarte—. Eres individualista y consideras que la vida es una obra en la que tú tienes el papel principal; todo está bien en tu mundo, siempre y cuando tú estés bajo los reflectores. Esta contradicción en tu forma de ser puede confundir a quienes te rodean. En las relaciones necesitas ser la estrella, así que buscas una pareja dispuesta a estar tras bambalinas y que te dé mucho apoyo. Puedes ser muy egoísta y hacer berrinches cuando no obtienes lo que quieres. Tu energía de fuego necesita ser expresada. Una manera de relajarte es jugar a adivinar con mímica y así todos tienen oportunidad de ser la estrella.

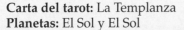

Carta del tarot: La Templanza
Planetas: El Sol y El Sol
Frase: *Creo que siempre es mejor ser quien eres realmente.* Halle Berry

Fortalezas: Magnánimo, le importan los demás.
Debilidades: Obsesionado con sí mismo, irritable.

MEDITACIÓN:

Si pateas una piedra cuando estás enojado, te lastimarás el pie.

Agosto 15

Eres una persona radiante con un gran sentido del humor. Tienes el control sobre ti mismo hasta un punto en el que puedes parecer distante. Necesitas un escenario y con paciencia lucharás por tener una posición en el centro. La gente tiene una buena opinión de ti y admira tu perseverancia y tu integridad. La búsqueda constante por mejorar puede hacer que parezcas demasiado analítico. Eres muy ético y tienes un aspecto prudente. En las relaciones necesitas estar al mando de todo, en tu casa todo debe funcionar como una máquina perfecta. El lado demasiado crítico de tu naturaleza puede bloquear tu creatividad. Sin embargo, eres un excelente artesano, en donde la atención que pones a los detalles es una ventaja. Un deporte como el golf, que te permita demostrar tus habilidades, te ayudará a equilibrar tu temperamento algunas veces nervioso.

Carta del tarot: El Diablo
Planetas: Mercurio y El Sol
Frase: *No debes pelear a menudo con el mismo enemigo o le enseñarás tus estrategias de guerra.* Napoleón Bonaparte

Fortalezas: Alegre y honesto.
Debilidades: Nervioso, exigente.

MEDITACIÓN:

No hay que temer a nada en la vida, sólo entenderlo.

MEDITACIÓN:

Igual que la naturaleza, desarrolla el poder y el éxito a partir de un centro en calma.

Agosto 16

Eres una persona expresiva y sociable con una presencia fascinante y noble. Por lo general tienes un punto de vista positivo sobre tu vida y la vida de los demás, y siempre ves lo mejor de las personas. Tu estilo es único y tienes una cualidad radiante con un entusiasmo sin límites por la vida. La gente se siente atraída hacia ti y deja que tú marques el camino. Puedes parecer autoritario, pues siempre delegas las tareas desagradables. Algunas veces eres controvertido y provocador. Puedes agitar la situación porque disfrutas los debates acalorados cuando hay opiniones opuestas. Te deleitas en las relaciones y buscas una pareja que discuta contigo; te gusta la reconciliación después de una pelea, pero no exageres. Si respondes a los demás con la misma cantidad de halagos que te gusta recibir, tendrás cariño como recompensa.

Carta del tarot: La Torre
Planetas: Venus y El Sol
Frase: *Lo que sucede en el corazón, simplemente sucede.* Ted Hughes

Fortalezas: Expresivo, con energía ilimitada.
Debilidades: Agresivo, autoritario.

MEDITACIÓN:

Ser un jugador limpio se traduce en ser el único ganador verdadero.

Agosto 17

Eres una persona dramática y misteriosa, con un comportamiento tranquilo y a la vez dominante. Eres muy creativo y puedes desencadenar emociones profundas en la gente. Es fascinante mirarte, te mueves con una tensión sexual que resulta hipnótica. Eres dinámico y vigoroso, aunque los demás no pueden apresurarte, ni presionarte. Tu necesidad de ganar te convierte en un mal perdedor y a menudo recurres a berrinches para manipular y salirte con la tuya. La gente a veces siente que la intimidas y que necesitas que te dé tu espacio. Tus relaciones pueden ser turbulentas debido a que eres demasiado celoso. Las escenitas de celos que haces pueden cansar a tu pareja —déjala tranquila y aprende a dominar tus emociones—. Cuando tu nivel de estrés sea muy alto, toca la batería para liberar esa energía.

Carta del tarot: La Estrella
Planetas: Plutón y El Sol
Frase: *Por lo general evito las tentaciones, a menos que no pueda resistirme a ellas.* Mae West

Fortalezas: Seguro de sí mismo y ocurrente.
Debilidades: Antideportivo, receloso.

Agosto 18

Eres una persona expresiva y franca, con el deseo de usar su propia vida como ejemplo para enseñar a la gente a que abra su mente y explore lo que el mundo le ofrece. No puedes tener limitaciones y debes dar rienda suelta a tu creatividad y a tu visión —que es amplia—. Te encantan los caballos y las tierras salvajes, y te sientes más vivo cuando paseas sin rumbo por grandes espacios abiertos. Eres brillante para contar anécdotas y tus historias siempre tienen una moraleja. Amas con pasión y eres muy dramático, y tu tendencia a no comprometerte en relaciones largas sugiere que evitas las emociones profundas. Quizá tengas muchos romances antes de conocer a tu equivalente intelectual, quien te mantendrá interesado. Te es difícil quedarte y corres el riesgo de agotarte si no comes y descansas. Come comida nutritiva y vitaminas para ayudarte.

Carta del tarot: La Luna
Planetas: Júpiter y El Sol
Frase: *Cuando la gente está lejos de su casa hace cosas que normalmente no haría.* Patrick Swayze

Fortalezas: Aventurero, un verdadero visionario.
Debilidades: Vagabundo, hablador.

NACIERON EN ESTE DÍA:
Felipe Calderón
(presidente de México)
Max Factor
(empresario de cosméticos)
Edward Norton
(actor y cineasta)
Roman Polanski
(director de cine)
Robert Redford
(actor y director de cine)
Patrick Swayze
(actor, bailarín, cantante y compositor)

MEDITACIÓN:

El silencio es el amigo verdadero que jamás traiciona.

Agosto 19

Eres una estrella brillante, alguien que desde temprana edad dejará una huella duradera en el mundo. Posees un carisma y un encanto naturales que los demás adoran, tanto hombres como mujeres, haces que se sientan especiales y a cambio te dan lo que quieres. Deseas poder y estatus y trabajas durante muchas horas para obtenerlos. Tienes un aura de confianza, aunque en tu juventud quizá te cuestiones a ti mismo y dudes de tu capacidad. Tus estándares de excelencia son muy altos y pones a los demás a prueba. Consideras que las relaciones son algo serio y por mucho tiempo te quedarás a resolver cualquier problema que surja entre tu pareja y tú. Puedes ser engreído y los halagos te seducen. Tu don de liderazgo está bien aprovechado cuando inviertes tu tiempo, ayudando a los demás. Un deporte social, como el golf, puede ayudar a relajarte.

Carta del tarot: El Sol
Planetas: El Sol y El Sol
Frase: *Una mujer debe ser dos cosas: elegante y fabulosa.* Coco Chanel

Fortalezas: Encantador y fiel.
Debilidades: Admirador de sí mismo, con hambre de poder.

NACIERON EN ESTE DÍA:
Coco Chanel
(diseñadora de modas)
Bill Clinton
(presidente de Estados Unidos)
John Dryden
(poeta)
John Deacon
(bajista de Queen)
Matthew Perry
(actor)
Orville Wright
(pionero de la aviación)

MEDITACIÓN:

El poder sólo sigue al respeto por los demás y por uno mismo.

5 ♌

NACIERON EN ESTE DÍA:
Rajiv Gandhi
(primer ministro de India)
Benjamin Harrison
(presidente de Estados Unidos)
Isaac Hayes
(cantante y compositor)
Don King
(promotor de boxeo)
Slobodan Milosevic
(primer presidente serbio)
Jim Reeves
(cantante)

MEDITACIÓN:

No malgastar el tiempo es igual de importante que no malgastar el dinero.

Agosto 20

Eres una persona generosa y sincera con una personalidad expresiva, casi teatral. Sabes lo que quieres en la vida y te fijas una serie de metas para lograrlo. Tienes un sentido común para las finanzas y en los negocios sabes lo que comercialmente tiene sentido. Tienes un gran interés por la vida y eres muy talentoso. Puedes tener éxito en lo que sea que emprendas. Te iría bien en el negocio de la moda, con tu nombre en la etiqueta. Aunque eres mordaz y muy franco en cuanto a tus opiniones, la gente de todas maneras te quiere. Necesitas brillar y que te adoren. Las críticas no te caen bien. Tus relaciones te importan. Eres un amante intensamente amoroso, con naturaleza táctil. Una linda forma de mantenerte relajado es tener una mascota a la que puedas acariciar.

Carta del tarot: El Juicio
Planetas: Venus y El Sol
Frase: *Apuesta por la calidad del desempeño, no por su duración.* Don King

Fortalezas: Ahorrativo, apasionado.
Debilidades: Crítico y testarudo.

NACIERON EN ESTE DÍA:
William "Count" Basie
(director de banda de *jazz*)
Aubrey Beardsley
(ilustrador inglés)
Usain Bolt
(campeón olímpico de carreras de distancia corta)
Kim Cattrall
(actriz)
Princesa Margarita
(realeza británica)
Kenny Rogers
(cantante y actor)

MEDITACIÓN:

La obra buena más pequeña es más valiosa que la mejor de las intenciones.

Agosto 21

Eres una persona alegre y curiosa que es muy adaptable y ambiciosa. Tienes habilidades de comunicación bien desarrolladas, eres ingenioso y aprendes rápido. Tienes un fuerte sentido del honor, mezclado con flexibilidad. Aunque te gusta estar en la posición de mando, no te importan las jerarquías. Destacas por tu creatividad literaria. Agradas a los niños y a los jóvenes de espíritu. En el romance eres difícil de atrapar; eres como una mariposa, siempre revoloteando por ahí. Eres narcisista de nacimiento y necesitas que mucha gente te adore. Tu pareja puede darte un codazo si te pones muy pedante. Tu mejor cualidad es tu capacidad para reírte de ti mismo. Amas el Sol y no te sientes bien en climas fríos y húmedos. En las saunas encontrarás el estimulante que te hace falta durante los meses de invierno.

Carta del tarot: La Emperatriz
Planetas: Mercurio y El Sol
Frase: *Acabo de quedarme con el ojo cuadrado y dejé al mundo con el ojo cuadrado.* Usain Bolt

Fortalezas: Despreocupado y decidido.
Debilidades: Busca que le presten atención, autoritario.

Agosto 22

Eres una persona imaginativa y resuelta, con una personalidad impredecible, y muy abierto ante los demás. Tienes una imaginación fértil y creas imágenes vívidas por medio de palabras o imágenes del mundo que ves. Trasladas tus impresiones hacia una forma de arte que es capaz de llegar al corazón de las personas. Eres muy sociable y posees el don de crear una atmósfera cálida y vibrante a tu alrededor. Te preocupas profundamente por la gente y mantienes un contacto cercano con tu familia. Necesitas tener una pareja, pues cuando no la tienes sientes que estás incompleto. Eres una pareja y un padre devoto. Eres vulnerable emocionalmente debido a que te expresas con el corazón. Si te sientes atacado tiendes a tener malestares estomacales. Para ti, el té de manzanilla o de hierbabuena es mejor que la cafeína.

Carta del tarot: El Emperador
Planetas: La Luna y El Sol
Frase: *El arte es la más hermosa de todas las mentiras.* Claude Debussy

Fortalezas: Creativo, resuelto.
Debilidades: Inseguro, demasiado sensible.

NACIERON EN ESTE DÍA:
Henri Cartier-Bresson
(fotógrafo)
Gerri Carr
(astronauta)
Claude Debussy
(compositor)
Beenie Man
(rapero)
Dorothy Parker
(escritora y crítica)
Norman Schwarzkopf
(general estadunidense)

MEDITACIÓN:

Pon tu futuro en buenas manos —las tuyas.

Agosto 23

Eres una persona que trabaja arduamente y que tiene un niño interior que necesita expresarse. Con tu vena artística innata estás comprometido a ser el mejor en lo que hagas y practicas mucho para eliminar cualquier error. Tu naturaleza es ser útil, pero hay una parte de ti que adora presumir —aunque es sólo una máscara de tu subconsciente—. En las relaciones ansías aprecio y que te reconozcan por tu talento. Si tu pareja se niega a hacerlo, puedes ponerte de mal humor. No obstante, no pueden empujarte a estar en el centro de atención y algunas veces eres tímido y excesivamente modesto. Esta dualidad hace difícil que la gente sepa en dónde está parada contigo. El invierno no es una buena época para ti, necesitas la luz del Sol. Darte unas vacaciones cortas a cualquier lugar soleado te ayudará a restaurar tu ánimo en esa época del año.

Carta del tarot: El Hierofante
Planetas: Mercurio y El Sol
Frase: *Tengo muchas cualidades camaleónicas. Suelo integrarme con lo que me rodea.* River Phoenix

Fortalezas: Travieso, servicial.
Debilidades: Temperamental e inseguro.

NACIERON EN ESTE DÍA:
Baron Georges Cuvier
(científico, primer promotor de la paleontología)
Gene Kelly
(bailarín, actor, cantante y cineasta)
Luis XVI
(monarca francés)
Keith Moon
(baterista de The Who)
River Phoenix
(actor)
Willy Russell
(dramaturgo)

MEDITACIÓN:

Nadie puede hacer que te sientas inferior sin tu consentimiento.

Virgo

24 de agosto – 23 de septiembre

EL ERMITAÑO

CARTA DEL TAROT: El Ermitaño

ELEMENTO: Tierra

ATRIBUTOS: Mutable

NÚMERO: 6

PLANETA REGENTE: Mercurio

PIEDRAS PRECIOSAS: Esmeralda, peridoto

COLORES: Azul marino, café oscuro, verde

DÍA DE LA SEMANA: Miércoles

SIGNOS COMPATIBLES: Capricornio, Tauro

PALABRAS CLAVE: Práctico, ingenioso, modesto, tímido, humilde, versátil, meticuloso, calmado, autosuficiente, crítico, exigente

ANATOMÍA: Intestinos

HIERBAS, PLANTAS Y ÁRBOLES: Flores pequeñas como la anémona y árboles que tengan frutos duros

FRASE CLAVE:
Yo sirvo

Virgo es quien ayuda en el Zodiaco y es muy visceral. La gente nacida bajo este signo es propensa a preocuparse, lo cual se traduce en malestares estomacales. Virgo digiere y analiza, desglosa todo y lo analiza antes de aprovechar lo que se puede usar en beneficio de los demás. No desperdicia nada, hace las cosas bien y de manera adecuada. A Virgo le encantan los sistemas para clasificar o archivar, organizar guardarropas, cajas de herramientas, estuches de belleza, organizadores personales, etcétera.

El Sol pasa por Virgo cuando la cosecha está reunida y esto se manifiesta en la riqueza de talentos y habilidades que este signo posee. Los Virgo son prácticos y hábiles con las manos, ponen altos estándares a su trabajo. Por lo general son los artesanos y técnicos del Zodiaco: tejedores, alfareros, costureros, carpinteros y expertos en tecnología de la información.

REGENTE PLANETARIO Y ATRIBUTOS

Virgo es un signo mutable de tierra. Tradicionalmente lo rige Mercurio, el dios mensajero. Ahora también se le asocia a Quirón, el sanador de las heridas, y a Ceres (un nuevo planeta ubicado en el cinturón de asteroides), diosa de la agricultura. Mercurio es exaltado en el signo de Virgo. Como signo de tierra que es, Mercurio es analítico y práctico, es el que separa el grano de la paja y discrimina la información. Mercurio es el mensajero y Virgo usa la información que aprende en beneficio de los demás.

RELACIONES

Virgo es emocionalmente tranquilo y siempre está en busca de la pareja perfecta. Lo cual obviamente no es posible y necesita aprender a aceptar a la gente tal y como es, sin intentar mejorarla. El matrimonio es mejor si lo percibes como una amistad con fines comunes. El mejor tipo de relación es en la que haya empatía y comprensión, y puedes encontrarlas con Capricornio y con Tauro, los otros signos de tierra, y con el entregado signo de Cáncer. Aries puede ser bueno para los negocios y Géminis te mantiene con los pies en la tierra por medio de interesantes debates mentales. Te adaptas bien con otro Virgo, y Sagitario tiene el optimismo y la espontaneidad que te anima.

MITO

Virgo se encuentra en un abundante espacio del cielo con más de 500 nebulosas. Forma la constelación de La Virgen, una diosa que sostiene una gavilla de trigo representada por la brillante estrella Spica. Virgo está asociada con muchos dioses mitológicos, de los cuales, el que más prevalece es el de la historia de Demetér (Ceres), la diosa griega de la agricultura y la fertilidad. La hija de Demetér, Perséfone, es raptada por Hares, dios del Infierno. En su tormento, Demetér salió de su templo para buscar a su hija y las cosechas murieron. Zeus se compadeció y decidió reunir a la madre con la hija. Sin embargo,

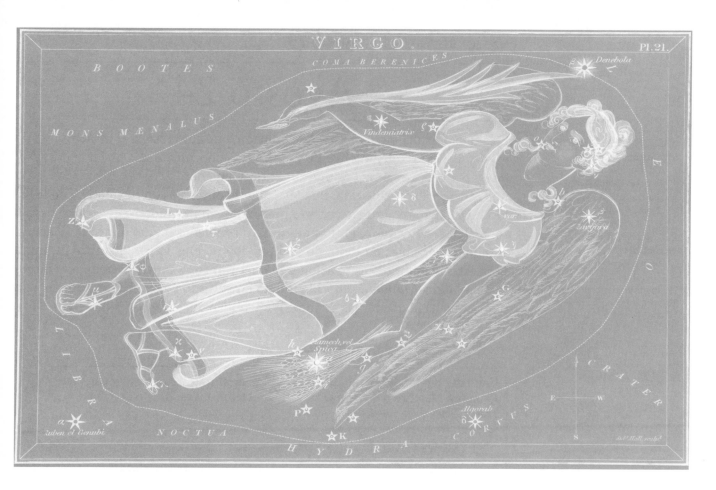

Perséfone había comido semillas de granada, no se sabe si por voluntad propia o tentada por Hades, hecho que la mantenía unida a él. Zeus dispuso que Perséfone pasara parte del año en los confines de la Tierra, junto a Hades, y la otra parte sobre la tierra con su madre, mientras Deméter prometiera cumplir su función germinadora y volviera al Olimpo. Esta historia explica las estaciones del año.

FORTALEZAS Y DEBILIDADES

Virgo es el maestro del detalle, hábil con las técnicas. Eres un crítico excelente y te das cuenta de lo que los demás no notan. La capacidad de Virgo de cuidar de los demás te da la posibilidad de trabajar como enfermero, doctor, sanador, herbolario, nutriólogo, trabajador social o profesor. También te iría bien en los medios de comunicación y en el periodismo de investigación. Gracias a tu perfeccionismo tienes fama de ser meticuloso, aunque también puedes ser muy desordenado. Este desorden llega a un punto en el que tienes que ordenarlo, lo cual te satisface enormemente. Los Virgo siempre están ocupados y tienden a trabajar en exceso, cosa que haces muy a menudo para obtener buenos resultados. Esto se debe a que te distraes con facilidad y muchas veces te centras demasiado en los pequeños detalles, en lugar de considerar todo el panorama completo.

VIRGO TÍPICO:
MADRE TERESA DE CALCUTA
"Jamás he visto que se me cierre puerta alguna. Creo que eso ocurre porque ven que no voy a pedir, sino a dar".
PODERES DE VIRGO: Hábil en cualquier cosa que se propone, es maestro de los detalles.
ASPECTOS NEGATIVOS DE VIRGO: Tiende a agotarse por trabajar en exceso, se fija demasiado en cosas sin importancia.

99

Agosto 24

Eres una persona meticulosa y disciplinada, que cuida hasta el más mínimo de los detalles. Eres muy inteligente y aplicas tu conocimiento de una manera práctica y realista. Te fascina la investigación y obtener los datos adecuados te da una satisfacción desmedida. Puedes volverte obsesivo con tu salud y con la salud de los demás, algunas veces te preocupas sin necesidad. A veces, el trabajo se vuelve el principio y el fin para ti, y tu problema es que nunca te detienes. Tiendes a ver fallas en todo, de manera que no eres la persona más indicada para estar al mando. Tus relaciones te importan, eres muy sentimental y de corazón blando. Mantienes tu vida íntima en privado y en verdad necesitas una pareja que haga que te rías de ti mismo y que te relajes un poquito.

NACIERON EN ESTE DÍA:
Yasser Arafat
(líder palestino)
Max Beerbohm
(caricaturista)
Paulo Coelho
(escritor)
Stephen Fry
(actor, comediante y escritor)
James Weddell
(explorador)
William Wilberforce
(político británico y filántropo)

MEDITACIÓN:

La vida es más que sólo aumentar su velocidad.

Carta del tarot: Los Enamorados
Planetas: Mercurio y Mercurio
Frase: *Es un cliché que todos los clichés sean verdad, pero como la mayoría de los clichés, ese cliché es falso.* Stephen Fry

Fortalezas: Compasivo y consciente.
Debilidades: Adicto al trabajo, neurótico.

Agosto 25

Eres una persona encantadora y graciosa, que tiene el don de usar las palabras adecuadas en el momento correcto. Mides cuidadosamente lo que dices y siempre eres cortés, por lo tanto, eres popular y caes bien a la gente. Te importa la integridad y te riges por un alto estándar moral —y esperas que los demás lo sigan también—. Además amas la justicia y el juego limpio, por lo que te atraen las profesiones legales. Tu peor defecto es que tiendes a no definirte porque analizas cuidadosamente todos los matices de tus pensamientos, lo cual te hace perder ímpetu y espontaneidad. Disfrutas de las relaciones personales con muchos amigos y tu pareja debe ser tu igual intelectual. Evitas los conflictos y a veces eres demasiado "bueno", lo que enfurece a tu pareja. Un deporte como el tenis, en el que te involucras en una competencia sana puede ayudarte a expresar tu pasión.

NACIERON EN ESTE DÍA:
Tim Burton
(director de cine)
Sean Connery
(actor)
Elvis Costello
(cantante, compositor)
Billy Ray Cyrus
(cantante, compositor)
Claudia Schiffer
(modelo y actriz)
Gene Simmons
(cantante, compositor
y bajista de Kiss)

MEDITACIÓN:

Da gusto a todos y no darás gusto a nadie.

Carta del tarot: El Carro
Planetas: Venus y Mercurio
Frase: *Más que cualquier otra cosa, me gustaría ser un viejo con buen aspecto, como Alfred Hitchcock o Pablo Picasso.* Sean Connery

Fortalezas: Considerado y encantador.
Debilidades: No se compromete, pusilánime.

Agosto 26

Eres una persona poderosa y un trabajador meticuloso y dedicado. Tienes un fuerte sentido del deber y una vez que comienzas un proyecto que te apasiona, nunca te das por vencido. Te enfrentas a los retos y eres capaz de aguantar varias derrotas. Esa capacidad que tienes para llevar una cantidad enorme de trabajo te asegura el respeto de tus superiores y de tus compañeros. Te gusta ser servicial, ya sea con tus amigos o con tus colegas y no te perturban las dificultades, ni los aspectos oscuros de la vida. Esto te convierte en un amigo confiable y valioso. Tus relaciones son emocionales y profundas, pero puedes ser controlador y manipulador. Las dietas te obsesionan; puedes darte demasiados gustos o restringirte en exceso. Aprender a ser moderado y a eliminar tu control será benéfico para ti y para tus relaciones.

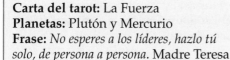

Carta del tarot: La Fuerza
Planetas: Plutón y Mercurio
Frase: *No esperes a los líderes, hazlo tú solo, de persona a persona.* Madre Teresa

Fortalezas: Ardiente, activo.
Debilidades: Ladino y dominante.

NACIERON EN ESTE DÍA:
Príncipe Alberto
(esposo de la Reina Victoria)
Guillaume Apollinaire
(poeta y crítico)
Macaulay Culkin
(actor)
Peggy Guggenheim
(coleccionista de arte)
Antoine Lavoisier
(pionero de la química moderna)
Madre Teresa
(misionera albanesa)

MEDITACIÓN:

No olvides escuchar —nuestros mejores pensamientos provienen de los demás.

Agosto 27

Eres una persona de una moral e integridad impecables, y que se pone estándares muy altos. Admiras el sistema jerárquico y sientes un profundo respeto por la justicia y las leyes. Tu vida se centra en servir y te preocupas genuinamente por tus semejantes, aunque puedes ser crítico de quienes no muestran caridad. Sientes un amor profundamente arraigado por el aprendizaje, lo cual te atrae hacia las profesiones educativas. Te encanta viajar a lugares remotos y, gracias a tu capacidad para ver los detalles y para apreciar la información objetiva, también serías un excelente guía o escritor de reseñas de viajes. En las relaciones eres inquieto y te es difícil asentarte. Tu pareja debe darte la libertad que necesitas para estirar tus alas y también tener sus propios asuntos que compartir contigo. Un *picnic* improvisado es el antídoto perfecto para el trabajo que realizas arduamente.

Carta del tarot: El Ermitaño
Planetas: Júpiter y Mercurio
Frase: *El deber más difícil de un presidente no es hacer lo correcto, sino saber qué es lo correcto.* Lyndon B. Johnson

Fortalezas: Honesto, se apega a la ley.
Debilidades: Inquieto, crítico.

NACIERON EN ESTE DÍA:
Tom Ford
(diseñador de modas)
Georg Wilhelm Friedrich Hegel
(filósofo)
Lyndon B. Johnson
(presidente de Estados Unidos)
Bernhard Langer
(golfista profesional)
Giuseppe Peano
(matemático)
Man Ray
(fotógrafo)

MEDITACIÓN:

Sé curioso, no juzgues.

Agosto 28

Eres una persona metódica y eficiente, que es bondadosa y se preocupa genuinamente por contribuir a que el mundo sea un lugar mejor. Siempre das lo mejor y dedicas varios años de entrenamiento para desarrollar tus capacidades. Puedes aparentar más edad de la que tienes porque te comportas de manera solemne, con una expresión pensativa. Tienes a tu favor un sentido del humor campechano que raya en lo ridículo. Eres ambicioso, aunque no eres arrebatado e inviertes mucho tiempo en dar pasos lentos y constantes para llegar a la cima. Tiendes a frustrarte si no te ascienden, lo cual hace que tengas muchas dudas sobre ti mismo —puedes ser demasiado duro contigo mismo—. Cuando centres tu atención en tu relación y la consideres un viaje en el que puedes abrirte y que te comprendan de verdad, te sentirás mucho más pleno.

Carta del tarot: La Rueda de la Fortuna
Planetas: Saturno y Mercurio
Frase: *Nunca debes subestimar el poder de una ceja.* Jack Black

Fortalezas: Pensativo, divertido.
Debilidades: Crítico de sí mismo, falta de confianza.

NACIERON EN ESTE DÍA:
Jack Black
(actor, comediante y músico de Tenacious D)
Robertson Davies
(escritor)
David Fincher
(director de cine)
Johann Wolfgang von Goethe
(escritor)
Leo Tolstoy
(escritor)
Shania Twain
(cantante, compositora)

MEDITACIÓN:
Nunca bajes la cabeza. Siempre mantenla en alto.

Agosto 29

Eres una persona extraordinaria y confiable con un toque experto. Tienes una gran inteligencia y tu intelecto puede rayar en lo genial. Te obsesionas con los detalles, pero después traes a colación ideas nuevas e inspiradoras. Puedes ser rebelde y no eres conformista por naturaleza. Tienes ideales progresivos que comprometen a grandes grupos de gente, de manera que la política o los trabajos sociales son perfectos para ti. Disfrutas observando el comportamiento de los demás y una de tus actividades favoritas es sentarte en un café al aire libre para ver gente pasar. Tienes un raro sentido del humor y posees un toque de humildad. En las relaciones no es fácil que confíes en tu pareja, puedes parecer demasiado desapegado y te pierdes las emociones más profundas. Los amigos son importantes para ti y encontrarás grandes satisfacciones si te unes a un grupo de apoyo para aprender sobre inteligencia emocional.

Carta del tarot: La Justicia
Planetas: Urano y Mercurio
Frase: *Yo era el ser humano más tímido jamás creado, pero en mi interior había un león que jamás se callaba.* Ingrid Bergman

Fortalezas: Poco convencional, confiable.
Debilidades: Desconfiado y distante.

NACIERON EN ESTE DÍA:
Richard Attenborough
(director de cine)
Ingrid Bergman
(actriz)
John McCain
(político estadunidense)
Elliot Gould
(actor)
Michael Jackson
(cantante, compositor y artista)
Joel Schumacher
(director de cine)

MEDITACIÓN:
Los amigos pueden hacerte reír como nadie más.

Agosto 30

Eres una persona alegre y ocurrente, con un talento natural para la comedia, pues dices las cosas en el momento exacto. Eres un estuche de monerías —eres musical, artístico y excelente para escribir cuando te lo propones—. Tienes talento para responder de manera ingeniosa y te encanta platicar, pues disfrutas observando y analizando a la gente. Sientes un interés superficial con algunas ideas y es fácil que cambies de opinión y te dejes seducir por la última tendencia. La variedad es parte esencial de ti y tu personalidad siempre cambiante es jovial y amena. Sin embargo, puedes ser inconstante y en el amor necesitas una pareja que te ayude a explorar tu lado emocional. Eres curioso, de manera que podrías interesarte por los cursos de autocrecimiento. Puedes sentirte abrumado con demasiada información, así que hacer regularmente una buena limpia de primavera sería maravilloso para despejar tu mente.

Carta del tarot: La Emperatriz
Planetas: Mercurio y Mercurio
Frase: *Papas a la francesa. Me encantan. Algunas personas prefieren el chocolate y los dulces. Yo amo las papas a la francesa. Eso y el caviar.* Cameron Diaz

Fortalezas: Despreocupado, gracioso.
Debilidades: Impredecible y se distrae con facilidad.

NACIERON EN ESTE DÍA:
Jonathan Atkien
(político británico)
Elizabeth Ashley
(actriz)
Cameron Diaz
(actriz y modelo)
Théophile Gautier
(artista, poeta y crítico)
John Peel
(locutor de radio y periodista)
Andy Roddick
(campeón de tenis)

MEDITACIÓN:

La concentración es el secreto de la fuerza.

Agosto 31

Eres una persona sensible y cariñosa, con una excelente forma de conectar con la gente. Aparentas ser tímido y puedes sentirte incómodo en situaciones sociales; prefieres la compañía de unos cuantos amigos cercanos. Te sientes a gusto con una vida tranquila de introspección y estás contento en tu propia compañía. Algo que hace que salgas al mundo es tu gran interés por el bienestar de los demás. Una vez que encuentras una causa en la que crees pones tu corazón y tu gran concentración mental en ella. Tu vida solitaria y enclaustrada mejora mucho si la compartes con una pareja que te persuada amablemente y te apoye para que te ganes el reconocimiento que mereces. Necesitas cuidar de tu salud porque generas energía nerviosa. Sigue una dieta balanceada con muchas vitaminas y complementos alimenticios como parte de tu rutina diaria.

Carta del tarot: El Emperador
Planetas: La Luna y Mercurio
Frase: *La meditación es una realidad mucho más sustancial que lo que por lo general tomamos como realidad.* Richard Gere

Fortalezas: Compasivo, cariñoso.
Debilidades: Tímido, solitario.

NACIERON EN ESTE DÍA:
Calígula
(emperador romano)
Richard Gere
(actor)
Maria Montessori
(educadora)
Van Morrison
(músico)
Chris Tucker
(actor y comediante)
Yoshihito
(emperador japonés)

MEDITACIÓN:

Cuida tu cuerpo, es el único lugar que tienes para vivir.

Septiembre 1

Eres una persona directa que se motiva a sí misma e inmensamente práctica. Tienes una actitud exuberante ante la vida y siempre estás ocupado. Estás mejor preparado para trabajar por tu cuenta porque tu ritmo es rápido y tienes un gran sentido de dirección. Te preparas y haces lo que te corresponde; no te gusta estar dando vueltas con los demás porque sientes que desperdicias un tiempo precioso. Tu temperamento es ardiente y necesitas estar activo en tu vida diaria, tu trabajo es tu prioridad número uno. Tu mejor característica es tu loco sentido del humor y eres conocido por tus bromas, sin embargo, a veces te falta moderación y eres brusco al hacerlas. En las relaciones necesitas una pareja dispuesta a aceptar tu ajetreado estilo de vida y que comparta tus pasatiempos. Una sauna te ayudará a desintoxicarte, a relajarte y te obligará a frenar un poco.

MEDITACIÓN:

No tengas miedo de crecer poco a poco, sólo ten miedo de quedarte estancado.

Carta del tarot: El Mago
Planetas: Marte y Mercurio
Frase: *La clave está en que te diviertas. En el momento en que se convierte en un trabajo pesado, se acabó.* Barry Gibb

Fortalezas: Alegre y excéntrico.
Debilidades: Impaciente e incisivo algunas veces.

Septiembre 2

Eres una persona apasionada y artística, muy práctica y realista. Eres un amigo muy leal y confiable, sabes cumplir tu palabra. Eres amable y sientes una gran afinidad con la naturaleza y la tierra. También eres hábil con las manos y disfrutas dando masajes. Serías un excelente carpintero o joyero, pues aprecias las cosas bellas y bien diseñadas. En las relaciones te encanta que te toquen y das muestras físicas de tu cariño —necesitas que tu pareja te responda o puedes sentir que no te ama—. Tiendes a ser estricto con las rutinas, así que de vez en cuando necesitas relajarte con un poco de desorden —y si tienes hijos ellos te ayudarán—. El arte corporal o facial resultaría muy divertido para ti, igual que una pelea de almohadas.

MEDITACIÓN:

Desear que estuvieras en otro lugar es negar la persona que eres.

Carta del tarot: La Suma Sacerdotisa
Planetas: Venus y Mercurio
Frase: *Es divertido estar irremediablemente enamorado. Es peligroso, pero es divertido.* Keanu Reeves

Fortalezas: Sensual, con un talento artístico.
Debilidades: Necesita apoyo emocional, inhibido.

Septiembre 3

Eres una persona espontánea y juguetona que se adapta con mucha facilidad. Puedes ser serio y dedicado en tu trabajo, aunque siempre está presente tu lado amable y amigable. Eres un buen organizador y eres meticuloso en tu trabajo, y siempre encuentras tiempo para jugar. Eres muy gracioso y te gusta hacer reír a los demás con tus imitaciones. Los juegos de palabras y los debates intelectuales te interesan por igual. Podrías ser un deportista *amateur* o profesional gracias a tus habilidades y a que tus manos y tus ojos están perfectamente coordinados. Debido a esas habilidades, en parte, a algunas personas les pareces distante y presumido, aunque con el tiempo se dan cuenta de que no es así. En el amor, te sientes atraído a personas más jóvenes —o a alguien jovial—. Los juegos de armar palabras te relajan y no olvides reservar tiempo para estar tranquilo y en paz o te sentirás agotado.

Carta del tarot: La Emperatriz
Planetas: Mercurio y Mercurio
Frase: *Siempre he sido un tipo muy conservador. Soy como un misionero.* Charlie Sheen

Fortalezas: Radiante y amable.
Debilidades: Algunas veces arrogante, ajetreado.

NACIERON EN ESTE DÍA:
Frank Macfarlane Burnet
(científico ganador
del premio Nobel)
Steve Jones
(guitarrista y cantante
de Sex Pistols)
Charlie Sheen
(actor)
Louis H. Sullivan
(arquitecto)
Al Jardine
(guitarrista de The Beach Boys)
Shaun White
(campeón olímpico
de snowboarding)

MEDITACIÓN:

Todas las personas tienen algo qué ofrecer, lo entiendas o no.

Septiembre 4

Eres una persona cálida, tierna y accesible. Eres tranquilo y en absoluto llamativo, quizá la gente no se dé cuenta de lo generoso que eres. Eres concienzudo y te haces cargo hasta del más mínimo detalle, aunque puedes ser pedante y quisquilloso. Algunas veces, te sientes aturdido, lo cual es muy humano. Te gusta ofrecer ayuda práctica y eres un gran apoyo para tus amigos y para tu familia. Escuchas lo que la gente tiene qué decir, lo cual te hace un excelente terapeuta o consejero. En las relaciones eres leal y sobreproteges a los que amas. En apariencia eres autosuficiente, aunque te hieren con facilidad si no te toman en cuenta. Algunas veces estás malhumorado y necesitas tiempo y espacio para recuperarte. Un ejercicio de estiramientos, como el yoga, puede ayudarte a equilibrarte emocionalmente.

Carta del tarot: El Emperador
Planetas: La Luna y Mercurio
Frase: *Soy un ser humano y también me enamoro y algunas veces no tengo el control de las situaciones.* Beyoncé Knowles

Fortalezas: Desprendido, servicial.
Debilidades: Exigente y demandante.

NACIERON EN ESTE DÍA:
Anton Bruckner
(compositor)
Daniel H. Burnham
(arquitecto)
Mitzi Gaynor
(cantante, bailarina y actriz)
Beyoncé Knowles
(cantante y actriz)
Mark Ronson
(productor de música)
Iván el Terrible
(zar ruso)

MEDITACIÓN:

Si quieres ser feliz, practica la compasión.

Septiembre 5

NACIERON EN ESTE DÍA:
Rose McGowan
(actriz)
Jesse James
(forajido estadunidense)
Luis XIV
(monarca francés)
Freddie Mercury
(cantante, compositor, músico de Queen)
Loudon Wainwright
(cantante, compositor)
Raquel Welch
(actriz)

Eres una persona tímida y complaciente, con una cualidad innata que irradia calidez. Eres muy inteligente y tomas tu trabajo en serio, tus estándares son excepcionalmente altos. Sabes que tienes el privilegio de poder compartir tu talento en beneficio de los demás y por ello algunas veces das la impresión de que eres elitista. Eres consciente de tu propio valor, pero en la intimidad eres menos seguro de lo que parece. En las relaciones eres apasionado, aunque modesto. Adoras a tu pareja y necesitas que te dé mucho cariño y abrazos para sentirte amado. Si no te presta suficiente atención tiendes a ser infantil y demasiado indulgente contigo mismo. Practicar un deporte para el que seas bueno te dará los halagos que deseas, aunque también necesitas aprender la importancia de perder con gracia.

MEDITACIÓN:

Poseer riquezas no te da la felicidad —ser positivo sí.

Carta del tarot: El Hierofante
Planetas: El Sol y Mercurio
Frase: *¿Que por qué somos tan exitosos, cariño? Por mi carisma, claro.* Freddie Mercury

Fortalezas: Hábil, meticuloso.
Debilidades: Extravagante y, algunas veces, pretencioso.

Septiembre 6

NACIERON EN ESTE DÍA:
Jane Curtin
(actriz)
Marcy Gray
(cantante y compositora)
Rosie Perez
(actriz)
Jimmy Reed
(músico y compositor)
Claydes Charles Smith
(guitarrista principal y cofundador de Kool & the Gang)
Frances Wright
(activista social y político)

Eres una persona consciente y servicial, capaz de ver los detalles y con una habilidad innata para manejar asuntos confusos en el trabajo. Eres súper eficiente y excelente para organizar. Eres honesto y amable, siempre das un consejo imparcial. Puedes sentirte agobiado por las imperfecciones que ves en tus creaciones —eres tu peor crítico y necesitas aprender a ser menos duro contigo mismo—. Las preocupaciones pueden ocasionarte problemas digestivos y, en lugar de tomar medicinas, deberías aprender a eliminar tu necesidad compulsiva de perfección. Tus relaciones tienden a ser convencionales y eres devoto de tu familia. Te encantan las remodelaciones del hogar, pero puedes tener demasiados proyectos al mismo tiempo. Hacer artesanías con barro es un trabajo creativo, aunque un poco sucio, que te ayudaría a relajarte.

MEDITACIÓN:

No pierdas el tiempo preocupándote por lo que no ha pasado todavía.

Carta del tarot: Los Enamorados
Planetas: Mercurio y Mercurio
Frase: *Considera la naturaleza de las cosas. Busca los cimientos de tus opiniones, los pros y los contras.* Frances Wright

Fortalezas: Cooperativo, metódico.
Debilidades: Propenso a los ataques de ansiedad, autocrítico.

Septiembre 7

Eres un idealista con grandes capacidades prácticas que utilizas en todo lo que haces. Eres cortés y amable por naturaleza y sabes cómo usar tus encantos para agradar a la gente. Eres muy crítico y amas el orden, sientes una gran satisfacción cuando tu casa o tu oficina están relucientes. Podrías ser un excelente diseñador de interiores o arquitecto porque notas y te ocupas hasta del más mínimo detalle. Eres juicioso con la gente y los objetos; tiendes a evitar situaciones que te son desagradables. Atraes a tu mundo a gente bella y culta y te mueves en círculos sociales especiales. En las relaciones puedes ser demasiado racional y controlador, de manera que una pareja que te haga estar en contacto con las emociones más profundas te ayudará a relajarte.

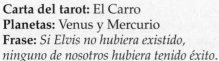

Carta del tarot: El Carro
Planetas: Venus y Mercurio
Frase: *Si Elvis no hubiera existido, ninguno de nosotros hubiera tenido éxito.* Buddy Holly

Fortalezas: Cortés, astuto.
Debilidades: Autoritario, crítico.

MEDITACIÓN:

Muchas manos hacen que el trabajo sea más ligero.

Septiembre 8

Eres una persona magnética e intensa que a veces es muy sentimental. En ocasiones te dejas llevar por tus sentimientos y pierdes el contacto con la lógica racional. No te escandaliza ningún aspecto de la vida y tienes una mente analítica, de manera que podrías ser un buen sicoanalista o detective. Te sientes cómodo, manejando el poder y grandes cantidades de dinero, por lo que el mundo de las grandes finanzas también te atrae. Tu aura sexual es cautivadora y tu presencia es atrayente, pero eres demasiado autosuficiente, así que las relaciones pueden ser una lucha para ti. Tu pareja puede recriminarte que te ocupes más de tu trabajo que de ella y quizá se sienta celosa. Un curso de desarrollo personal podría ser una experiencia transformadora para ti porque, una vez que aprendas a entender tus emociones, podrías ser un gran sanador intuitivo.

Carta del tarot: La Fuerza
Planetas: Plutón y Mercurio
Frase: *Practica regularmente la meditación. La meditación conduce al gozo eterno. Por lo tanto medita, medita.* Swami Sivananda

Fortalezas: Instintivo, encantador.
Debilidades: Demasiado independiente, absorbido por su trabajo.

MEDITACIÓN:

Haz caso a tus instintos. Ahí es donde la sabiduría se manifiesta.

Septiembre 9

Eres una persona entusiasta y amigable, además de que eres excelente para contar anécdotas, lo cual te hace muy popular. Eres un espíritu libre y exploras muchas religiones y culturas en tu búsqueda por la verdad. Tienes una imaginación vívida y tienes el don de improvisar frases ingeniosas. Eres un optimista eterno y esta cualidad, mezclada con el realismo práctico, te asegura que tus cometidos tengan éxito. Cuando estás bajo estrés te falta empatía y te vuelves muy irritable. En las relaciones eres idealista y pones a tu pareja en un pedestal, aunque es sólo un ser humano y puede terminar por decepcionarte. Una lección de vida muy útil para ti es reconocer que la gente no es perfecta. Te encantaría subirte a un globo aerostático porque el paisaje te inspira y la experiencia te serviría para poner las cosas en perspectiva.

MEDITACIÓN:

Ten ideales, pero mantenlos a tu alcance.

Carta del tarot: El Ermitaño
Planetas: Júpiter y Mercurio
Frase: *Tengo un sentido del humor ácido. Y no intento ocultar ese hecho.* Hugh Grant

Fortalezas: Gran narrador de anécdotas, desinhibido.
Debilidades: Demasiado idealista, irritable.

Septiembre 10

Eres una persona seria y resuelta, decidida a alcanzar el éxito y que trabaja arduamente pata lograrlo. Eres disciplinado y centrado, tienes grandes cantidades de energía. Eres bienvenido para participar en cualquier negocio y eres bueno para ocupar puestos de responsabilidad. Como profesional eres respetado en tu campo, como amigo eres completamente confiable. Eres una persona realista y práctica, cuando ofreces tu ayuda te subes las mangas de la camisa y te pones manos a la obra. En las relaciones te sientes atraído por alguien mayor que tú, quizá te cases para enriquecer tu trabajo. Puedes ser demasiado serio y crítico de ti mismo, practica juegos de niños para relajarte un poco. Construye castillos de arena o brinca en los charcos sólo por diversión.

MEDITACIÓN:

La crueldad proviene de la debilidad.

Carta del tarot: La Rueda de la Fortuna
Planetas: Saturno y Mercurio
Frase: *El éxito en el golf depende de la fuerza del cuerpo, de la fuerza de la mente y del carácter.* Arnold Palmer

Fortalezas: Posee una excelente capacidad de concentración, confiable.
Debilidades: Pesimista, cruel.

Septiembre 11

Eres una persona amigable y distinguida con una inteligencia brillante y original. Entiendes con facilidad los conceptos y podrías dedicarte a profesiones científicas o académicas. Los derechos humanos te importan mucho, eres liberal y tolerante. Te encanta observar a la gente y el drama de sus pasiones y conflictos, pero tú intentas evitar los pleitos en tu propia vida y estas tendencias te harían un excelente sicólogo clínico o escritor. Estableces amistades intelectuales y tu pareja debe ser igual a ti y compartir tu filosofía. Tiendes a ser controlador porque eres emocionalmente vulnerable y te cuesta trabajo confiar, así que te tomas tu tiempo para establecer relaciones íntimas. Puedes padecer sobrecarga mental, así que sal al aire libre durante media hora para despejar tu mente y prepararla para adentrarse a la siguiente gran idea que surja.

Carta del tarot: La Justicia
Planetas: Urano y Mercurio
Frase: *Lo más cruel que un hombre puede hacerle a una mujer es describirla como si fuera perfecta.* D. H. Lawrence

Fortalezas: Distinguido y pensador profundo.
Debilidades: Desconfiado, autoritario.

NACIERON EN ESTE DÍA:
Harry Connick Jr.
(cantante, pianista y compositor)
D. H. Lawrence
(escritor y poeta)
Chantal Mauduit
(alpinista)
Jessica Mitford
(escritora)
Moby
(DJ, cantante, compositor)
Brian De Palma
(director de cine)

MEDITACIÓN:

Ama a todos, confía en unos cuantos, no hagas mal a nadie.

Septiembre 12

Eres una persona inspirada y compasiva que tiene la capacidad de expresar la poesía de su alma. Podrías ser un talentoso compositor o artista. Tienes una gran sabiduría y capacidad de sanación, pues verdaderamente entiendes las preocupaciones y las necesidades ocultas de la gente. Serías un consejero o terapeuta ideal porque disfrutas trabajando con una persona a la vez. Eres intuitivo y respondes emocionalmente a la gente, en lugar de reaccionar por impulso. Eres tímido e introvertido por naturaleza, cuando estás bajo presión te pones nervioso y ansioso. Eres muy sensible a la atmósfera y un comentario incisivo te lastima con facilidad. Necesitas una pareja tierna y gentil —alguien que sea tu alma gemela y un confidente que escuche tus reflexiones—. Una forma excelente de conectarte con la tranquilidad del vientre materno es regalarte una sesión en un flotario.

Carta del tarot: El Colgado
Planetas: Neptuno y Mercurio
Frase: *Me presentaré ante ti con regalos de conocimiento, sabiduría y verdad.* Barry White

Fortalezas: Empático con los demás, creativo.
Debilidades: Se preocupa demasiado, lo lastiman con facilidad.

NACIERON EN ESTE DÍA:
Bertie Ahern
(primer ministro irlandés)
Sir Ian Holm
(actor)
Jennifer Hudson
(actriz y cantante)
Jesse Owens
(campeón olímpico de atletismo)
Barry White
(cantante, compositor)

MEDITACIÓN:

Preocuparse no evita las tristezas del futuro, sólo disminuya el gozo del presente.

Septiembre 13

NACIERON EN ESTE DÍA:
Stella McCartney
(diseñadora de modas)
Roald Dahl
(escritor)
Alain Ducasse
(chef y restaurantero)
Milton Hershey
(industrial y filántropo)
J. B. Priestley
(escritor)
Arnold Schoenberg
(compositor)

Eres una persona servicial y práctica que se deleita en cuidar de los demás. Te especializas en las cuestiones del hogar, es muy probable que sepas sobre nutrición y que seas un gran cocinero. Estos talentos te hacen perfecto para la industria restaurantera o la enfermería, pues tienes un equilibrio entre eficiencia y calidez. Puedes quedarte atrapado en los viejos hábitos y sentirte desmotivado si te retan. Es posible que tu relación sea duradera y lo que más te hace feliz es tu vida en familia. Eres quien se encarga del bienestar familiar y te preocupa genuinamente que su vida diaria se desenvuelva sin dificultad. Te pones nervioso cuando algo sale mal, así que necesitas darte un día libre de vez en cuando. Bailar jazz o jugar tenis te ayudará a liberar el estrés acumulado.

MEDITACIÓN:

Mejor que mil palabras huecas es una palabra que dé paz.

Carta del tarot: La Muerte
Planetas: La Luna y Mercurio
Frase: *El hombre más sabio aprecia un poco de tontería de vez en cuando.* Roald Dahl

Fortalezas: Disfruta de su familia, de buen corazón.
Debilidades: Persona de costumbres, tiende a estresarse.

Septiembre 14

NACIERON EN ESTE DÍA:
Tom Cora
(chelista)
Mary Crosby
(actriz)
Renzo Piano
(arquitecto)
Margaret Sanger
(enfermera y activista del control de la natalidad)
Amy Winehouse
(cantante, compositora)
David Wojnarowicz
(artista)

Eres una persona amable y honorable, muy elocuente y con un poderoso intelecto. Eres hábil para elegir las palabras que vas a decir y, lo más importante es que las dices en el momento correcto. Los demás pueden pensar que eres tranquilo y modesto, pero en tu interior hay una naturaleza valiente, orgullosa y ardiente. Tienes dos lados —el adulto sensible y el niño incontenible—. Combinar ambos aspectos es un gran reto y trabajar en actuación es para ti, o desempeñar un papel principal en enfermería. En un mal día tiendes a regocijarte en la autocompasión y a preocuparte por lo que los demás piensan de ti. En las relaciones necesitas una pareja que te permita estar al mando, que te regale cariño y que te dé regalos para consentirte. No debes sentirte culpable si algunas veces eres un poquito vanidoso.

MEDITACIÓN:

La autocompasión es el peor enemigo de la humanidad —elévate por encima de ella.

Carta del tarot: La Templanza
Planetas: El Sol y Mercurio
Frase: *Las mujeres hablan entre sí, los hombres hablan entre sí. Pero las mujeres tienen un ojo especial para los detalles.* Amy Winehouse

Fortalezas: Expresivo, franco.
Debilidades: Explosivo, tiende a auto-compadecerse.

Septiembre 15

Eres una persona centrada, dedicada y analítica. Tienes una gran inteligencia y te gusta profundizar en la información, analizar y clasificar lo que es más importante. Valoras el intelecto y buscas gente similar, de manera que te atraen las sociedades de debates y los foros de Internet. Serías un gran escritor, pues tomas nota cuidadosamente de las conversaciones y observas las pequeñeces de la vida. Eres extremadamente cuidadoso y tomas en cuenta el bienestar de los demás, aunque puedes ser demasiado fastidioso y terminas siendo sobreprotector. En las relaciones eres muy leal y tu objetivo es servir a tu pareja. Sin embargo debes estar pendiente de no volverte servil y terminar en una posición inferior. Necesitas fortalecer tu seguridad y practicar un deporte como la esgrima ayudará en tu autodesarrollo y autoconfianza.

Carta del tarot: El Diablo
Planetas: Mercurio y Mercurio
Frase: *Los buenos consejos casi siempre son ignorados, aunque ésa no es razón para no darlos.* Agatha Christie

Fortalezas: Intelectual, meticuloso.
Debilidades: Exigente, asfixiante.

NACIERON EN ESTE DÍA:
Agatha Christie
(escritora)
Príncipe Enrique
(realeza británica)
Tommy Lee Jones
(actor y director de cine)
Marco Polo
(explorador)
Ricardo I
(monarca británico)
Oliver Stone
(director de cine)

MEDITACIÓN:

Nos convertimos en lo que pensamos.

Septiembre 16

Eres una persona amable y honesta que disfruta de las buenas cosas de la vida. Tienes un excelente poder de observación y eres capaz de sentir cuando algo está fuera de su lugar. Piensas y escuchas con cuidado, analizas todas las opciones antes de dar un paso. Tu consideración por los demás y tu naturaleza razonable hacen que sea fácil estar contigo. Eres un buen mediador, así que eres adecuado para trabajar en el servicio diplomático. Eres crítico, capaz de ser honesto ante tus fallos y sabes reírte de ti mismo —cualidad que es invaluable—. En tus relaciones pasas mucho tiempo hablando y comentando los asuntos del día, pero puedes esconderte detrás de una capa de amabilidad, de manera que los demás no saben quién eres realmente. Te preocupa demasiado tu apariencia y lo que la gente piensa de ti, así que ensuciarte y descuidarte de vez en cuando te hará muy bien.

Carta del tarot: La Torre
Planetas: Venus y Mercurio
Frase: *Lo más hermoso de aprender es que nadie puede arrebatártelo.* B. B. King

Fortalezas: Honorable, de trato fácil.
Debilidades: Difícil de interpretar, creído.

NACIERON EN ESTE DÍA:
Lauren Bacall
(actriz)
David Copperfield
(ilusionista)
Peter Falk
(actor)
Enrique V
(monarca británico)
B. B. King
(cantante, compositor y guitarrista)
Alexander Korda
(director de cine)

MEDITACIÓN:

Muchas veces la vanidad es el estímulo invisible.

Septiembre 17

NACIERON EN ESTE DÍA:
Anne Bancroft
(actriz)
Césare Borgia
(político italiano)
Robert Dudley
(Conde de Leicester y
favorito de Isabel I)
Baz Luhrmann
(director de cine)
Bryan Singer
(director de cine)
Hank Williams
(músico)

MEDITACIÓN:

Llena tu diario con los suspiros de tu corazón.

Eres una persona leal que ayuda a los demás, reservada y que le encanta la intriga. Eres extremadamente perceptivo, tienes la habilidad de ver por debajo de la superficie de las palabras y de las acciones de la gente. Eres hábil con el lenguaje y excelente para el trabajo mental detallado. Trabajar como político o crítico serían el campo perfecto para tu talento, pues también entiendes el poder de la propaganda. Eres fiel y eres un gran confidente. Tienes un círculo de amigos cercanos y por lo general es gente que conoces por medio del trabajo. En las relaciones necesitas darte tiempo para conocer a tu pareja. Estás tan acostumbrado a controlar tanto tus sentimientos que te cuesta trabajo confiar. Te gustan las renovaciones, pues te vuelves loco transformando cosas, así que tirar paredes es una manera de divertirte.

Carta del tarot: La Estrella
Planetas: Plutón y Mercurio
Frase: *No vivimos en el mundo de la realidad, vivimos en el mundo de la manera en que percibimos la realidad.* Baz Luhrmann

Fortalezas: Reflexivo, escritor prolífico.
Debilidades: Frío, desconfiado.

Septiembre 18

NACIERON EN ESTE DÍA:
Nacieron en este día:
Lance Armstrong
(campeón mundial de
ciclismo y activista)
Rossano Brazzi
(actor)
Greta Garbo
(actriz)
Samuel Johnson
(escritor)
Dee Dee Ramone
(bajista y compositor
de The Ramones)
Paul J. Zimmer
(poeta)

MEDITACIÓN:

Nunca eres demasiado viejo para ponerte otra meta o para tener un nuevo sueño.

Eres una persona ingeniosa y visionaria, increíblemente amable y con buenas intenciones. Te encanta hablar y analizar el significado de la vida con compañeros filósofos. Eres un pensador y comunicador profundo, así que pueden atraerte los campos académicos, al igual que la iglesia o las leyes. Eres sensible y deseas aventuras, estás tentado a dejar la rutina diaria para viajar por el mundo. Aunque respetas las reglas, puedes hacer a un lado la precaución y actuar por impulso, también puedes ser propenso a las apuestas. Vives para el futuro y quieres mejorar tu vida, así que puedes retomar la educación superior mucho tiempo después de haber terminado los estudios. En las relaciones eres muy sentimental, más que romántico, y necesitas tener una fuerte afinidad mental con tu pareja. Un regalo perfecto para ti puede ser ir al teatro.

Carta del tarot: La Luna
Planetas: Júpiter y Mercurio
Frase: *Yo nunca dije quiero estar sola, solo dije quiero que me dejen sola. Es muy diferente.* Greta Garbo

Fortalezas: Intrépido, visionario.
Debilidades: Compulsivo, inestable.

Septiembre 19

Eres una persona capaz y servicial que tiene un gusto refinado. Sabes lo que quieres y te decides a obtenerlo. Para ti, el trabajo no se trata sólo de ganar dinero para vivir; es tu vocación, y eres capaz de hacer sacrificios personales para alcanzar tus metas a largo plazo. Puedes ser mesurado y manejas bien los recursos limitados, de manera que tu fuerte es estar a cargo de un presupuesto. Estás acostumbrado a hacer cosas por tu cuenta, a tu manera, sin embargo puedes terminar asumiendo las tareas de otras personas y ofendiéndolas por ello. Necesitas tener una prueba tangible de tus logros y das un gran valor a las posesiones materiales. En las relaciones necesitas una pareja que te ofrezca seguridad. Amas la cultura y puedes obsesionarte con el trabajo, para lo cual te caería bien escapar de la ciudad de vez en cuando para relajarte un poco.

Carta del tarot: El Sol
Planetas: Saturno y Mercurio
Frase: *Si tratas a una persona como a un paciente, lo más seguro es que actúe como tal*. Frances Farmer

Fortalezas: Habilidades para los negocios, refinado.
Debilidades: Adicto al trabajo, tiende a tomar el control.

NACIERON EN ESTE DÍA:
Nacieron en este día:
Cass Elliot
(cantante de The Mamas and the Papas)
Brian Epstein
(mánager de The Beatles)
Frances Farmer
(actriz)
Jeremy Irons
(actor)
Twiggy
(modelo)
Emil Zatopek
(atleta campeón olímpico)

MEDITACIÓN:

Ninguno de nosotros es tan listo como todos nosotros.

Septiembre 20

Eres una persona bondadosa y considerada, con una modestia innata sobre sus talentos y apariencia personal. Disfrutas ayudando a los demás y ser útil es muy importante para ti. Te preocupa el mundo real, lo que puedes tocar y ver, más que el mundo intangible. Tienes ingenio para las finanzas y una gran dosis de sentido común, de manera que eres bueno para los negocios. Tu vocación es ayudar a los demás y darles un servicio tangible. Algunas veces eres muy perezoso y pasas mucho tiempo holgazaneando en el sillón o sentado en el jardín. Tus relaciones son formales y duraderas, aunque pueden volverse monótonas. Tu debilidad es un enorme deseo de tener seguridad y eres posesivo. Necesitas hacer un esfuerzo para dejar a un lado tu ajetreada agenda y darte tiempo para divertirte con tu amado.

Carta del tarot: El Juicio
Planetas: Venus y Mercurio
Frase: *Las dos grandes ventajas que tuve al nacer son haber nacido inteligente y en la pobreza*. Sophia Loren

Fortalezas: No es pretencioso, sensato.
Debilidades: Apático, celoso.

NACIERON EN ESTE DÍA:
Taro Aso
(primer ministro japonés)
Joyce Brothers
(psicóloga, escritora y actriz)
Steve Gerber
(autor de cómics)
Sophia Loren
(actriz)
Upton Sinclair
(escritor)
Leo Strauss
(filósofo)

MEDITACIÓN:

Las personas celosas son un problema para los demás; y un tormento para ellas mismas.

Septiembre 21

NACIERON EN ESTE DÍA:
Leonard Cohen
(cantante, compositor)
Stephen King
(escritor)
Ricki Lake
(presentador y actor)
Bill Murray
(actor y comediante)
Nicole Richie
(socialité hija de Lionel Richie)
H. G. Wells
(escritor)

MEDITACIÓN:

Actúa conforme a lo que te gustaría ser y pronto serás de la manera en que actúas.

Eres una persona elocuente y muy sociable, como una mariposa. Eres muy juguetón y crees que la vida es divertida. Tienes una inteligencia excepcional y eres capaz de captar los detalles y de analizar los hechos. Aunque puedes ser demasiado intelectual y te arriesgas a dejar a tu contrincante totalmente desarmado. Eres elocuente con las palabras, así que te iría muy bien como compositor de canciones o lingüista. Tus manos son muy hábiles y necesitas mantenerlas ocupadas; los pasatiempos como tejer o hacer macramé son ideales para ti. Las computadoras te encantan y escribir a máquina es una habilidad esencial dentro de tus cualidades. En las relaciones eres inquieto y tu calendario social está lleno con varios días de anticipación. Tu pareja necesita darte equilibrio y debe ser inteligente o te aburrirás. Lo ideal para relajarte es practicar un estilo de baile espontáneo.

Carta del tarot: El Mundo
Planetas: Mercurio y Mercurio
Frase: *Sólo los enemigos te dicen la verdad; los amigos y los amantes mienten sin cesar pues están atrapados por lo que debe ser.* Stephen King

Fortalezas: Elocuente y amable.
Debilidades: Demasiado arrogante algunas veces, rígido.

Septiembre 22

NACIERON EN ESTE DÍA:
Scott Baio
(actor)
Andrea Bocelli
(tenor)
Nick Cave
(cantante, compositor)
Ana de Cleves
(cuarta esposa del
Rey Enrique VIII)
Joan Jett
(cantante, compositora
y guitarrista)
Ronaldo
(jugador de futbol soccer)

MEDITACIÓN:

Cuando el Sol sale, sale para todos.

Eres una persona carismática y autoreflexiva. Eres intuitivo e imaginativo, tienes buen oído para la música y para el tono en que se comunica una persona. Te interesa la educación y te atrae la vida académica. También te sientes atraído al trabajo, en el área de la salud mental, pues entiendes la condición humana. Eres capaz de notar las fallas en un sistema y algunas veces eres demasiado crítico. Sin embargo, te adaptas con facilidad y satisfaces los deseos de la gente, a expensas de tus propias preferencias. Das mucha de tu energía y puedes ponerte de mal humor cuando te olvidas de ti mismo. En las relaciones necesitas una pareja que te adore y que te acaricie, pues el contacto físico hace que te sientas amado y valorado. Déjate llevar y métete a clases de ejercicio con baile. Estar en una atmósfera de apoyo es particularmente bueno para ti.

Carta del tarot: El Emperador
Planetas: La Luna y Mercurio
Frase: *Soy muy ambicioso. Quiero disfrutar esto y entonces intentarlo de verdad.* Ronaldo

Fortalezas: Encantador y empático.
Debilidades: Mordaz, suele quejarse.

Septiembre 23

Eres una persona radiante y magnética con una presencia carismática. Eres alegre y juguetón. Eres una persona sociable a quien le gustan las bromas. Eres muy popular gracias a tu habilidad para divertirte y ver el aspecto gracioso de cualquier situación, tienes muchos amigos y buenas conexiones. Eres artístico y tienes un excelente gusto. Te iría bien en el mundo del teatro, como director o diseñador de vestuario. Tu aspecto negativo es que eres extravagante y tienes una debilidad por cualquier cosa que sea brillante y cara. El romance es tu razón de vivir, estar enamorado saca lo mejor de ti. Sin embargo, como resultado es posible que te cueste trabajo comprometerte con una pareja porque quieres que tu vida amorosa sea una luna de miel eterna. Una forma excelente para que aprendas a entender el verdadero arte del amor es ir a seminarios sobre relaciones.

NACIERON EN ESTE DÍA:
Cesar Augusto
(emperador romano)
Ray Charles
(cantante, escritor, músico,
compositor y líder de grupo)
John Coltrane
(saxofonista)
Eurípides
(dramaturgo de la Grecia antigua)
Aldo Moro
(primer ministro italiano)
Bruce Springsteen
(cantante, compositor y músico)

Carta del tarot: El Hierofante
Planetas: El Sol y Mercurio
Frase: *Nunca quise ser famoso. Sólo quería ser grandioso.* Ray Charles

Fortalezas: Encantador y divertido.
Debilidades: Teme al compromiso, derrochador.

MEDITACIÓN:

Ningún camino se hace largo si vas con buena compañía.

VIRGO TÍPICO:
MICHAEL JACKSON

"Nunca estoy conforme con nada. Soy perfeccionista, es parte de lo que soy".

CARACTERÍSTICAS DE VIRGO:
El lado perfeccionista de Virgo puede llevarlo a autocriticarse y a la timidez. Esto puede parecer que está guardando su distancia cuando, en realidad, Virgo es un signo fiel y es el más modesto del Zodiaco.

Virgo necesita tener cuidado de no agotarse por el exceso de trabajo y su constante búsqueda de la perfección. Una vez que aprende que nadie es perfecto, la vida se vuelve más positiva y menos complicada.

Libra

24 de septiembre – 23 de octubre

CARTA DEL TAROT: La Justicia

ELEMENTO: Aire

ATRIBUTO: Cardinal

NÚMERO: 7

PLANETA REGENTE: Venus

PIEDRAS PRECIOSAS: Diamante y cristal de cuarzo

COLORES: Blanco y multicolores

DÍA DE LA SEMANA: Viernes

SIGNOS COMPATIBLES: Géminis, Leo y Sagitario

PALABRAS CLAVE: Mente imparcial y equilibrada, pareja perfecta, sociable, gracioso, indeciso, extravagante, hedonista, superficial

ANATOMÍA: Riñones, piel, región lumbar y nalgas

PLANTAS, HIERBAS Y ÁRBOLES: Berro, fresa, enredadera, violeta, pensamiento y prímulas

FRASE CLAVE:
Yo uno

Libra es el diplomático de los doce signos. Es el séptimo singo del Zodiaco que comienza con el equinoccio de otoño —cuando el día y la noche tienen la misma duración—. Libra es el signo de la armonía y el equilibrio y los nacidos bajo este signo siempre sopesan todas sus opciones antes de comprometerse con cualquier cosa. No es fácil ser Libra, siempre lucha arduamente para equilibrar y rara vez gana, más bien tiende a moverse de un extremo al otro.

Los Libra creen fervientemente en la justicia y en las soluciones pacíficas contra todas las adversidades. Eres conocido por tu excelente gusto al vestir y tu sentido artístico. Tu hogar está lleno de objetos de diseño —no te atreverías a comprar nada que no resultara agradable a la vista—. Libra es un gran fan del mundo del arte, de la ópera y de los buenos restaurantes. Para ti ir a cenar es una experiencia que debe realizarse en un ambiente elegante y refinado.

REGENTE PLANETARIO Y ATRIBUTOS

Libra es un signo cardinal de aire. Es regido por Venus en su papel de patrona de las artes. Venus atrae a la gente gracias a su encanto y gracia. A los nacidos bajo este signo les gusta crear un ambiente armonioso y pacífico. El glifo es el símbolo del Sol que se pone y los atardeceres tienen una belleza que roba el aliento. Sin embargo, el Sol es débil en Libra pues está poniéndose y perdiendo energía. De igual manera, el Sol es un rey, y Libra siempre tiene que tomar en cuenta las necesidades de los demás. Saturno está exaltado en este signo que otorga ingenio para los negocios a los nacidos en él.

RELACIONES

Libra es la pareja perfecta pues siempre complementas a la persona con quien estás. Buscas algún punto de afinidad con todas las personas que conoces, admiras y buscas la belleza. Te encanta socializar y exponer tus ideas con tus amigos. Tener una pareja es esencial y lo utilizas como una forma para aumentar tu conocimiento de ti mismo y para lograr un equilibrio en tu vida.

El signo opuesto de Libra es Aries y esta unión da como resultado la clásica atracción magnética y apasionada. En una relación de negocio, Aries toma el mando pero Libra es mejor para hablar. Te llevas bien con Tauro pues Venus los rige a los dos aunque compartes más cosas en común con Géminis. Tus relaciones con Acuario son un acuerdo mutuo y formas buenos vínculos sociales con este signo, sin embargo, Acuario prefiere asistir a eventos sociales y tú prefieres una cena íntima para dos. Por lo general, te darás cuenta de que los signos de fuego te serán de gran ayuda si quieres lograr algo. Adoras a Leo y hay compatibilidad siempre y cuando dejes que él sea el que mande. Sagitario es un amigo verdadero que participa con entusiasmo de tu vida social.

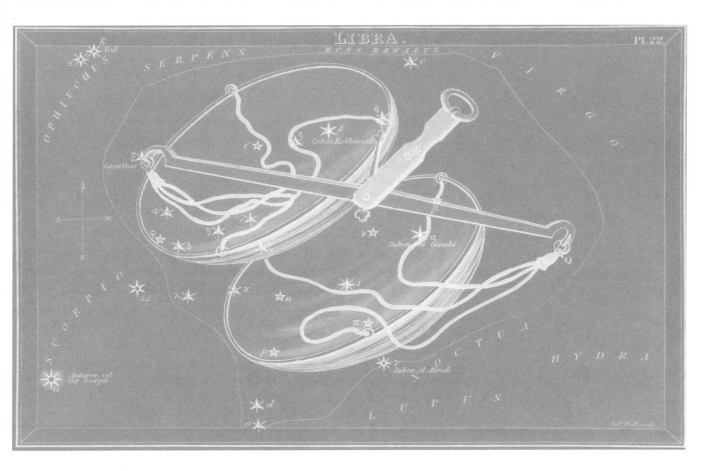

Mito

Está representado por la constelación de la balanza, Libra es el signo más joven del Zodiaco y es el único que no está representado por una criatura viva. El símbolo se relaciona a la antigua dios egipcia Maat, quien personificaba los conceptos de verdad, equilibrio, ley, moral y justicia. Su papel era el de mantener las leyes del Creador. Se creía que, después de la muerte, Maat pesaba el alma humana (que se pensaba que residía en el corazón) en una balanza, con una pluma del otro lado. Si el alma era más pesada que la pluma, la primera tenía que reencarnar; si era más ligera, podía entonces entrar al Paraíso.

Fortalezas y debilidades.

Los nacidos bajo el signo de Libra son encantadores y tranquilizadores, la gente se siente bien a tu lado. Tu vida social es muy importante, de manera que necesitas encontrar un equilibro entre tu tiempo personal y social y esto puede traerte muchos altibajos. Cuando encuentres la quietud en el centro de la balanza, el punto de tu verdadero equilibrio, estarás en paz y satisfecho con la vida.

LIBRA TÍPICO:

LUCIANO PAVAROTTI

"En la ópera, como en cualquier otro tipo de actuación, para ser muy solicitado y cobrar grandes cantidades de dinero, obviamente debes ser bueno, aunque también debes ser famoso. Y son dos cosas muy diferentes".

PODERES DE LIBRA: Gracioso y encantador, un amigo maravilloso.

ASPECTOS NEGATIVOS DE LIBRA: Un lado feroz, busca atención.

Septiembre 24

Eres una persona autosuficiente y práctica que tiene un ojo artístico. Eres muy civilizado, racional, elocuente y elegante. Eres un artesano excelente pues posees habilidades técnicas y artísticas. Eres un escucha atento y un gran director pues te interesas genuinamente por servir a la gente; serías muy bueno en el negocio del comercio o restaurantero. Tu debilidad es que eres quisquilloso y analizas excesivamente las situaciones y a las personas. Sin embargo, cuando te dejas llevar tienes un sentido del humor excéntrico. En las relaciones eres una pareja cariñosa y devota. Necesitas a alguien que comparta tus mismos intereses. Te encanta la vida doméstica y disfrutas encargándote de que todo marche correctamente en tu casa. Relajarte de una manera divertida te dará equilibrio, de manera que los juegos de niños son perfectos.

MEDITACIÓN:

El fracaso enseña éxito.

Carta del tarot: Los Enamorados
Planetas: Mercurio y Venus
Frase: *La gente más refinada que conozco en su interior es infantil.* Jim Henson

Fortalezas: Divertido e independiente.
Debilidades: Demasiado meticuloso, quisquilloso.

Septiembre 25

Eres una persona hermosa y cariñosa con un inmenso encanto. Eres la personificación de la gracia y la elegancia; eres capaz de integrarte con facilidad a cualquier situación social. Adoras estar con gente y tu círculo social es amplio. Las relaciones, ya sean profesionales, personales o familiares, son una parte esencial de tu vida y cuentas con ellas para entender quién eres. Esto hace que dependas de los demás para tu bienestar y puedes sentirte muy mal si piensas que no le caes bien a alguien. Como persona social que eres, las relaciones públicas son una opción obvia de trabajo para ti, al igual que la música, el modelaje o la actuación. En el amor tiendes a idealizar a tu pareja, hasta que no te das cuenta de que es simplemente humana. Puedes ser un poco flojo, así que haz ejercicio en un entorno social como incentivo —el *cricket* o el beisbol son buenas ideas.

MEDITACIÓN:

Cuando en tu interior no existe enemigo alguno, los enemigos del exterior no pueden dañarte.

Carta del tarot: El Carro
Planetas: Venus y Venus
Frase: *En mi cabeza siempre he sido una superestrella de primer nivel de Hollywood. Lo que pasa es que ustedes no lo saben todavía.* Will Smith

Fortalezas: Cariñoso y entregado.
Debilidades: Lo lastiman con facilidad, dependiente.

Septiembre 26

Eres una persona dócil y magnética con gran atractivo y misticismo. Observarte puede ser hechizante pues te mueves con sensualidad y gracia. Tienes una combinación de perspicacia y fuerza emocional, eres encantador y gallardo, así que eres muy popular. El dinero y el poder te atraen mucho, así como una profesión en los negocios o en la política. El negocio del entretenimiento también te llama la atención, pues eres capaz de manejar los halagos y la fama. Gracias a tu valor y tu tenacidad puedes alcanzar la cima de tu profesión. Eres conocido por tu fuerte voluntad y puedes ser un enemigo peligroso. Si te sientes obstaculizado puedes manipular para obtener lo que quieres. Tus relaciones íntimas son intensas y tormentosas porque te gusta el drama. La ópera o el rock pesado son tu estilo de música porque amas la pasión que hay en ellos.

Carta del tarot: La Fuerza
Planetas: Plutón y Venus
Frase: *Sólo aquéllos que se atreven a llegar demasiado lejos lograrán darse cuenta de lo lejos que son capaces de llegar.* T. S. Elliot

Fortalezas: Refinado y cautivador.
Debilidades: No tiene escrúpulos, demasiado ostentoso algunas veces.

NACIERON EN ESTE DÍA:
T. S. Elliot
(escritor)
Bryan Ferry
(cantante, compositor, músico de Roxy Music)
George Gershwin
(compositor)
Olivia Newton-John
(actriz y cantante)
Moses Mendelssohn
(filósofo)
Serena Williams
(campeona de tenis)

MEDITACIÓN:

La medida real de la riqueza es cuánto valdrías si perdieras todo tu dinero.

Septiembre 27

Eres una persona idealista y persuasiva, con un deseo ardiente de compartir su visión con la gente. Crees en un futuro mejor para el mundo y que toda la gente puede tener relaciones maravillosas y llenas de amor. Con tu talento y tus grandes dones de organizador eres el militante perfecto para cualquier causa que adoptes. Es posible que seas una persona espiritual y tienes un fervor misionero que podría llevarte a la vida religiosa. Amas ayudar a la gente, pero puedes valorar en exceso tus capacidades y comprometerte con varios proyectos, lo cual puede agotarte. En tus relaciones íntimas necesitas tener mucha libertad, así que busca una pareja que comparta tu pasión por los mismos proyectos. Un ejercicio inspirador puede ser un viaje de fin de semana con tu pareja para explorar una cultura diferente.

Carta del tarot: El Ermitaño
Planetas: Júpiter y Venus
Frase: *Para mí, la belleza es sentirte bien en tu propio cuerpo. Eso, o un lápiz de labios rojo que quite el aliento.* Gwyneth Paltrow

Fortalezas: Excelente capacidad de coordinación, complaciente.
Debilidades: Se exige demasiado, tiende a agotarse.

NACIERON EN ESTE DÍA:
Avril Lavigne
(cantante, compositora)
Meat Loaf
(cantante, compositor)
Gwyneth Paltrow
(actriz)
Jim Thompson
(escritor)
Lil' Wayne
(rapero)
Irvine Welsh
(escritor)

MEDITACIÓN:

Descansa; un campo que ha descansado produce una cosecha hermosa.

Septiembre 28

Eres una persona cortés, discreta y sofisticada. Eres determinado y ambicioso, puedes ganarte la amistad de gente influyente que te ayude a lograr tus objetivos. Disfrutas formando parte de un equipo, tienes grandes dones para organizar y eres un excelente director; la gente respeta tu liderazgo. Tienes un gusto impecable y unos estándares increíblemente altos, lo cual ejemplificas con la ropa de diseñador que usas. Sin embargo, también tienes expectativas imposibles de la gente y necesitas aprender a ser más tolerante. Para algunas personas puedes parecer arrogante y para otras eres un amigo fiel. En tus relaciones íntimas necesitas ser capaz de respetar a tu pareja y sentirte adorado. El cariño físico es de vital importancia para que abras tu corazón a otra persona. Un masaje con aromaterapia es una manera excelente de sentirte totalmente relajado.

Carta del tarot: La Rueda de la Fortuna
Planetas: Saturno y Venus
Frase: *A dondequiera que vayas, ve con todo tu corazón.* Confucio

Fortalezas: Cortés e inteligente.
Debilidades: Arrogante con estándares exageradamente altos.

MEDITACIÓN:

Nunca confundas la elegancia con la arrogancia.

Septiembre 29

Eres una persona que vive despreocupadamente y que busca la relación romántica ideal. Eres muy amigable y sociable, eres una compañía llena de entusiasmo e ingeniosa. Te encanta discutir sobre nuevas ideas y soluciones para las injusticias del mundo. Tienes una lógica clara y una mente racional, eres un pensador y te iría bien en los campos intelectuales de la tecnología y la ingeniería. Quieres saber cómo funcionan las cosas y te encanta resolver problemas. En las relaciones íntimas puedes analizar en exceso, como defensa para no sentir tus propias emociones profundas. Tienes unos estándares exageradamente altos sobre cómo debe comportarse tu pareja y frecuentemente te decepcionan. Esto hace que permanezcas independiente y puedes seguir soltero por mucho tiempo. Necesitas descubrir un camino espiritual que te dé plenitud. Cantar te ayudará a abrirte y a conectarte con los anhelos de tu corazón.

Carta del tarot: La Justicia
Planetas: Urano y Venus
Frase: *El tiempo lo es todo; cinco minutos marcan la diferencia entre la victoria y la derrota.* Horatio Lord Nelson

Fortalezas: Autosuficiente, razonable.
Debilidades: Teme a las emociones, tiende a abatirse.

MEDITACIÓN:

El que canta aleja todos sus malestares.

Septiembre 30

Eres una persona con energía e inteligente cuyos modales son alegres y despreocupados. Eres juvenil y tu inocencia es como la de un niño. Eres inmensamente curioso, siempre estás preguntando cosas y podrías ser un periodista o escritor nato. Tienes un estilo amistoso y sabes hacer que la gente se sienta a gusto, de manera que se abre contigo. Ser entrevistador sería una profesión gratificante. En las relaciones, te aburres fácilmente, siempre te vas a donde el pasto es nuevo. Algunas personas dicen que sólo raspas la superficie y que temes explorar tus sentimientos más profundos, sin embargo, tu media naranja es muy importante para ti, así que frenar un poco para reflexionar sobre tu mundo emocional te ayudará en gran medida. Te distraes con tanta facilidad que apagar todos tus aparatos electrónicos para centrar tu atención sólo en tu pareja dice más que lo que expresan las palabras.

Carta del tarot: La Emperatriz
Planetas: Mercurio y Venus
Frase: *El fracaso es el condimento que da sabor al éxito.* Truman Capote

Fortalezas: Inquisitivo y lleno de vida.
Debilidades: Poco expresivo y, algunas veces, ingenuo.

NACIERON EN ESTE DÍA:
Cecelia Ahern
(escritora y productora
de televisión)
Marc Bolan
(cantante, compositor y
guitarrista de T. Rex)
Truman Capote
(escritor)
Marion Cotillard
(actriz)
Mireille Hartuch
(compositora y actriz)
Johnny Mathis
(cantante, compositor)

MEDITACIÓN:

*No dejes de preguntar
—la curiosidad tiene
una razón de existir.*

Octubre 1

Eres una persona sociable y llena de vida, con un espíritu inquieto que necesita experimentar cosas nuevas regularmente. Tus niveles de energía son muy altos y tienes mucho ímpetu y valor, te gusta tomar la iniciativa y dirigir a la gente. Las ideas se te agolpan en la cabeza e intentas cualquier cosa nueva. Eres un defensor natural de los más débiles, tu estilo de hablar es persuasivo y directo, es difícil de resistir. Eres un negociador hábil y harías una buena carrera como diplomático. Eres más sensible de lo que aparentas y no reaccionas bien ante las críticas, las cuales pueden hacer que te desvíes de tu rumbo. Algunas veces emites juicios precipitados. Vives para el amor y te fascinan los rituales del cortejo. Sin embargo, te aburres con facilidad cuando la pasión disminuye y comienzas una pelea sólo para dar emoción a la situación. Los deportes de competencia son esenciales para que liberes la tensión.

Carta del tarot: El Mago
Planetas: Marte y Venus
Frase: *El amor cambia y se mueve. No sé si es posible estar completamente enamorado todo el tiempo.* Julie Andrews

Fortalezas: Jovial, ambicioso.
Debilidades: Se ofende con facilidad, poca capacidad de mantener su atención.

NACIERON EN ESTE DÍA:
Julie Andrews
(actriz y cantante)
Sir Peter Blake
(explorador, científico y
aficionado a la navegación)
William Boeing
(ingeniero)
Jimmy Carter
(presidente de Estados Unidos)
Walter Matthau
(actor)
Bonnie Parker
(forajida estadunidense)

MEDITACIÓN:

*La inquietud y la
insatisfacción son
las necesidades más
importantes del progreso.*

7 ♎

NACIERON EN ESTE DÍA:
Mahatma Gandhi
(abogado y activista de
los derechos civiles)
Graham Greene
(escritor)
Donna Karan
(diseñadora de modas)
Annie Leibovitz
(fotógrafa)
Efrén Ramírez
(actor)
Sting
(cantante, compositor, músico de
The Police, actor y activista)

MEDITACIÓN:

Como si fueran piedras preciosas reúne las palabras de los sabios y los virtuosos.

Octubre 2

Eres una persona atractiva y encantadora con un gran sentido del estilo. Eres muy elegante y tienes buen gusto estético; formas parte de la gente atractiva. Eres amante de la belleza y del arte, eres creativo y te sientes naturalmente atraído a trabajar en el mundo de la moda o de la música. Tienes un ingenio especial para los negocios y eres capaz de manejar fácilmente grandes cantidades de dinero. Las relaciones son esenciales para ti y eres un amante intenso. El problema es que eres muy coqueto y, aunque no tengas segundas intenciones, la gente se siente seducida porque la haces sentir especial. Puedes sentirte atraído por un estilo de vida hedonista, lo cual puede poner celosa a tu pareja. Debido a que eres una persona táctil y sensual, lo que necesitas es un masaje con aromaterapia y puedes hacerle uno igual a tu pareja para demostrarle tu amor.

Carta del tarot: La Suma Sacerdotisa
Planetas: Venus y Venus
Frase: *Si no tuviera sentido del humor, hace mucho tiempo que me hubiera suicidado.* Mahatma Gandhi

Fortalezas: Elegante y competente en el campo financiero.
Debilidades: Busca emociones, coqueto.

NACIERON EN ESTE DÍA:
Neve Campbell
(actriz)
Allan Kardec
(profesor, fundador
del espiritismo)
Greg Proops
(comediante)
Gwen Stefani
(cantante de No Doubt,
diseñadora de modas)
Gore Vidal
(escritor)
Thomas Wolfe
(escritor)

MEDITACIÓN:

Hay un tiempo para decir muchas palabras, y también hay un tiempo para dormir.

Octubre 3

Eres una persona sofisticada y atractiva con un ingenio alegre. Tienes un don para contar historias, cautivas a casi todos, aunque también eres provocador y tienes un lado travieso. En una discusión te encanta dar la opinión contraria sólo para alborotar las cosas. Te las arreglas para librarte de situaciones embarazosas, usando tu capacidad para pensar rápido y tu sentido del humor. El campo de las comunicaciones sería una buena opción para ti, ya sea como redactor publicitario o como columnista para una revista elegante. Algunas veces eres demasiado frívolo y das la impresión de ser emocionalmente inmaduro. En las relaciones necesitas tomar las cosas con calma y puedes estar mucho tiempo en el campo de acción antes de tranquilizarte. El insomnio puede ser un problema porque eres muy activo mentalmente, para ayudarte practica el yoga por las tardes y evita tomar cafeína.

Carta del tarot: La Emperatriz
Planetas: Mercurio y Venus
Frase: *La verdad es que no me importa lo que dice la gente. No evita que haga algo que quiero hacer.* Gwen Stefani

Fortalezas: Divertido, bueno para contar anécdotas.
Debilidades: Sentido del humor inapropiado, chismoso.

Octubre 4

Eres una persona cálida y hospitalaria, que se preocupa por los demás y eres de naturaleza sensible. Eres un buen amigo y excelente anfitrión, te encanta agasajar a la gente y hacer que se sienta bienvenida. Destacarías en la industria hotelera y de entretenimiento. Tienes dones artísticos y necesitas expresarte para sentirte pleno. Tu debilidad es que puedes ser emocionalmente inestable y te sientes lastimado al primer comentario negativo. Tener un círculo de familia y amigos cercanos que te dé apoyo es esencial para tu confianza. Las relaciones íntimas juegan un papel importante en tu vida y es raro que no tengas pareja. Eres muy cariñoso, necesitas que te quieran y respondes rápidamente a los abrazos. Eres nostálgico por naturaleza y la comida es muy importante para ti, de manera que una comida familiar, a orillas del mar, sería un tesoro reconfortante en el cofre de tus recuerdos.

Carta del tarot: El Emperador
Planetas: La Luna y Venus
Frase: *Quiero luchar contra la pobreza y la ignorancia y dar una oportunidad a quienes han sido olvidados.* Russell Simmons

Fortalezas: Anfitrión nato, amoroso.
Debilidades: Emocionalmente inestable, se irrita con facilidad.

NACIERON EN ESTE DÍA:
Jackie Collins
(escritora)
Rutherford B. Hayes
(presidente de Estados Unidos)
Charlton Heston
(actor)
Jacqueline Pascal
(niña prodigio)
Anne Rice
(escritora)
Russell Simmons
(cofundador de Def Jam records

MEDITACIÓN:

Un abrazo es el apretón de manos del corazón.

Octubre 5

Eres una persona alegre y dadivosa con un corazón cálido y generoso. Tu amabilidad y jovialidad son muy atractivas y a la gente le gusta estar contigo. Los puestos de mando en el área de la política, de la música o del teatro son opciones interesantes de desarrollo. Tienes confianza en ti mismo y te encanta ser el centro de atención. Sin embargo, te molestas mucho y te vuelves temperamental si la gente no reconoce y valora tu talento. El estilo de vida es importante para ti y muchas veces vives por encima de tu capacidad sólo para mantener las apariencias. El romance mantiene viva tu inspiración y es una parte esencial de tu vida. El único problema es tu tendencia a rendirle culto a tu pareja y a ponerlo en un pedestal. La creatividad es tu fuerte, de manera que es momento de expresarte por medio del arte cuando sientas que tus emociones te abruman.

Carta del tarot: El Hierofante
Planetas: El Sol y Venus
Frase: *La música es lo que debo hacer, los negocios son lo que necesito hacer y la política es lo que tengo que hacer.* Bob Geldof

Fortalezas: Seguro de sí mismo, de naturaleza compasiva.
Debilidades: Muy nervioso, algunas veces dependiente.

NACIERON EN ESTE DÍA:
Denis Diderot
(filósofo y escritor de enciclopedias)
Sir Bob Geldof
(músico de Boomtown Rats y activista político)
Ray Kroc
(empresario)
Joshua Logan
(director de cine y escritor)
Louis Lumière
(pionero del cine)
Kate Winslet
(actriz)

MEDITACIÓN:

No reprimas a quien amas. Nadie puede crecer a la sombra.

Octubre 6

Eres una persona elocuente y amante de la paz, con una gran capacidad para razonar. Sientes amor por la justicia y te preocupa lo que la gente piensa. Eres un abogado y defensor nato, eres encantador y diplomático para decir las cosas, sin embargo puedes expresarte con fuerza. Te gusta abrir la mente de la gente ante conceptos nuevos, eres paciente y minucioso, así que serías un maestro excelente. Con tu mente ágil y tu inteligencia puedes parecer distante y frío para algunas personas. En tus relaciones personales eres fiel, devoto y disfrutas la rutina diaria de la vida en familia. El problema es que no soportas el desorden, puedes obsesionarte con la pulcritud y la limpieza. Disfrutas cuidar de los demás y también necesitas que te cuiden. Pasar un día en un spa o en el campo de golf con un buen amigo será ideal para recuperar tu equilibrio.

NACIERON EN ESTE DÍA:
Gerry Adams
(político republicano irlandés)
Le Corbusier
(arquitecto)
Britt Ekland
(actriz)
Reginald Aubrey Fessenden
(inventor y pionero de la radio)
Fannie Lou Hamer
(activista de los derechos civiles)
George Westinghouse Jr.
(empresario e ingeniero)

MEDITACIÓN:

Asegúrate de que tu casa sea un hogar.

Carta del tarot: Los Enamorados
Planetas: Mercurio y Venus
Frase: *El hogar debe ser el cofre del tesoro de la vida.* Le Corbusier

Fortalezas: Paciente, prudente.
Debilidades: Neurótico e inaccesible para algunas personas.

Octubre 7

Eres una persona idealista y refinada con modales corteses y elegantes. Diplomático de nacimiento, tu capacidad de relajar a la gente funciona de manera perfecta para cualquier profesión que elijas. Te preocupa la igualdad y la justicia para todos, eres imparcial y racional, de manera que te convienen profesiones como juez, abogado o negociador. Eres amante de la paz, te sientes más que feliz cuando luchas por lo que crees y tu franqueza desarma a tu oponente. No obstante, te expresas con tal encanto que la gente se pone de tu lado. El narcisismo puede ser un problema pues estás demasiado pendiente de tu apariencia y siempre estás a la moda. Para ti, las relaciones son esenciales porque te sientes incompleto cuando no tienes pareja. Te encanta el romance y el deporte ideal para ti es uno glamoroso en el que participe tu pareja, como el esquí.

NACIERON EN ESTE DÍA:
Niels Bohr
(físico)
Tony Braxton
(cantante)
Simon Cowell
(directivo de discos y empresario)
Vladimir Putin
(primer ministro ruso)
Desmond Tutu
(activista y arzobispo de Sudáfrica)
Thom Yorke
(cantante, compositor, músico de Radiohead)

MEDITACIÓN:

Las ideas preconcebidas son los candados que cierran la puerta a la sabiduría.

Carta del tarot: El Carro
Planetas: Venus y Venus
Frase: *Si permaneces neutral en situaciones injustas, entonces has elegido el lado del opresor.* Desmond Tutu

Fortalezas: Encantador, conciliador.
Debilidades: Vanidoso, dependiente en el amor.

Octubre 8

Eres una persona astuta y serena con buenos instintos. Sabes estudiar a la gente, tienes un excelente ojo para analizar las situaciones. Aunque promueves la paz y la armonía, no temes al conflicto y puedes provocar una pelea, pues disfrutas las emociones fuertes. El debate es una de tus habilidades y con gusto apoyas a los más necesitados. La política es un campo natural para tu talento, igual que las leyes —eres increíblemente efectivo porque tu entusiasmo y tu punto de vista positivo desarman a cualquier opositor—. En las relaciones personales necesitas profundidad; las relaciones poco serias te aburren. Una vez que te comprometes puedes volverte un amante fiel y apasionado, siempre y cuando tu pareja mantenga un aire de misterio. Tu debilidad es que eres inseguro y desconfiado. Practica las artes marciales porque necesitas expresar tus emociones más profundas.

Carta del tarot: La Fuerza
Planetas: Plutón y Venus
Frase: *Si regresas de la muerte ya no tienes el mismo sistema de valores, creo.* Sigourney Weaver

Fortalezas: Incondicional, ferviente.
Debilidades: Tímido, desconfiado.

MEDITACIÓN:

La única manera de hacer que alguien sea confiable es confiando en él.

Octubre 9

Eres una persona ingeniosa, con sentido del humor, con una mente alegre y original. Eres diplomático y no tienes miedo de expresar la verdad con un atractivo encanto. Tienes fuertes convicciones, eres muy entusiasta y franco en cuanto a tus creencias. La gente escucha y toma nota de las cosas que dices de manera franca. Serías un gran maestro, conferencista o educador porque en verdad deseas ayudar y motivar a los demás. Una debilidad es que puedes dar la impresión de ser orgulloso y distante y te refugias en el trabajo para esconderte de tus problemas personales. Una relación íntima ayudaría a tu crecimiento emocional si logras comprometerte y no distraerte con el trabajo y los muchos proyectos que tienes. Para reavivar la pasión con tu pareja sé espontáneo y sugiere un fin de semana romántico, en un lugar cálido y exótico, donde además disfrutarás de las aventuras que tanto te gustan.

Carta del tarot: El Ermitaño
Planetas: Júpiter y Venus
Frase: Avant-garde *es la palabra en francés para tonterías.* John Lennon

Fortalezas: Aventurero, divertido.
Debilidades: No sabe relajarse, a veces deshonesto.

MEDITACIÓN:

Cada día debemos aprovecharlo como una vida aparte.

125

Octubre 10

Eres sofisticado, sociable y muy hábil en muchos campos. Tienes la confianza de una persona mayor, aunque seas joven y la gente te elige como su protector y su líder. Eres sensible ante los demás y tienes amigos para toda la vida. Eres muy responsable y respetas las jerarquías; eres la persona adecuada para un trabajo tradicional en una compañía grande, te abres camino fácilmente hacia los niveles de dirección. Amas la justicia y podrías estudiar abogacía, pues tienes disciplina para los estudios. Algunas personas piensan que eres demasiado controlador, pero las que te conocen consideran que eres una compañía compasiva e ingeniosa. En la vida amorosa eres una pareja devota, una vez que sientes que has encontrado a tu media naranja intelectual. Para relajarte necesitas divertirte y algo que te relaje —el baile puede ser excelente para ti.

Carta del tarot: La Rueda de la Fortuna
Planetas: Saturno y Venus
Frase: *Vamos a terminar esta película como yo la quiero… porque no puedes afectar la visión de un artista.* Ed Wood

Fortalezas: Inteligente, admirado.
Debilidades: Dominante, arrogante.

7 ♎

NACIERON EN ESTE DÍA:
Anne Mather
(escritora)
Anita Mui
(cantante)
Harold Pinter
(dramaturgo)
Rumiko Takahashi
(artista de historietas)
Midge Ure
(cantante, compositor y músico de Ultravox)
Ed Wood
(cineasta)

MEDITACIÓN:

Quien no reflexiona es una persona arruinada.

Octubre 11

Eres un pensador creativo con ideas innovadoras y posees el don de la claridad para discernirlas. Tus habilidades diplomáticas, combinadas con una conciencia social y el deseo de ayudar a tus semejantes, hacen que seas un reformista o político talentoso. Además posees una lógica persuasiva y eres imparcial —cualidades para un negociador brillante—. Algunas veces eres poco práctico y vives en tu mundo, perdiendo el tiempo. Tu vida amorosa tiene altibajos pues anhelas una relación ideal. Tienes un sueño de utopía y puedes sentirte muy incómodo cuando te enfrentas a emociones fuertes, como el odio y los celos. Una buena amistad puede reemplazar tu falta de intimidad y es una prioridad con tu amante. Te sentirías muy bien en un grupo de debates y te encanta asistir a cocteles.

Carta del tarot: La Justicia
Planetas: Urano y Venus
Frase: *La verdad es que no me interesa la sicología del deporte. Hace que sienta que estoy loca.* Michelle Wie

Fortalezas: Expresivo y diplomático.
Debilidades: Idealista, fantasioso.

NACIERON EN ESTE DÍA:
Sir Bobby Charlton
(jugador de futbol soccer)
Dawn French
(comediante)
Henry Heinz
(industrial)
Rey Ricardo III
(monarca inglés)
Eleanor Roosevelt
(primera dama estadunidense)
Michelle Wie
(golfista profesional)

MEDITACIÓN:

La amistad no es algo enorme, es un millón de pequeñas cosas.

Octubre 12

Eres una persona amable, sensible y un soñador romántico. Puedes ser muy dulce gracias a tu inocencia casi infantil. Eres muy versátil y te adaptas fácilmente a las situaciones. Eres artístico, musical y bueno con las palabras, inspiras a los que te conocen con tu visión de la belleza trascendental. Tu capacidad para entender y sentir lo que sienten los demás te hace un excelente consejero y moderador grupal. Tu gran debilidad está en el romance. Anhelas el amante ideal y tienes enormes expectativas imposibles para un simple mortal. A pesar de ello, por tu deseo de tener una pareja, tiendes a ponerte de tapete. Expresar tu creatividad es esencial para que te sientas valorado. Disfrutas relajarte con tus amigos cercanos y estar junto al mar reconforta tu alma, así que salir en un velero te dará gran alegría.

Carta del tarot: El Colgado
Planetas: Neptuno y Venus
Frase: *Soy muy tonto, ya sabes. No se lo digas a nadie, pero soy muy tonto. En Australia le llamamos bobo.* Hugh Jackman

Fortalezas: Agradable, compasivo.
Debilidades: Poco realista, pusilánime.

MEDITACIÓN:

La cura para cualquier cosa es el agua salada —en forma de sudor, lágrimas o mar.

Octubre 13

Eres una persona adaptable y ambiciosa con una mente astuta. Eres lógico y sentimental, combinación que a veces resulta difícil. En tu profesión tienes objetivos altos y, sin importar a qué género perteneces, usas tu intuición femenina con un gran aplomo. Tienes una empatía natural y la gente te responde de manera positiva porque siente que la entiendes. Tu vida familiar es muy importante y te sientes apoyado y seguro cuando creas tu propio nido. Uno de tus talentos es manejar a la gente y puedes usarlo en los negocios o en la política. Una debilidad es que eres irritable y puedes alejarte y quedarte con cierto resentimiento. Las relaciones íntimas son esenciales para ti y tiendes a casarte joven. Tu idea de diversión es cocinar una cena para tus amigos cercanos, pues disfrutas haciendo feliz a la gente.

Carta del tarot: La Muerte
Planetas: La Luna y Venus
Frase: *Es un gran error pensar que el hecho de que te guste el trabajo de alguien significa que te cae bien.* Paul Simon

Fortalezas: Decidido y amable.
Debilidades: Caprichoso, se regodea en su tristeza.

MEDITACIÓN:

El verdadero líder no necesita dirigir —está satisfecho con señalar el camino.

Octubre 14

Eres una persona extravagante y romántica con un gran estilo y refinamiento. Tu rápido ingenio, tu gran sentido del humor y tu sofisticación te hacen toda una socialité. Disfrutas ser el centro de atención y das lo mejor de ti en una posición de mando. La moda y los medios de comunicación son sólo dos áreas para desarrollar tus talentos, siempre y cuando tú estés bajo los reflectores. El orgullo herido es una debilidad, pues tiendes a perder fuerzas si la gente dice algo que te suena a crítica, sin embargo, eres optimista y pronto estás de nuevo en acción. En el amor idealizas a tu pareja y te sientes decepcionado cuando descubres sus fallos —no olvides que nadie es perfecto—. Eres romántico por naturaleza, así que los bailes de salón en los que puedes caminar pavoneándote con tu pareja serían una excelente forma de ejercitarte.

Carta del tarot: La Templanza
Planetas: El Sol y Venus
Frase: *Los tobillos están casi siempre perfectos y se ven bien, pero las rodillas casi nunca.* Dwight D. Eisenhower

Fortalezas: A la moda, muy sociable.
Debilidades: Tiene vanas ilusiones, no soporta las críticas.

Octubre 15

Eres una persona amable que se preocupa por los demás y muy inteligente. Eres muy práctico, te interesa la salud de la gente y su bienestar. Eres increíblemente paciente, tienes la capacidad de prestar atención a todos los detalles y de trabajar con los aspectos básicos de cualquier proyecto. Te atraen las profesiones relacionadas a la salud y la sanación, en especial la medicina alternativa. Tu fortaleza es tu inteligencia y tu debilidad es la tendencia a ser demasiado crítico de los demás y controlador. Aprende a pasar por alto los errores sin importancia de la gente y así serás más popular. En el amor te relajas y una relación comprometida te brinda la profunda paz que tanto anhelas. Necesitas ser capaz de compartir tus pasatiempos y tus intereses artísticos. Les haría muy bien pasar un tiempo juntos en una sauna o baño de vapor para desintoxicarse y relajarse.

Carta del tarot: El Diablo
Planetas: Mercurio y Venus
Frase: *Era blanco y agitado, como un Martini seco.* P. G. Wodehouse

Fortalezas: Solícito, inteligente.
Debilidades: Crítico, enérgico.

Octubre 16

Eres una persona elegante y culta, considerada el encanto personificado. Tienes un fuerte sentido de la cortesía y eres increíblemente romántico. La gente te ve como su caballero con una brillante armadura —no importa que seas mujer—. Declaras la guerra a lo que consideras que es una injusticia, aunque eres amante de la paz. Tienes talentos artísticos, eres músico, artista, escritor o actor —o quizá todo lo anterior—. Desprecias la crudeza y la vulgaridad, tu medio ambiente es armonioso y con buen gusto. Tu peor defecto es tu indecisión y tu tendencia a cambiar de opinión resulta muy frustrante para los demás. Te descubres a ti mismo a través de tus relaciones íntimas, de manera que tu elección de pareja es crucial. Una vez que te comprometes eres una joya de pareja. Una excelente manera de darle un toque fresco a tu vida amorosa es que practiquen juntos un deporte donde jueguen dobles.

Carta del tarot: La Torre
Planetas: Venus y Venus
Frase: *Tengo el más simple de los gustos. Siempre estoy satisfecho con lo mejor.* Oscar Wilde

Fortalezas: Encantador y con dones artísticos.
Debilidades: Vago e indeciso.

NACIERON EN ESTE DÍA:
Flea
(bajista de Red Hot Chilli Peppers)
Angela Lansbury
(actriz)
Nico
(modelo, actriz, cantante, compositora)
Tim Robbins
(actor, director de cine y escritor)
Oscar Wilde
(dramaturgo y escritor)
Davir Zucker
(director de cine y actor)

MEDITACIÓN:

Las buenas decisiones vienen de la experiencia, la experiencia viene de las malas decisiones.

Octubre 17

Eres una persona hipnótica y sensual con un poderoso intelecto. Amas la buena vida y te gustan las comodidades y el lujo. Tu trabajo debe retar y estimular a tu fuerte intelecto; la actuación y el negocio de la música son ideales. Eres franco y honesto en tu trato, detectas la hipocresía de la gente. Te gusta estar en una posición de poder y no soportas estar en el segundo lugar. Te deleitas en las emociones profundas y necesitas una relación que esté a la altura de tus altos estándares y que te mantenga intrigado. Sin embargo puedes ser malhumorado y celoso, necesitas mucho cariño físico para sentirte amado. Si tu pareja te descuida un poco eres capaz de tener una aventura sólo para llamar su atención. Un masaje profundo es excelente para reconfortar tu cuerpo y tranquilizar tu mente.

Carta del tarot: La Estrella
Planetas: Plutón y Venus
Frase: *No es que odie a las mujeres —es que a veces me hacen enojar.* Eminem

Fortalezas: Franco y sensual.
Debilidades: Tiene estándares imposibles, desconfiado en el amor.

NACIERON EN ESTE DÍA:
Montgomery Clift
(actor)
Eminem
(rapero y productor de discos)
Rita Hayworth
(actriz)
Evel Knievel
(motociclista de acrobacias)
Arthur Miller
(dramaturgo)
Michael McKean
(actor, comediante, compositor y músico)

MEDITACIÓN:

La única manera de hacer que alguien sea confiable es confiando en él.

NACIERON EN ESTE DÍA:
Chuck Berry
(músico)
Jean-Claude Van Damme
(experto en artes marciales y actor)
Zac Efron
(actor)
Martina Navratilova
(campeona de tenis)
Frieda Pinto
(actriz y modelo)
Om Puri
(actor)

MEDITACIÓN:

El hombre que ha alcanzado la maestría en el arte, la manifiesta en todas sus acciones.

Octubre 18

Eres una persona aventurera con una gran energía y pasión. Tienes fuertes convicciones y una moral alta, expresas tus opiniones sobre diferentes temas a cualquiera que quiera escucharlas. Tu entusiasmo, mezclado con tu estilo atractivo y agradable, se traduce en que la gente te responde de manera favorable. Si te lo propusieras podrías venderle hielo a un esquimal. Eres generoso por naturaleza y, algunas veces, demasiado extravagante en tu deseo de ayudar a la gente. Tu popularidad te brinda mucha buena suerte y una vez que adquieres riqueza eres un filántropo por naturaleza. En tus relaciones íntimas necesitas una pareja cálida y tierna que te inspire y que comparta tu rápido ritmo de vida. Para ti, son ideales los deportes en los que estires y des energía a tu cuerpo, como el karate o el ashtanga.

Carta del tarot: La Luna
Planetas: Júpiter y Venus
Frase: *Es más fácil hacer bien una tarea que explicar por qué no la hiciste bien.* Martina Navratilova

Fortalezas: Benefactor nato, ardiente.
Debilidades: Dogmático, incapaz de relajarse.

NACIERON EN ESTE DÍA:
Umberto Boccioni
(artista)
John le Carré
(escritor)
Jon Favreau
(actor, escritor y director de cine)
Fannie Hurst
(escritora)
John Lithgow
(actor)
Trey Parker
(caricaturista y cocreador de South Park)

MEDITACIÓN:

La soledad únicamente puede ser conquistada por aquellos que soportan estar solos.

Octubre 19

Eres una persona disciplinada, segura de sí misma y con una fuerte determinación para tener éxito. Eres muy bueno para planear y tomas decisiones con base en la lógica racional. Amas la belleza y un entorno armonioso y bien diseñado es vital para tu tranquilidad. Para ti es importante que te reconozcan y trabajas arduamente para obtener el puesto más alto en el negocio del arte. Tus posesiones materiales representan tus logros y ahorras para comprarte los artículos más caros. La base de tu vida es una relación amorosa. Sin embargo, puedes ser demasiado controlador y racional cuando se trata de las emociones, debes aceptar que no puedes ser el que manda todo el tiempo. Aunque te encanta estar con tu pareja, también necesitas tiempo para estar solo, así que salir a caminar temprano, cuando el mundo todavía duerme, es un gran momento para que reflexiones sobre tu día.

Carta del tarot: El Sol
Planetas: Saturno y Venus
Frase: *Nunca me canso de escuchar cumplidos.* John Lithgow

Fortalezas: Confiado, razona bien.
Debilidades: Materialista, dominante.

Octubre 20

Eres una persona simpática y atractiva, encantadora y de trato fácil, aunque tienes un lado crédulo. Eres conocedor de la comida, de la música y del arte; eres un miembro requerido en muchos círculos sociales. A la gente le encanta estar contigo y quiere agradarte. Necesitas vivir en un ambiente armonioso y bello y te atrae trabajar en el campo del diseño interior. Eres sensible ante lo que la gente quiere y tienes habilidad y estilo para interpretar sus ideas. En las relaciones íntimas eres un amante muy atento y fiel una vez que te comprometes. Puedes ser demasiado pasivo y si te presionan demasiado te vuelves obstinado para mostrar tu inconformidad. Para ti es muy relajante salir a pasear en medio de la naturaleza y te atrae el golf, con su gran vida social.

Carta del tarot: El Juicio
Planetas: Venus y Venus
Frase: *Me encantan las grandes películas. No sé si yo sea el indicado para hacerlas, pero puedes estar seguro de que voy a verlas.* Danny Boyle

Fortalezas: Cautivador, hermoso.
Debilidades: Demasiado confiado, terco.

NACIERON EN ESTE DÍA:
Danny Boyle
(director de cine)
Guillermo el Conquistador
(monarca inglés)
Snoop Dog
(rapero)
Bela Lugosi
(actor)
Viggo Mortensen
(actor, poeta y artista)
Tom Petty
(cantante, compositor y músico)

MEDITACIÓN:

Imita el ritmo de la naturaleza: su secreto es la paciencia.

Octubre 21

Eres una persona elocuente y conversadora, que se interesa de manera genuina en lo que la gente piensa y siente. Eres un observador perspicaz, sabes cómo conectar con los demás y darles consejo, así que trabajar en ventas al por menor o en relaciones públicas es una buena opción. Estás en constante cambio y muy a menudo hablando por teléfono. Eres un obsesivo de la información y te encanta recolectar detalles para compartirlos. Para ti es extremadamente difícil comprometerte a una cosa y muchas veces no cumples tus promesas porque no sabes decir que no. Tu naturaleza despreocupada es encantadora y atractiva, sin embargo, en una relación larga tus excusas pueden cansar a tu pareja. Aprender sobre inteligencia emocional te permitirá ser más feliz. Te hará bien practicar ejercicio como el tai chi o el yoga para disciplinar tu mente y aumentar tu concentración.

Carta del tarot: El Mundo
Planetas: Mercurio y Venus
Frase: *La gente con buen humor es en cierto grado gente ingeniosa.* Samuel Taylor Coleridge

Fortalezas: Expresivo y comprensivo.
Debilidades: No cumple sus promesas, tiende a ser infiel.

NACIERON EN ESTE DÍA:
Samuel Taylor Coleridge
(poeta y filósofo)
Carrie Fisher
(actriz)
Dizzy Gillespie
(trompetista, cantante, líder de grupo y compositor)
Benjamin Netanyahu
(primer ministro israelí)
Alfred Nobel
(inventor y fundador del Premio Nobel)
Nick Oliver
(bajista de Queens of the Stoneage)

MEDITACIÓN:

Aprende a decir "no" a lo bueno para que puedas decir "sí" a lo mejor.

7♎

Octubre 22

NACIERON EN ESTE DÍA:
Catherine Deneuve
(actriz)
Joan Fontaine
(actriz)
Jeff Goldblum
(actor)
Spike Jonze
(cineasta)
Timothy Leary
(escritor y defensor
del uso del LSD)
Franz Liszt
(pianista y compositor)

MEDITACIÓN:

Sé positivo —ve lo invisible y logra lo imposible.

Eres una persona emocional y artística que tiene un corazón compasivo. Te interesan las artes, la historia y la cultura; tu vida laboral puede tener muchos caminos, siempre y cuando sientas una fuerte conexión con el grupo de gente con el que trabajas. Eres sensible a las necesidades de los demás y te preocupas por los "pequeños detalles" que en realidad sí son importantes —eres el que se acuerda de los cumpleaños y los aniversarios—. Tu relación amorosa es una prioridad en tu vida y sientas cabeza a temprana edad. Te encanta la vida doméstica y cuidar a tu familia, pero al ser el que la cuida tiendes a descuidar tus propias necesidades. La negatividad te afecta y en cuanto entras a una habitación sientes el ambiente que hay en ella. Para llenarte de energía y mejorar tu estado de ánimo, los *jacuzzis*, los baños de vapor y nadar son lo mejor.

Carta del tarot: El Emperador
Planetas: La Luna y Venus
Frase: *Siempre tienes la opción de recoger tus cosas y salirte de ahí.* Timothy Leary

Fortalezas: Compasivo, emocionalmente consciente.
Debilidades: Tiende a descuidarse, irritable.

LIBRA TÍPICO:

JOHN LENNON

"La vida es aquello que te va sucediendo mientras tú te empeñas en hacer otros planes".

RASGOS DE LIBRA:

Libra es amable, generoso y se preocupa por los demás. Sin embargo, al ser el signo de la balanza, siempre está el otro lado de su personalidad. Lo que más quiere Libra es encontrar el equilibrio, pero por lo general pasa su vida yendo de un extremo al otro.

Octubre 23

Eres una persona llamativa y carismática con un gran gusto por la vida. Brillas en público, eres una estrella y te encanta estar en el centro de atención. Sin embargo, en privado eres solitario, prefieres tu propia compañía o la de unos cuantos amigos íntimos en quienes confías. Te visualizas constantemente en la cumbre de tu profesión, pues el éxito es lo más importante para ti —sientes que no lo has logrado hasta que no estás en la cima—. Puedes ser implacable en el camino a lograr tus metas e inconsciente de cómo usas a los demás para alcanzarlas. Tienes un fuerte sentido del drama y estás enamorado de la vida teatral. Necesitas una relación en la que seas adorado y que tu pareja te recuerde cordialmente la necesidad de comprometerte. Una forma ideal de expresar tus pasiones es organizar eventos y recaudar fondos para la caridad.

NACIERON EN ESTE DÍA:
Pelé
(jugador de futbol soccer)
Michael Crichton
(escritor)
Diana Dors
(actriz)
Martin Luther King III
(defensor de los
derechos humanos)
Ang Lee
(director de cine)
Sam Raimi
(director de cine)

MEDITACIÓN:

Nunca mires a nadie por encima del hombro, a menos que estés ayudándole a levantarse.

Carta del tarot: El Hierofante
Planetas: Plutón y Venus
Frase: *No me gustan los espectáculos, no me gusta organizar un espectáculo, sólo quiero trabajar de manera íntima con mis actores.* Sam Raimi

Fortalezas: Cautivador, una celebridad de nacimiento.
Debilidades: Insensible, manipulador.

LIBRA TÍPICO:

MAHATMA GANDHI

"La fuerza no viene de la capacidad física, sino de una voluntad indomable".

RASGOS DE LIBRA:

Libra adora estar en el centro de atención y siempre está bien vestido para cualquier ocasión, no importa que no sea un evento elegante —siempre quiere verse lo más glamoroso que pueda.

Escorpión

24 de octubre – 22 de noviembre

LA MUERTE

CARTA DEL TAROT: La Muerte

ELEMENTO: Agua

ATRIBUTOS: Fijo

NÚMERO: 8

PLANETA REGENTE: Marte y Plutón

PIEDRAS PRECIOSAS: Hematita o cornalina

COLORES: Rojo y negro

DÍA DE LA SEMANA: Martes

SIGNOS COMPATIBLES: Cáncer, Piscis y Tauro

PALABRAS CLAVE: Reservado, misterioso, emocional e intenso, poderoso, fuerte, amigo leal, inspira fe, no se escandaliza, obsesivo y vengativo, se niega al cambio

ANATOMÍA: Sistema reproductor, órganos sexuales, intestinos, sistema excretor

HIERBAS, PLANTAS Y ÁRBOLES: Aloe, geranio, acebo, lonicera y árboles tupidos

FRASE CLAVE:
Yo deseo

Escorpión es el sanador del Zodiaco y tiene tres símbolos, el escorpión, el águila y el fénix. La mayoría de la gente ha escuchado que el Escorpión tiene un aguijón en la cola, además de eso, el águila le da la visión y el fénix le da la capacidad de morir y resurgir de las cenizas. De esta manera, Escorpión puede regenerarse y reinventarse. Escorpión es oscuro y misterioso; se le asocia a la muerte y al renacimiento. Rige los órganos sexuales y el sistema excretor, lo cual explica el secreto de Escorpión.

REGENTE PLANETARIO Y ATRIBUTOS

Escorpión es regido por Marte y Plutón, es un signo de agua fijo. Es como el agua profunda de una caverna subterránea. La fama de ser el signo más sexy se debe a su asociación con Marte, que originalmente era el dios de la fertilidad. Pero Escorpión es más profundo, de manera que Plutón, que se encuentra en el extremo exterior del Sistema Solar y es el más alejado del Sol, es el regente de este signo. En la mitología romana, Plutón es el dios de los infiernos y era el único dios en cuyo honor no se había construido ninguna estatua. No tenía rostro y era desconocido, algo así como el personaje de Darth Vader en *La guerra de las galaxias*. Plutón, el planeta enano, fue descubierto en 1930 y por él se llamó así al plutonio, de manera que se relaciona al poder nuclear. De esta forma se puede aprovechar para bien o para mal. Plutón también gobierna a los volcanes —un poder que destruye aunque también produce una tierra rica y fértil.

RELACIONES

Escorpión es emocionalmente intenso y tiene una cualidad atractiva y magnética. El hombre hipnotiza con su mirada y la mujer es el arquetipo de la seductora. Escorpión tiene que llevar el control y puede sospechar de los motivos de los demás. Te enamoras profundamente, pero si te lastiman te curas las heridas y te retiras a tu mundo privado. Tu alma gemela son los signos Cáncer y Piscis, pero la atracción más fuerte se da con tu signo opuesto —Tauro—. Virgo es un excelente amigo para ti pues es muy servicial, Capricornio se lleva bien contigo, en especial como socio en los negocios. Hay una fuerte lucha por el poder con los signos de fuego Leo y Aries. Los nacidos bajo el signo de Acuario pueden darte muchas sorpresas.

MITO

En la mitología griega, Escorpio es el escorpión que mató a Orión. Ambas constelaciones fueron colocadas en lados opuestos del firmamento para evitar conflictos. Escorpión es uno de los dos signos del Zodiaco que cruzan la Vía Láctea y se creía que eran almas que se iban después de la muerte. Escorpio sostiene en su centro a la brillante estrella roja Antares, una de las cuatro Estrellas Reales de Persia. Los chinos antiguos se referían a ella como "el Gran Fuego en el corazón del Dragón".

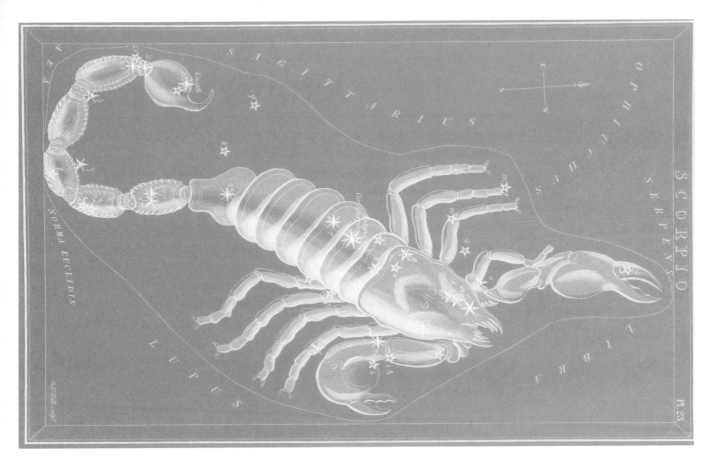

ESCORPIÓN TÍPICO:
SOR JUANA INÉS DE LA CRUZ

"Para tener celos basta sólo el temor de tenerlos;
que ya está sintiendo el daño, quien está sintiendo el riesgo".

PODERES DE ESCORPIÓN: Capaz de comprender los
sentimientos de los demás, ingenioso y devoto.

ASPECTOS NEGATIVOS DE ESCORPIÓN: Reservado
y vengativo.

Otra leyenda relacionada a Escorpión es la de Hércules y
la hidra. La hidra era un monstruo de ocho cabezas que vivía
en una cueva junto a un pantano. Hércules debía matar a la
bestia como una de sus doce tareas, pero cuando le cortaba
una cabeza, crecían muchas cabezas más. Finalmente utilizó
una antorcha para cauterizar la herida y así mató a la Hidra.
La moraleja es que Escorpión tiene el valor de enfrentarse a
monstruos al exponerlos a la luz para que pierdan su poder.

FORTALEZAS Y DEBILIDADES

Los nacidos bajo este signo son creativos, intensamente emocionales y amigos fieles y devotos que ofrecen un gran apoyo a los demás. Estás ahí en los momentos más oscuros y
nada te sobresalta. Eres un excelente escucha, tienes la capacidad de simpatizar y de ofrecer una sabiduría profunda, de
manera que serías un buen terapeuta o sacerdote. Eres un
investigador brillante, pues te encanta estudiar y descubrir
cómo funcionan las cosas. Tu naturaleza reservada te hace
ser desconfiado y eres capaz de tramar, elucubrar y manipular; tiendes a buscar venganza si te hacen enojar.

Igual que otros signos fijos, te cuesta trabajo deshacerte de
los resentimientos. Perdonas, pero jamás olvidas. Tu mayor
debilidad es la inflexibilidad y tu resistencia al cambio. Tu
mayor fortaleza es que, una vez que te comprometes, estás
por mucho tiempo.

MEDITACIÓN:

Está bien que te dejes ir, siempre y cuando puedas hacerte regresar.

Octubre 24

Eres una persona práctica y apasionada con un gran sentido del deber. Eres capaz de hacer con alegría las tareas más rutinarias y repetitivas —si estás enamorado de lo que haces y si sientes que dichas tareas son útiles para los demás—. Tienes un aura de dedicación y eres sumamente feliz cuando trabajas solo. Eres el prototipo del planificador, te encantan los sistemas y calculas todo hasta el más mínimo detalle. Esto provoca falta de espontaneidad y hace que tus impacientes amigos se desesperen. Puedes ser terco y en definitiva no pueden mangonearte. La primera impresión que das a tus parejas potenciales es la de una persona controlada y modesta, pero en privado eres un amante muy romántico y táctil. Estar en buena forma es una de tus prioridades y puedes correr mientras escuchas un audio libro de superación personal para combinar tus dos pasiones.

Carta del tarot: Los Enamorados
Planetas: Mercurio y Plutón
Frase: *Tengo pasatiempos muy interesantes, como la arqueología y la fotografía.* Bill Wyman

Fortalezas: Tiene los pies en la tierra, amoroso.
Debilidades: Obstinado y, algunas veces, cohibido.

MEDITACIÓN:

*Promete poco
y haz mucho.*

Octubre 25

Eres un comediante carismático, una persona que tiene una enorme elegancia y pasión. Tienes una imaginación vívida y el fervor artístico necesario para expresarte por medio de los medios creativos; puede ser a través del drama o de cualquier otra expresión intensa del arte que encuentres tu profesión. La gente y las relaciones rigen tu vida entera y tienes una gran necesidad de ser aceptado, lo cual puede ser un obstáculo para ti, pues no es posible satisfacer a la gente todo el tiempo. Algunas veces dices que sí cuando quieres decir que no y entonces no cumples tus promesas y terminas por molestar a la gente, sin querer. El romance y el amor son prioridad y eres muy feliz cuando estás con una sola persona. Con tu gracia y estilo innatos, un ejercicio ideal sería practicar bailes de salón con tu pareja y así pasarían juntos momentos divertidos.

Carta del tarot: El Carro
Planetas: Venus y Plutón
Frase: *Qué arte tan hermoso, pero qué profesión tan miserable.* George Bizet

Fortalezas: Creativo, cautivador.
Debilidades: Tiende a ser servil, incapaz de decir no.

Octubre 26

Eres una persona dinámica y poderosa que tiene fuertes convicciones. Eres controlado y seguro, con una gran determinación para triunfar. Has tenido pruebas en la vida y eres capaz de enfrentar situaciones que asustarían a otros. Con gusto pelearías por los más débiles y eres un resuelto defensor en cuestiones sociales. En la mayoría de los asuntos tienes opiniones arraigadas y puedes ser demasiado terco. Desde una temprana edad estás comprometido con tu propósito, tu objetivo es analizar e investigar cualquier asunto en profundidad. Lo superficial te molesta sobremanera y no toleras las tonterías. Tus relaciones son intensas y eres completamente leal. Una vez que te comprometes eres persistente y rara vez dejas a tu pareja. Debido a que guardas una gran cantidad de tensión en tu cuerpo, te haría muy bien una sesión de *shiatsu*, un masaje profundo o de acupresión

Carta del tarot: La Fuerza
Planetas: Plutón y Plutón
Frase: *Debes mantener intacta la diversión*. Seth MacFarlane

Fortalezas: Solidario, devoto.
Debilidades: Obstinado, impaciente.

MEDITACIÓN:

Un poco de aprendizaje es algo peligroso, pero demasiada ignorancia es igual de peligrosa.

Octubre 27

Eres una persona apasionada y franca que necesita tener una misión en la vida. Una vez que la descubres, tu visión te impulsa y tu compromiso es fuerte. Eres un filósofo y te encanta hablar sobre el sentido de la vida. Nada te conmociona, tu optimismo natural y tu buen humor estimulan a los demás cuando se enfrentan a problemas. Eres psicólogo de nacimiento y puedes convertirte en un maestro excelente de tus compañeros. Te fascina viajar y absorber culturas diferentes y podrías vivir en el extranjero. Puedes ser fanático en cuanto a tus creencias, tiendes a sermonear a la gente y eso le cansa —aunque no sea tu intención—. Dicho lo anterior, también eres muy persuasivo. Eres emocionalmente intenso, tu relación es un fundamento, aunque también necesitas que te den mucha libertad. Ir a una obra de teatro te transporta al mundo de fantasía que anhelas.

Carta del tarot: El Ermitaño
Planetas: Júpiter y Plutón
Frase: *La comedia siempre funciona mejor cuando tiene un toque mezquino.* John Cleese

Fortalezas: Perspicaz, positivo.
Debilidades: Dogmático, rotundo.

MEDITACIÓN:

El instinto es una habilidad que no se aprende.

Octubre 28

Eres una persona centrada y resuelta que cree que el trabajo es de vital importancia. Estás consciente de la necesidad de las metas y estás dispuesto a someterte a largos entrenamientos para mejorar tus capacidades. Eres aguerrido y demuestras tu fuerza ante cualquier problema, nada te perturba. Tienes una gran autodisciplina, entiendes y obedeces las reglas de la sociedad. Esperas demasiado de los demás y los juzgas cuando no cumplen con tus altos estándares. Debido a que tienes convicciones fuertes serías bueno en el mundo legal y de la política. Tienes una actitud seria y melancólica, aunque tienes un don para el humor y un ingenio irónico. En el amor sueles hacerte el difícil, lo cual es muy atractivo para el sexo opuesto. Trabajas demasiado, así que relajarte un poco, cantar y poner música te darán el equilibrio que necesitas para sentirte satisfecho.

Carta del tarot: La Rueda de la Fortuna
Planetas: Saturno y Plutón
Frase: *Conforme nos aproximamos al siguiente siglo, los líderes serán quienes fortalezcan a los demás.* Bill Gates

Fortalezas: Atento, seductor.
Debilidades: Crítico, rudo.

NACIERON EN ESTE DÍA:
Mahmoud Ahmadinejad
(presidente iraní)
Bill Gates
(presidente de Microsoft)
Cleo Laine
(cantante)
Joaquin Phoenix
(actor y músico)
Julia Roberts
(actriz)
Evelyn Waugh
(escritor)

MEDITACIÓN:

Si la música es el alimento del amor, que siga sonando.

Octubre 29

Eres una persona innovadora y singular, con gustos inusuales y un fuerte deseo de experimentar. Siempre estás probando los límites y te llama la atención explorar el mundo de la metafísica y las ciencias ocultas. Te encanta analizar y discernir la información, eres capaz de comprender conceptos profundos y abstractos. Tu capacidad para observar desde un punto de vista separado hace que seas excelente para resolver problemas y un buen árbitro. En tu vida personal valoras la verdad y la honestidad en todas tus relaciones. Con tu pareja demandas mucho espacio personal, aunque también deseas pasión y cercanía. Tiendes a retirarte y alejarte emocionalmente cuando las cosas se ponen muy intensas, aunque quieres que sigan siendo amigos. Te haría bien explorar tus emociones profundas con un terapeuta. El *shiatsu* es un buen tratamiento para modificar tu energía.

Carta del tarot: La Justicia
Planetas: Urano y Plutón
Frase: *Hay temporadas en las que sientes que eres demasiado sensible para estar en este mundo.* Winona Ryder

Fortalezas: Ingenioso, excelente para resolver problemas.
Debilidades: Emocionalmente protegido, un poco alejado de la realidad.

NACIERON EN ESTE DÍA:
Fanny Brice
(comediante y actriz de teatro)
Dan Castellaneta
(actor de doblaje, voz de Homero Simpson —en inglés)
Richard Dreyfuss
(actor)
Peter Green
(cantante, compositor, guitarrista de Fleetwood Mac)
Winona Ryder
(actriz)
Rufus Sewell
(actor)

MEDITACIÓN:

Recuerda que la pasión es humanidad universal.

Octubre 30

Aunque eres juguetón, eres una persona seria, que puede estar contenta y de buen humor un momento y al siguiente estar triste y melancólica. Siempre jovial, aparentas menos edad de la que tienes. Tu mente es muy curiosa y puedes pasar rápidamente de un tema a otro. Eres un escritor talentoso capaz de plasmar las emociones profundas que la gente siente y tienes la capacidad de reírte ante el lado oscuro de la vida. En las relaciones, te encanta la variedad y por ello revoloteas de una persona a otra. Tardas tiempo en sentar cabeza, aunque anhelas tener seguridad emocional. Conforme maduras comprendes que tener muchos amigos con diferentes intereses te estimula y te entretiene. De esta manera puedes sintetizar estos dos aspectos de tu personalidad.

NACIERON EN ESTE DÍA:
Charles Atlas
(fisicoculturista)
Ezra Pound
(escritor)
George Gilles de la Tourette
(neurólogo)
Mario Testino
(fotógrafo)
Henry Winkler
(actor)
Christopher Wren
(arquitecto)

Carta del tarot: La Emperatriz
Planetas: Mercurio y Plutón
Frase: *Las suposiciones son las termitas de las relaciones.* Henry Winkler

Fortalezas: Jovial y curioso.
Debilidades: Solemne, poca capacidad para mantener la atención.

MEDITACIÓN:

La risa es un calmante que no provoca efectos secundarios.

Octubre 31

Eres una persona sensible e impresionable que siente una gran nostalgia por el pasado. Tu hogar y tu familia son parte central de tu vida, tiendes a ser patriota en cuanto al país que elegiste para vivir. Buscas el triunfo en la vida —necesitas tener un propósito y la profesión que elijas es de vital importancia—. Tu preocupación por los demás te impulsa a crear cambios en la vida de las personas, puede ser a través de la política o trabajando para la caridad. En el aspecto personal, una vez que te comprometes te entregas por completo. Eres sensual y cariñoso, tu relación debe ser profundamente satisfactoria. Tu mayor deseo es estar con alguien que te ofrezca la seguridad emocional que anhelas y que entienda la profundidad de tus sentimientos. Eres una persona introspectiva y es fácil que caigas en el mal humor, ver una comedia romántica te hará sentir mejor.

NACIERON EN ESTE DÍA:
John Candy
(comediante y actor)
John Evelyn
(escritor de diarios)
Peter Jackson
(cineasta)
John Keats
(poeta)
Juliette Low
(fundadora de las Girl Scouts estadunidenses)
Jan Vermeer
(artista)

Carta del tarot: El Emperador
Planetas: La Luna y Plutón
Frase: *El paisaje está bien —pero la naturaleza humana es mejor.* John Keats

Fortalezas: Considerado y protector nato.
Debilidades: Tiende a ser pesimista, demasiado analítico de sí mismo.

MEDITACIÓN:

Ser optimista no te hace daño. Siempre puedes llorar después.

Noviembre 1

Eres un campeón y un guerrero apasionado con una fuerte determinación para triunfar en la vida. Eres un luchador, tienes un gran valor y fuerza emocional. Trabajas con determinación, pero puedes exagerar y terminar agotado. Necesitas tener una misión, una causa honorable a la cual dedicarte en cuerpo y alma. Te iría bien en el campo de la ciencia o la medicina y en el comercio, pero cualquiera que sea tu profesión, necesitas enfrentarte a retos constantes y estar físicamente en movimiento, pues eres impaciente e inquieto cuando estás sentado delante de un escritorio. En las relaciones, te encanta la emoción de la conquista, no importa que seas mujer, y cuando te comprometes eres una pareja muy fiel. Necesitas liberar tus emociones reprimidas, los juegos de combate, como el *hockey* sobre hielo o el *squash* son ideales para tu temperamento.

MEDITACIÓN:

Si te rindes al viento podrás dejar que te lleve.

Carta del tarot: El Mago
Planetas: Marte y Plutón
Frase: *La política es mi pasatiempo. Las obscenidades son mi vocación.* Larry Flynt

Fortalezas: Resuelto, guerrero.
Debilidades: Tiende a la ansiedad, emocionalmente retraído.

Noviembre 2

Eres una persona sensual y serena, con ingenio y astucia para los negocios y capaz de manejar grandes cantidades de dinero. Eres esencialmente callado, prefieres vivir en el campo y convivir con la naturaleza. Hay un aspecto de ti que es excelente en el poderoso mundo de la política o de la exploración de los misterios de la arqueología. Trabajas mucho, te diviertes intensamente y amas la buena comida y el vino. Cuando estás estresado es fácil que te des demasiados gustos y después te pones en un estricto régimen de autonegación. En las relaciones eres muy emocional o eres tan controlado que tu pareja pasa mucho tiempo tratando de averiguar lo que estás sintiendo. Esta tendencia a alejarte es un patrón viejo, es una buena idea que hagas un esfuerzo y que compartas tu mundo interior con tu amado.

MEDITACIÓN:

La confianza en uno mismo es el resultado del triunfo ante un riesgo.

Carta del tarot: La Suma Sacerdotisa
Planetas: Venus y Plutón
Frase: *Pues que coman pastel.* María Antonieta

Fortalezas: Astuto en los negocios, bondadoso.
Debilidades: Propenso a los excesos, algunas veces emocionalmente inhibido.

Noviembre 3

Eres una persona inteligente y alegre, muy social y de trato fácil. Eres devastadoramente ingenioso y tu sentido del humor raya en lo absurdo; esta habilidad es excelente para trabajar como comediante en una peña o como guionista de comedia. Siempre tienes un chiste preparado, aunque puede ser una forma de evitar tus emociones profundas; bateas las preguntas con una respuesta ingeniosa y no dejas que la gente vea tus debilidades. Algunas veces eres demasiado impertinente y el comentario incómodo puede tomar desprevenida a la gente. Eres apasionado y deseas explorar los secretos del funcionamiento del universo; estudiar astronomía y astrología te hará sentir satisfecho. En el amor cambias de opinión con frecuencia y te gusta tener varias velas prendidas. Disfrazarte es una forma excelente de relajarte y de explorar los diferentes aspectos de tu propia personalidad.

Carta del tarot: La Emperatriz
Planetas: Mercurio y Plutón
Frase: *Creo que los efectos especiales son como trucos de magia, una ilusión.* Tom Savini

Fortalezas: Sociable, comediante nato.
Debilidades: Impertinente, no se compromete.

NACIERON EN ESTE DÍA:
Adam Ant
(cantante y guitarrista)
Roseanne Barr
(actriz y comediante)
Charles Bronson
(actor)
Leopoldo III
(realeza belga)
Mutsuhito
(emperador japonés)
Tom Savini
(director de cine)

MEDITACIÓN:

Todo kit de supervivencia debería incluir un sentido del humor.

Noviembre 4

Posees una gran energía emocional, tienes un ímpetu por explorar las profundidades de la condición y experiencia humanas. Oscilas entre el extremo más alto y el más bajo y puedes estar malhumorado durante semanas. Tienes instinto de supervivencia y soportas grandes niveles de dolor emocional y físico. Gracias a tu profunda capacidad de percibir a la gente y a tu gran inteligencia serías un excelente psicólogo o médico. Sin embargo, cuando estás estresado, tus fuertes sentimientos pueden tomar el control y obligarte a tomar decisiones irracionales y demasiado subjetivas. Desde una edad temprana aprendes a ser auto-suficiente y mantienes escondidas muchas de tus emociones, lejos de la vista de los demás. Si te provocan demasiado explotas con la fuerza de un volcán. La pasión es muy importante para ti, así que tener una relación es esencial. Elige bien, pues tu pareja necesita recibir y darte mucho apoyo emocional.

Carta del tarot: El Emperador
Planetas: La Luna y Plutón
Frase: *Me parece bien tener que ver cómo actúo y lo que digo. Creo que es parte del crecimiento.* Sean Combs

Fortalezas: Intuitivo, decidido.
Debilidades: No razona, tiene mal genio.

NACIERON EN ESTE DÍA:
Ariel Chiappone
(artista)
Sean "Diddy" Combs
(rapero, productor de discos y diseñador de moda)
Don Eddy
(artista)
Robert Mapplethorpe
(fotógrafo)
Matthew McConaughey
(actor)
Matthew Rhys
(actor)

MEDITACIÓN:

La gente que se deja llevar por la rabia, siempre regresa mal.

Noviembre 5

Eres una persona extravagante con un gran magnetismo. Triunfas en donde los demás fracasan gracias a que posees una enorme determinación que nunca se rinde. Tienes necesidad de reconocimiento, de ser alguien, y harás lo que sea para lograrlo. Sin embargo, una vez que eres conocido te quejas sobre tu falta de privacidad. Puedes ponerte lentes oscuros en pleno invierno para esconderte y ponerle vidrios polarizados a tu coche. Eres una excelente persona de negocios; te atrae el trabajo en el glamoroso mundo de los medios de comunicación. Eres romántico de nacimiento y un amante ardiente; necesitas una relación segura para expresar tus emociones más profundas, siempre y cuando estés al mando. Te encanta vestirte elegante para cualquier ocasión, así que ir al teatro o a la ópera es perfecto para ti, en especial si te sientas en palco.

MEDITACIÓN:

El deseo de ser famoso tienta incluso a las mentes más nobles.

Carta del tarot: El Hierofante
Planetas: El Sol y Plutón
Frase: *No soy joven. Y ¿qué tiene de malo?.* Vivien Leigh

Fortalezas: Amoroso, determinado.
Debilidades: Obsesionado con la fama, dominante.

Noviembre 6

Eres una persona consciente y apasionada que realmente necesita servir a los demás. Eres comprensivo de la condición humana, de manera natural te atraen las profesiones relacionadas con la sanación. Tienes una clara comprensión y un don para analizar a la gente y las situaciones. Eres muy crítico, algunas veces, los demás no pueden soportar tu tajante honestidad, pero a medida que maduras, aprendes a suavizar lo que dices. Tiendes a apoyar a los más necesitados y tu naturaleza es caritativa. Te preocupas constantemente por tu salud y tu dieta; sueles experimentar las últimas tendencias en comida sana. Eres una persona muy física y tu pareja necesita darte mucho cariño y abrazos para que hacerte sentir amada. Camina en la naturaleza para restaurar tu equilibrio interior, pues tus procesos mentales pueden ser hiperactivos.

MEDITACIÓN:

La verdad dicha con mala intención es peor que todas las mentiras que puedas inventar.

Carta del tarot: Los Enamorados
Planetas: Mercurio y Plutón
Frase: *Todos sabemos lo que les pasa a las primeras damas que hablan de más.* Maria Shriver

Fortalezas: Benevolente, ferviente.
Debilidades: Generoso, crítico.

Noviembre 7

Eres una persona idealista, simpática e inteligente, elocuente y encantadora. Tienes el perfil ideal para el mundo del comercio; una gran capacidad para negociar y promover la paz y la armonía. Tienes un sentido innato de justicia, los abusos te incitan a protestar. Eres resistente y la gente puede subestimar lo poderoso que puedes ser. Eres bueno para la política y la dirección. Cuando te sientes inseguro eres manipulador para obtener lo que quieres. Necesitas una relación íntima para sentirte pleno, eres una pareja apasionada y romántica. Hablas con tu pareja durante horas y horas. Pero si te comprometes demasiado terminarás peleando. Practica artes marciales o esgrima para liberar la energía que tienes escondida.

NACIERON EN ESTE DÍA:
Albert Camus
(escritor)
Marie Curie
(científica)
Lise Meitner
(física nuclear, ganadora del Premio Nobel)
Joni Mitchell
(cantante, compositora, guitarrista y artista)
Tommy Thayer
(guitarrista de Kiss)
León Trotsky
(revolucionario ruso)

Carta del tarot: El Carro
Planetas: Venus y Plutón
Frase: *Sé menos curioso sobre la gente y más curioso sobre las ideas.* Marie Curie

Fortalezas: Elocuente, justo.
Debilidades: Dominante, a veces es calculador.

MEDITACIÓN:

Las cosas más suaves del mundo vencen a las cosas más duras.

Noviembre 8

Eres un rebelde sereno, una persona con fuertes deseos y una profundidad oculta. La gente te encuentra misterioso y fascinante, aunque siente que nunca te conoce realmente. La máscara que usas es resultado de tu necesidad de protección, pues eres muy sensible. Tienes una excelente memoria y nunca se te olvida nada. Si eres escritor, este don es maravilloso, pero también significa que te cuesta trabajo soltar los malos recuerdos y sanar viejas heridas. También eres controlador, lo cual dificulta que tengas socios en los negocios. En las relaciones personales eres devoto y constante, esperas que tu pareja sea igual. Cantar en voz alta, en privado, u organizar una noche de karaoke, si tienes buena voz, es una buena forma de liberar tu energía reprimida.

NACIERON EN ESTE DÍA:
Tom Anderson
(cofundador de MySpace.com)
Richard Curtis
(guionista)
Bonnie Raitt
(cantante, compositora y guitarrista)
Gordon Ramsay
(chef y personalidad de televisión)
Bram Stoker
(escritor)
Hermann Zapf
(diseñador de tipografías)

Carta del tarot: La Fuerza
Planetas: Plutón y Plutón
Frase: *Ningún hombre sabe, hasta que no ha padecido la noche, cuán dulce y venerada es la mañana para su corazón y su mirada.* Bram Stoker

Fortalezas: No es conformista, filosófico.
Debilidades: Dominante, emocionalmente frágil.

MEDITACIÓN:

Un pájaro no canta porque le respondan, canta porque tiene una canción.

143

NACIERON EN ESTE DÍA:
Spiro Agnew
(vicepresidente de Estados Unidos)
Hedy Lamarr
(actor e inventor)
Robert Dale Owen
(político y activista)
Adolphe Sax
(inventor del saxofón)
Anne Sexton
(poeta)
Stanford White
(arquitecto)

MEDITACIÓN:

*Ríndete cuando estés
por delante.*

Noviembre 9

Eres una persona melodramática y dinámica que tiene mucho qué decir —no existe un momento aburrido cuando estás tú—. Eres muy audaz, te encanta apostar por riesgos muy elevados y deseas tener aventuras extremas. Tus intereses son muy diversos y no soportas que algo o alguien te inmovilice. Vives tu vida en un lienzo amplio que inspira hasta a los más desconfiados. El problema es cuando adoptas una actitud moralista que proviene de tu fuerte convicción de mejorar a los demás y a ti mismo. Eres leal y generoso con las personas que te quieren y cumples tu palabra. En el amor necesitas a alguien dispuesto a explorar la vida contigo y que esté de acuerdo en dejar que hagas tus viajes solo. Volar en ala delta o en parapente es el deporte perfecto para ti, pues amas viajar y ver todo el panorama completo.

Carta del tarot: El Ermitaño
Planetas: Júpiter y Plutón
Frase: *Nunca discutas; repite tu afirmación.* Robert Dale Owen

Fortalezas: Dinámico, busca emociones.
Debilidades: Moralista, se aburre con facilidad.

NACIERON EN ESTE DÍA:
Richard Burton
(actor)
Eve
(rapera)
Brittany Murphy
(actriz)
Tim Rice
(autor de letras para musicales)
Roy Schneider
(actor)
Karl Shapiro
(poeta)

MEDITACIÓN:

*Una mente estrecha es
obstinada. Una mente
amplia es capaz de dirigir
y de ser dirigida.*

Noviembre 10

Eres una persona resuelta y ambiciosa. Desde temprana edad sabes lo que quieres lograr en la vida y tienes estándares altos. Tienes la capacidad de afrontar asuntos difíciles y por lo general triunfas gracias a tu fuerte moral y tu valor físico. Sin embargo, si fallas y eres ignorado en tu camino hacia la cima, tu frustración puede traducirse en problemas de salud. Eres experto en renovaciones y transformas la materia prima en "oro", ya sea un edificio, una compañía o a ti mismo. Eres una persona pragmática, pero no pones en riesgo tus principios, lo cual puede hacer que los demás piensen que eres inflexible. Las relaciones son algo serio para ti; te casas por amor y por tener seguridad financiera. Relajarte es esencial para tu bienestar emocional. Puedes remediar tu falta de flexibilidad bailando *jazz* estilo libre.

Carta del tarot: La Rueda de la Fortuna
Planetas: Saturno y Plutón
Frase: *Es muy importante aferrarte a tus valores, hacer caso a tus instintos, tomar tus propias decisiones.* Brittany Murphy

Fortalezas: Ambicioso y resuelto.
Debilidades: Obstinado, materialista.

Noviembre 11

Eres una persona excéntrica y poco convencional que necesita una gran cantidad de libertad personal. Te encanta escandalizar a la gente con tus ideas controversiales sobre la vida y tu forma de expresar tus ideas es con poder y pasión. Te interesa mucho el medio ambiente y haces campaña sobre temas como el calentamiento global. Te fascina innovar y eres el primero en comprar un coche híbrido o en instalar placas solares en el techo de tu casa. No eres tradicional, tu vida debe contener un toque dramático de peligro y un constante cambio. No eres monógamo por naturaleza y cuando eres joven abrazas la idea del "amor libre" aunque sólo te sirve para descubrir lo celoso que puedes ser. Conforme creces se vuelve más una idea que una realidad, pues aprendes a valorar la compañía intelectual.

Carta del tarot: La Justicia
Planetas: Urano y Plutón
Frase: *No soy de las personas que tratan de ser sofisticadas o de estar a la moda, definitivamente soy un individuo.* Leonardo DiCaprio

Fortalezas: Ambientalista, nada convencional.
Debilidades: Desconfía de sus parejas, abogado del diablo para causar conmoción.

MEDITACIÓN:

No lo arruines, los buenos planetas son difíciles de encontrar.

Noviembre 12

Eres una persona que está en contacto con los sueños más profundos del grupo. Puedes crear un sueño que tenga tanto poder y una intensidad tan magnética que posea las cualidades de un mito o cuento de hadas. Lo haces por medio de tu arte o tu propia vida, eres digno de ser recordado y nunca olvidado. Eres sensible y profundamente emocional; algunas veces te sobrecoge una enorme sensación de tristeza por el sufrimiento que ves en el mundo. Puedes ser inconsolable y propenso a las adicciones hasta que no aprendas a canalizar esos sentimientos y convertirlos en creatividad. Tus relaciones son el ingrediente de grandes sueños, con sus altibajos. Necesitas una pareja dispuesta a estar a tu lado y a compartir contigo las emociones. Adoras las películas y las buenas historias románticas, como *Lo que el viento se llevó*, le hacen bien a tu alma.

Carta del tarot: La Emperatriz
Planetas: Neptuno y Plutón
Frase: *Los años 60 fue una época en la que, por primera vez, una generación utilizó el poder de la música para unirse.* Neil Young

Fortalezas: Irrefrenable, perspicaz.
Debilidades: Demasiado sensible, dependiente.

MEDITACIÓN:

En medio de la dificultad se encuentra la oportunidad.

Noviembre 13

NACIERON EN ESTE DÍA:
San Agustín
(uno de los padres
de la iglesia latina)
Whoopi Goldberg
(actriz, escritora, personalidad de
radio y televisión, activista)
George V. Higgins
(escritor)
Art Malik
(actor)
Chris Noth
(actor)
Robert Louis Stevenson
(escritor)

MEDITACIÓN:

Haz que los demás se sientan bien consigo mismos para que tú te sientas bien contigo mismo.

Eres una persona carismática e intensa que tiene emociones muy profundas. Debido a tu naturaleza sensible y perspicaz tienes la capacidad de comprender el estado de ánimo de la gente y darle lo que quiere. Puedes hacerlo por medio de tus dones creativos como escritor, actor o sanador. Eres muy ambicioso y quieres dejar tu huella en el mundo —desde muy temprana edad—. Tienes una mente astuta y sagaz que te serviría mucho para los negocios, en especial en el mercado de valores gracias a tu gran intuición. Tus relaciones son una montaña rusa emocional, así que necesitas una pareja con los pies en la tierra y que no se desanime por tu estado de ánimo tan cambiante. Sin embargo, puedes caer en emociones negativas y hundirte en las profundidades de la autocompasión. Para sanar y restablecer tu equilibrio emocional prueba con la homeopatía.

Carta del tarot: El emperador
Planetas: La Luna y Plutón
Frase: *Guarda tus miedos para ti mismo y comparte tu valor con los demás.* Robert Louis Stevenson

Fortalezas: Intuitivo, decidido.
Debilidades: La negatividad lo abruma y algunas veces es ensimismado.

Noviembre 14

NACIERON EN ESTE DÍA:
Aaron Copland
(músico y compositor)
Verónica Lake
(actriz y modelo)
Claude Monet
(artista)
Peter Norton
(ingeniero de *software*)
Condoleezza Rice
(política estadunidense)
Carlos Príncipe de Gales
(primer heredero al
trono de Inglaterra)

MEDITACIÓN:

El efecto secundario de la arrogancia es la ignorancia —siempre hay algo qué aprender de los demás.

Eres una persona popular con un glamur innato y un encanto que hechiza. Te inclinas por investigar los aspectos más oscuros de la vida. Debido a tu gran necesidad de sexo, dinero y poder te es difícil comprometerte. Cuando te presionan defiendes tus creencias, incluso aunque no sean las más populares. Esto te conduce al centro del escenario, a una posición de liderazgo a la que perteneces, pero te muestras renuente a aceptar porque te da miedo estar tan expuesto. Trabajas arduamente y te entregas totalmente a cualquier proyecto en el que crees. Puedes ser arrogante e intolerante con las personas que no están de acuerdo con tus principios profundamente arraigados. Tu pareja debe verse bien junto a ti, pero sin quitarte protagonismo. Baja un poco tu ritmo de trabajo y deja tiempo para jugar y divertirte.

Carta del tarot: El Hierofante
Planetas: El Sol y Plutón
Frase: *¿De verdad esperan que sea el primer Príncipe de Gales de la historia que no tenga una amante?.* Carlos, Príncipe de Gales

Fortalezas: Luchador, encantador.
Debilidades: Arrogante, ligeramente superficial.

Noviembre 15

Eres una persona inteligente con una mente aguda y rápido ingenio. Eres un excelente organizador y planeador con un claro enfoque metódico. Puedes ser implacable, lo cual funciona muy bien cuando estás haciendo una limpieza a fondo porque tienes la capacidad de deshacerte de lo que ya no te es útil. Sin embargo, debido a que te fijas en cada detalle, eres capaz de ver y señalar los fallos de los demás. Tienes buenas habilidades físicas y una gran resistencia, de manera que puedes encontrar una buena profesión en los deportes. Tienes una enorme determinación que te hace ganar contra viento y marea. En las relaciones necesitas pasión y también seguridad —que no es fácil de encontrar en una persona—. Además, a veces tratas de organizar y controlar a tu pareja, lo cual no conduce a la felicidad. Cuidar tu cuerpo y perfeccionarlo te da una enorme satisfacción, así que te atraen el entrenamiento con pesas o el yoga.

Carta del tarot: El diablo
Planetas: Mercurio y Plutón
Frase: *Tuve un sueño en el que me reunía con Benny, Bjorn y Agnetha.* Anni-Frid Lyngstad

Fortalezas: Brillante y eficiente.
Debilidades: Controlador y criticón.

MEDITACIÓN:

Nadie se ha arrepentido jamás de haber dado lo mejor de sí.

Noviembre 16

Eres una persona encantadora y cautivadora, tienes ambición e ideales para lograr que el mundo sea un lugar mejor. Tus modales son impecables y siempre dices lo correcto, halagando y valorando a la gente. Tienes un gusto caro, compras lo mejor y es muy fácil que gastes más de la cuenta, no soportas que haya algo desagradable cerca de ti. No obstante, no eres débil, tienes un centro de acero en tu interior y puedes ejercer presión cuando es necesario. Tu trabajo ocupa el segundo lugar en tu vida personal, tiendes a considerar el matrimonio como una alianza. Eres sensible e intuitivamente sabes qué siente tu pareja y qué necesita. Puedes ser posesivo y tiendes a sentir celos si tu pareja no te pone suficiente atención. Organiza una cena a la luz de las velas para fomentar el romance.

Carta del tarot: El Carro
Planetas: Venus y Plutón
Frase: *No puedes hacer un buen trabajo si lo elegiste porque te inspira.* Maggie Gyllenhaal

Fortalezas: Amable, con modales refinados.
Debilidades: Superficial, despilfarrador.

MEDITACIÓN:

Hacer más por el mundo de lo que el mundo hace por ti —eso es éxito.

Noviembre 17

Eres un enigma, alguien a quien sólo unos cuantos conocen realmente, pero a quien todos respetan. Puedes ser muy reservado y desconfiado. Sin embargo eres digno de saludar con reverencia pues has soportado muchas batallas en tu vida y has salido triunfante. Tu corazón es fuerte y has desarrollado una fe y un optimismo enormes. Te fascina explorar el lado oscuro de la vida, te deleitas con las historias de horror o sobrenaturales. Eres de mente ágil y emites juicios astutos sobre las situaciones y la gente. Nada pasa inadvertido para tus ojos de lince, serías excelente en la investigación médica, el trabajo como detective o forense. Emocionalmente tienes deseos fuertes y necesidad de intimidad, así que una relación comprometida te hace bien. Necesitas un juego activo en el que puedas sacar tus emociones, como el *squash*.

NACIERON EN ESTE DÍA:
Nicolas Appert
(inventor)
Jeff Buckley
(cantante, compositor, guitarrista)
Peter Cook
(comediante)
Rock Hudson
(actor)
Martin Scorsese
(cineasta, actor y analista de cine)
Danny De Vito
(actor, director de cine y productor)

MEDITACIÓN:

Igual que la Luna —todos necesitamos un lado oscuro.

Carta del tarot: La Estrella
Planetas: Plutón y Plutón
Frase: *No existe la simpleza. La simpleza es difícil.* Martin Scorsese

Fortalezas: Leal y muy respetado.
Debilidades: Reservado, desconfiado.

Noviembre 18

Eres un guerrero, una persona con mente investigadora. Eres un ferviente defensor de cualquier causa en la que crees. No descansas en tu búsqueda de la verdad suprema. Estudias muchas materias —astronomía, psicología, filosofía y teología, pero puedes sentirte insatisfecho hasta que no encuentres un camino espiritual—. Tiendes a precipitarte sin planear correctamente y puedes ofender o molestar a la gente sin querer. Te encantan los deportes que te desafían y te ponen a prueba física y emocionalmente. Sientes pasión por el teatro y serías un gran empresario o promotor para un musical. Tu amante también es tu compañero y tú marcas el camino. Más adelante en tu vida, el romance tiene menos importancia para ti que una comunión espiritual. La ópera te ayuda a hacer más ligera tu vida diaria y es la manera ideal para sacarte de cualquier mal humor.

NACIERON EN ESTE DÍA:
Margaret Atwood
(escritora)
Wolfgang Joop
(diseñador de modas)
Wilma Mankiller
(primera mujer líder
de Nación Cherokee)
Alan Moore
(escritor)
Alan Shephard
(astronauta)
Owen Wilson
(actor)

MEDITACIÓN:

El privilegio de toda una vida es ser quien eres.

Carta del tarot: La Luna
Planetas: Júpiter y Plutón
Frase: *Hay un porcentaje de errores implícito en el proceso de escribir. El bote de basura se inventó por una razón.* Margaret Atwood

Fortalezas: Entusiasta, instintivo.
Debilidades: Inquieto, impulsivo.

Noviembre 19

Eres una persona tenaz y dedicada. Tienes una intensidad oscura, inquietante, que te hace sobresalir de los demás. Gracias a tu intelecto racional y a tu actitud reflexiva, desde que eras más joven han considerado que eres un alma vieja. Te sientes muy feliz cuando trabajas arduamente y constantemente te planteas nuevos retos. Encajas bien en la jerarquía de la sociedad, tu objetivo es ganarte la cumbre y permanecer ahí. Tu debilidad es que tiendes a ser cínico y a evaluar todo a nivel físico. Consideras que tu vida amorosa es un proyecto y te tomas tu tiempo antes de entregarte por completo. Tiendes a preocuparte y te agobias por las responsabilidades. El humor es tu mayor cualidad y te da la oportunidad de liberar energía. Hacer bromas inesperadas a tus amigos te brinda una felicidad infantil.

Carta del tarot: El Sol
Planetas: Saturno y Plutón
Frase: *El perdón es virtud de los valientes.*
Indira Gandhi

Fortalezas: Decidido, trabajador.
Debilidades: Desilusionado e irritable.

NACIERON EN ESTE DÍA:
Jodie Foster
(actriz)
Indira Gandhi
(primera ministra india)
Larry King
(anfitrión de programa
de entrevistas)
Calvin Klein
(diseñador de modas)
Ferdinand Lesseps
(constructor del Canal de Suez)
Meg Ryan
(actriz)

MEDITACIÓN:

Preocuparse no resuelve nada.

Noviembre 20

Eres una persona de gran fortaleza y determinación, que se preocupa mucho por los demás. Tienes un deseo enorme de llevar una vida útil y de servir de manera práctica al mundo. Posees un gran sentido común y eres totalmente confiable; eres un verdadero amigo en quien los demás confían. Eres sensible ante los problemas emocionales de la gente y te sientes atraído a profesiones de cuidados y sanación. También te encantan las renovaciones y estás siempre preparado para ponerte en marcha con un proyecto de remodelación. Tus relaciones son todo o nada y puedes estar solo mucho tiempo, hasta conocer a la persona adecuada; algunas veces eres muy posesivo y controlador, lo cual hace que la gente se aleje. La jardinería es favorable para ti y te pone en contacto con los ciclos de la vida.

Carta del tarot: El Juicio
Planetas: Venus y Plutón
Frase: *Soy el séptimo de nueve hermanos. Cuando eres de los más pequeños tienes que luchar para sobrevivir.* Robert Kennedy

Fortalezas: Confiable, decidido.
Debilidades: Dominante, codicioso.

NACIERON EN ESTE DÍA:
Robert Byrd
(político estadunidense)
Thomas Chatterton
(poeta)
Bo Derek
(actriz)
Mike D
(rapero de Beastie Boys)
Karl von Frisch
(zoólogo y ganador
del Premio Nobel)
Robert F. Kennedy
(político estadunidense)

MEDITACIÓN:

Los jardines son una especie de autobiografía.

NACIERON EN ESTE DÍA:
Bjork
(cantante, compositora)
Eduardo III
(monarca inglés)
Goldie Hawn
(actriz)
Emilio Pucci
(diseñador de modas)
Harold Ramis
(actor y director de cine)
Voltaire
(filósofo)

MEDITACIÓN:

Todo lo que vale la pena saber es difícil de aprender.

Noviembre 21

Eres un misterio, una persona que da la impresión de ser desenfadada y coqueta, pero que es tan profunda y enigmática como el océano. Tienes una imaginación poderosa y eres muy creativo. Tu mente es activa, siempre está ocupada aprendiendo algo nuevo, eres un educador talentoso. Siempre estás al teléfono, en contacto con tu amplia red de conocidos y te encanta compartir información —escribir la sección de chismes te viene como anillo al dedo—. En el amor sueles tener varias aventuras al mismo tiempo y te las arreglas para salirte con la tuya gracias a tu encanto desmedido. En el matrimonio necesitas a una pareja fácil de llevar y práctica, que te inspire y que no se preocupe por no entenderte totalmente. Eres el estudiante eterno, de manera que tu mejor aliado es alguien a quien respetes y que asuma el papel de maestro.

Carta del tarot: La Emperatriz
Planetas: Mercurio y Plutón
Frase: *Una frase inteligente no demuestra nada*. Voltaire

Fortalezas: Innovador, culto.
Debilidades: Inconstante, chismoso.

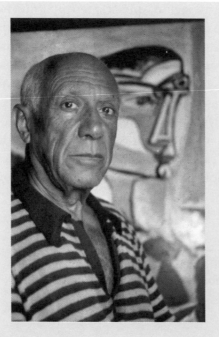

ESCORPIÓN TÍPICO
PABLO PICASSO
"Si sólo existiera una verdad, no podrías pintar cientos de lienzos sobre el mismo tema".

RASGOS DE ESCORPIÓN:
Los Escorpión son famosos por su mirada intensa, hipnótica —sus ojos miran fijamente a tu alma y te analizan antes de dejar que te acerques. Escorpión es frío como el hielo y rara vez expresa sus emociones por medio de expresiones faciales como ruborizarse, arrugar la frente o sonreír —las sonrisas, aunque son contadas, siempre son genuinas.

Noviembre 22

Eres una persona creativa y sincera con un fuerte sentido de sí mismo. Eres emocionalmente resistente y compasivo, puedes ser muy protector. Cuidas ferozmente de los demás y los proteges, en especial a los niños y a los desfavorecidos. Esto te lleva a profesiones humanitarias en las que puedes ascender hasta tener posiciones de mando. La gente no te intimida, no importa su estatus, y disfrutas de las peleas, pues te deleitas en las emociones fuertes. Te van bien las posiciones de poder, ya que los demás sienten que pueden confiar y depender de ti. Tus relaciones son complejas —eres leal y firme, aunque también puedes ser demandante y dependiente—. La vida familiar te es muy satisfactoria y anhelas recrear la infancia perfecta. Cuando te sientes estresado o demasiado emocional, las flores de Bach son el remedio ideal para ti.

NACIERON EN ESTE DÍA:
Wilhelm Friedemann Bach
(compositor)
George Eliot
(escritor)
Charles de Gaulle
(presidente francés)
Terry Gilliam
(cineasta)
Scarlett Johanson
(actor)
Dora Maar
(artista y musa de Picasso)

Carta del tarot: El Emperador
Planetas: La Luna y Plutón
Frase: *Los animales son amigos que siempre están de acuerdo —no te hacen preguntas, no te critican.* George Eliot

Fortalezas: Incondicional, cuida de los demás.
Debilidades: Emocionalmente dependiente, posesivo.

MEDITACIÓN:

En el tiempo de la prueba, la familia es lo mejor.

ESCORPIÓN TÍPICO:

JULIA ROBERTS

"Rara vez me enojo. Casi nunca monto en cólera. Y cuando lo hago, siempre hay una buena razón. Por lo general tengo un carácter muy fácil. Tomo las cosas de manera alegre y divertida".

RASGOS DE ESCORPIÓN:
Es muy emocional y de naturaleza apasionada, en el amor Escorpión examina a fondo antes de dejarse ir. Quiere saber exactamente qué recibirá a cambio de su lealtad y su devoción.

Sagitario

23 de noviembre – 21 de diciembre

LA TEMPLANZA

CARTA DEL TAROT: La Templanza

ELEMENTO: Fuego

ATRIBUTOS: Mutable

NÚMERO: 9

PLANETA REGENTE: Júpiter

PIEDRAS PRECIOSAS: Topacio

COLORES: Azul oscuro, morado

DÍA DE LA SEMANA: Jueves

SIGNOS COMPATIBLES: Leo, Piscis

PALABRAS CLAVE: Honesto y atrevido, magnánimo y generoso, expansivo, inspirador, tiende a la exageración, bocón, poco práctico e inestable

ANATOMÍA: Nalgas, caderas, hígado, nervio ciático

HIERBAS, PLANTAS Y ÁRBOLES: Rosas y claveles, peonias, zarzamora, fresno, castaña

FRASE CLAVE:
Yo busco

Sagitario es el optimista y el maestro, el arquero centauro, mitad humano mitad caballo. Como el signo que corresponde a los muslos del cuerpo, donde se encuentran los músculos más fuertes, Sagitario tiene que estar en movimiento y viajar grandes distancias. Los nacidos bajo este signo se interesan por los deportes y les encantan los caballos —lo cual no es raro pues su símbolo es el centauro; mitad humano, mitad caballo—. Buscan la verdad y son como el arquero que dispara sus flechas —su intelecto perforador— hacia el cielo, a los reinos superiores.

Es el noveno signo del Zodiaco, cuando las noches son largas. En las tradiciones de los nativos americanos es la época del año de sentarse alrededor de una fogata y contar historias. Sagitario es el narrador de aventuras del Zodiaco. Son visionarios que viven en el futuro.

REGENTE PLANETARIO Y ATRIBUTOS

Sagitario es un signo mutable de fuego. Por ser el último signo de fuego tomas la llama creativa y la compartes con los demás, así que eres un excelente maestro nato. Regido por Júpiter, el gigante de los planetas, Sagitario es un signo de visión global. Júpiter corresponde a Zeus, el rey de los dioses que rige los cielos. Las historias de sus conquistas sexuales son legendarias, sin embargo, su mayor preocupación es engendrar una raza y por ello es que Júpiter está exaltado en Cáncer, el signo de la familia.

Júpiter también es el arquetipo de Santa Claus —alegre, generoso y grande—. Asimismo fue conocido como el dios del trueno y es omnipotente, por lo general en sentido positivo. Júpiter nos muestra en lo que tenemos fe y nuestra religión personal.

RELACIONES

Sagitario es el alma de la fiesta y es una compañía cordial. Le encanta socializar, pero también desea libertad y no le gusta que lo inmovilicen. Los otros signos de fuego, como Leo, son una buena pareja, siempre y cuando se dirijan a la misma dirección. Los signos de aire pueden ser explosivos, los signos de agua dan cariño, pero son demasiado sensibles para el ímpetu de Sagitario. También hay gran afinidad con el otro signo regido por Júpiter —Piscis— pues comparten el mismo punto de vista filosófico sobre la vida. Los signos de tierra, Tauro y Capricornio, son los mejores para una relación de negocios, siempre y cuando tu fuego pueda arder con gran resplandor.

CONSTELACIÓN Y MITO

La constelación de sagitario representa al centauro Quirón, que era un sabio sanador y tutor de muchos héroes griegos. Según la leyenda fue herido accidentalmente en el muslo por una de las flechas de Hércules que estaba impregnada con la sangre venenosa de la Hidra. No podía morir porque era inmortal, pero tampoco podía sanar por

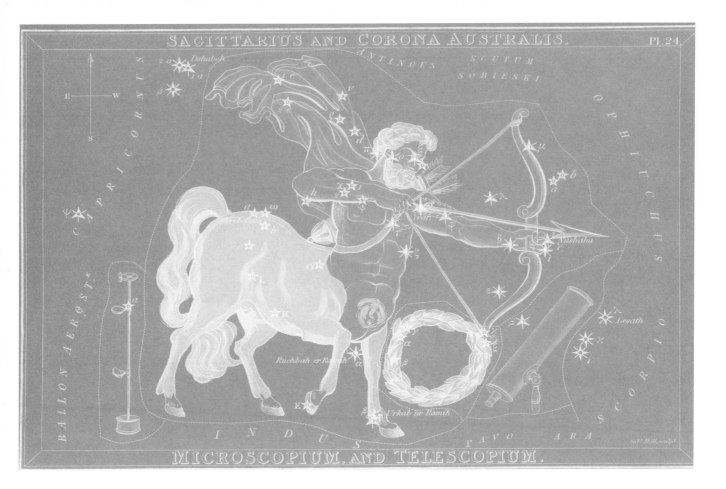

completo. Después de sufrir durante mucho tiempo intercambió su lugar con Prometeo, quien había robado el fuego para dárselo a la humanidad y los dioses estaban torturándolo para castigarlo. Quirón renunció a su inmortalidad y aceptó voluntariamente su muerte. Como reconocimiento de su sacrificio y su anterior servicio, los dioses lo recompensaron colocándolo en el firmamento en forma de constelación.

FORTALEZAS Y DEBILIDADES

Los Sagitario son los misioneros, los exploradores y los abogados del mundo. Tu entusiasmo y optimismo no tienen igual. Tienes una enorme fe y confianza en tu capacidad, aunque puedes ser inestable y demasiado entusiasta y muchas veces abandonas los planes antes de completarlos. Sagitario no tiene malicia, eres directo y franco a la hora de expresar tus ideas. Tu deseo de influir sobre los demás y decirles en qué están equivocándose puede dar la impresión de que eres obstinado y puritano. Eres un anecdotista nato y te encanta hablar, aunque ignoras las señales sutiles para que te calles. Sagitario es un excelente abogado, pues es amante de la verdad.

SAGITARIO TÍPICO:

DIEGO RIVERA

"La felicidad suprema del vivir, es el amor en todas sus formas".

PODERES DE SAGITARIO: Muy ambicioso, fidedigno y sincero.

ASPECTOS NEGATIVOS DE SAGITARIO: Puede ser desorganizado y donjuán.

153

9

MEDITACIÓN:

La meditación te brinda sabiduría; la falta de meditación te lleva a la ignorancia.

Noviembre 23

Eres un pensador positivo con un entusiasmo contagioso por la vida. Eres extravagante con el dinero, disfrutas apostando, pues te encanta ganar y correr riesgos. Eres algo inocente y algunas veces puedes ser infantil, incluso ingenuo. Vives en el futuro y tienes una extraordinaria capacidad para prever las tendencias. Serías excelente como actor, productor, director de cine o de televisión. Eres sociable y muy cordial, te encantan las fiestas y ser el anfitrión, pues te gusta presumir, así que mientras más grandioso y glamoroso sea el evento, mejor. Tu objetivo es el estilo de vida de los reyes. La pasión te alimenta y también el drama y la emoción que implica el romance. A pesar de que en el amor te lastiman con frecuencia, te recuperas pronto. Tu idea de felicidad es tocar un solo ante un público que te adore.

Carta del tarot: El Hierofante
Planetas: El Sol y Júpiter
Frase: *Del dicho al hecho, hay mucho trecho*. Billy the Kid

Fortalezas: Pensador positivo, intuitivo.
Debilidades: Presumido, algunas veces inocente.

MEDITACIÓN:

Cualquiera puede vivir con dulzura, paciencia, amor y pureza hasta que se mete el Sol.

Noviembre 24

Eres una persona amable, cálida y servicial que posee el don de la persuasión con argumentos claros y bien razonados. Tu sentido del humor raya en lo escandaloso, lo cual gusta y entretiene a los demás. Eres un perspicaz observador de la condición humana y tienes la invaluable capacidad de reírte de ti mismo. Cuando te sientes inseguro, tu ingenio tiene un toque sarcástico y te muestras demasiado crítico y pedante. Tu mente es astuta y curiosa y tienes un gran talento para ser educador o maestro. Para ti es muy importante hablar y discutir ideas, tus relaciones románticas deben satisfacer tu exigente criterio. Necesitas tener espacio para deambular, pues eres amante de la aventura y de la libertad. Escaparte en tu moto o irte en un avión a cualquier lugar exótico es interesante y te mantiene joven.

Carta del tarot: Los Enamorados
Planetas: Mercurio y Júpiter
Frase: *La fama es que te pidan tu autógrafo en la parte posterior de una cajetilla de cigarros.* Billy Connolly

Fortalezas: Divertido, persuasivo.
Debilidades: Crítico, mordaz.

Noviembre 25

Eres una persona optimista, que le gusta divertirse y que ama todo sobre la vida. Adoras a la gente, tu pasatiempo favorito es ver gente pasar. Eres muy social, así que necesitas una profesión que te dé mucho espacio para moverte durante el día. Eres un excelente publirrelacionista o vendedor, pues tienes una red de conocidos y un amplio círculo de amigos. Como resultado, te enteras de las oportunidades de negocios y estás preparado para correr riesgos. Tienes mucha suerte, lo que puede traducirse en envidia por parte de los demás. Consideras que tu relación romántica es una gran aventura y necesitas drama y pasión. Tienes el talento de encontrar el regalo perfecto que anima a tu pareja cuando no se siente bien. Ir a la ópera o a un concierto al aire libre, de preferencia en una ciudad extranjera, va con tu estilo teatral.

Carta del tarot: El Carro
Planetas: Venus y Júpiter
Frase: *Alguien que siempre hace su mayor esfuerzo se vuelve un líder natural, sólo dando el ejemplo.* Joe DiMaggio

Fortalezas: Alegre y positivo.
Debilidades: Inquieto y demasiado dramático.

MEDITACIÓN:

El exceso ocasional es emocionante.

Noviembre 26

Eres una persona irresistible y fascinante, con ganas de probar todo lo que la vida ofrece. Estás en una constante búsqueda de conocimiento, de ver por debajo de la superficie y de explorar las profundidades de las emociones humanas. Siempre estás en busca de retos y te encanta que te pongan a prueba para comprobar tu capacidad; esto puede hacer que seas extremista, volátil e impredecible. Captas el ambiente en cuanto entras a algún lugar y nadie puede engañarte; cualidades de un detective brillante. Aunque vives de manera arriesgada, anhelas la seguridad que te proporciona una relación amorosa. Una vez que te comprometes eres una pareja leal y apasionada. Necesitas muchos estímulos mentales y emocionales, lo cual dificulta que puedas relajarte. Los parques de atracciones, con sus juegos emocionantes y espectaculares, fueron diseñados para ti.

Carta del tarot: La Fuerza
Planetas: Plutón y Júpiter
Frase: *No me gusta vivir en el pasado.* Tina Turner

Fortalezas: Cautivador, entusiasta.
Debilidades: Volátil, corre riesgos.

MEDITACIÓN:

Tu mente es tu instrumento. Aprende a ser su amo y no su esclavo.

9 ↗

MEDITACIÓN:

Una mente tranquila no es perturbada por las olas de los pensamientos.

Noviembre 27

Eres una persona llamativa y alegre que siente un gran amor por la gente. Eres sociable por naturaleza, por lo general te encuentras en el centro del grupo, divirtiendo a todos con tus chistes y tus ocurrencias. Eres platicador y puedes hablar durante horas, dando sermones sobre tus temas favoritos. Eres extremadamente honesto y estás comprometido con la verdad, serías un excelente predicador evangélico. Constantemente buscas el conocimiento, nunca terminas de estudiar y te gusta viajar a lugares lejanos por el solo hecho de viajar. Sin embargo, tu naturaleza inquieta puede volverte torpe y descuidado. Tu relación debe ser divertida y permanecerás con alguien que te haga reír. Aunque te irás si sientes que tu pareja está frenándote. La diversión ideal para ti es montar a caballo y te da la conexión con la naturaleza que necesitas.

Carta del tarot: El Ermitaño
Planetas: Júpiter y Júpiter
Frase: *Si soy libre es porque siempre estoy huyendo.* Jimi Hendrix

Fortalezas: Alegre y sincero.
Debilidades: Inquieto, descuidado.

MEDITACIÓN:

El primer paso de la sabiduría es cuestionarlo todo.

Noviembre 28

Debido a que eres una persona con ideas expansivas, aunque con una tendencia cautelosa y conservadora, tu naturaleza es paradójica. Amas la vida desde tu juventud y esto aumenta conforme creces y la gente comienza a tomarte más en serio. Tienes un profundo deseo de que te respeten y te traten como a un experto, trabajas arduamente para ganarte dicha posición. Disfrutas enormemente compartir tu conocimiento y eres un gran orientador. Te encanta iniciar nuevos proyectos y tienes un gran deseo de comprender conceptos nuevos. En tu vida exploras nuevas fronteras, te inspiran las historias del espacio exterior ¡y podrías terminar trabajando para la NASA! El regalo ideal para ti es un telescopio o una película de ciencia ficción. Una vez que te comprometes, tu relación romántica es para siempre. Anhelas tener una familia propia y eres un padre devoto y responsable.

Carta del tarot: La Rueda de la Fortuna
Planetas: Saturno y Júpiter
Frase: *Una verdad dicha con mala intención destruye todas las mentiras que puedas inventar.* William Blake

Fortalezas: Explorador, orientador sabio.
Debilidades: Cauteloso, desea ser admirado.

Noviembre 29

Eres una persona tan inteligente que raya en lo genial. Amas la libertad y no puedes ser atado, siempre buscas explorar nuevas fronteras. Tus ideas son originales e innovadoras y muchas veces son adelantadas a tu tiempo. Es posible que elijas el camino de la ciencia o la religión. Deseas crear grandes visiones épicas, aunque no siempre sean prácticas. Hagas lo que hagas, siempre sobresales del resto por estrafalario y excéntrico. Los grupos de empresas te atraen mucho. Por lo general, tus relaciones comienzan en la amistad, necesitas una pareja intelectual, que te estimule y comparta tus intereses. Tu carácter es independiente, por lo que te atraen las relaciones de larga distancia y puedes verte envuelto en triángulos amorosos. El paracaidismo y los parques de aventuras satisfacen tu necesidad de emociones fuertes.

Carta del tarot: La Justicia
Planetas: Urano y Júpiter
Frase: *Los fracasos son señales en el camino al logro.* C. S. Lewis

Fortalezas: Brillante, pionero.
Debilidades: Impráctico, soñador.

NACIERON EN ESTE DÍA:
Louisa May Alcott
(escritora)
Carlos I
(monarca inglés)
Christian Doppler
(físico)
C. S. Lewis
(escritor)
Jacques Chirac
(presidente francés)
Margarita Tudor
(monarca escocesa)

MEDITACIÓN:

Sé lo que la naturaleza pretende para ti y triunfarás.

Noviembre 30

Eres una persona divertida, con un sentido del humor irreverente y algunas veces absurdo. En tu interior hay un Peter Pan —siempre jovial y que nunca crece—. Vives para las aventuras y te encanta contar historias con moralejas. El propósito de tu vida es la comunicación de ideas, ya sea como portavoz, misionero o redactor de textos publicitarios. Eres capaz de inspirar a los demás y elevar su espíritu. La gente acude a ti en busca de información, consejo y asesoramiento, y a ti te encanta guiarla y ayudarle. Algunas veces no centras tus esfuerzos y te involucras en demasiados proyectos, los cuales dejas sin terminar. Tu tendencia a coquetear y tus deseos de viajar te meten en problemas con tu pareja, hasta que no encuentras a la persona adecuada para viajar por la vida con ella. Cuando te estresas te pones de mal humor, así que ve una película de los hermanos Marx para alegrarte.

Carta del tarot: La Emperatriz
Planetas: Mercurio y Júpiter
Frase: *La actitud es ese pequeño detalle que marca la diferencia.* Winston Churchill

Fortalezas: Motivador, intrépido.
Debilidades: No se concentra, irritable.

NACIERON EN ESTE DÍA:
Shirley Chisholm
(primera mujer negra del congreso de Estados Unidos)
Winston Churchill
(primer ministro británico)
Abbie Hoffman
(activista)
Ben Stiller
(actor y escritor)
Jonathan Swift
(escritor)
Mark Twain
(escritor)

MEDITACIÓN:

Sólo las grandes pasiones son capaces de llevar al alma a cosas grandiosas.

9

Diciembre 1

NACIERON EN ESTE DÍA:
Woody Allen
(comediante, escritor
y director de cine)
Candace Bushnell
(escritora)
Luis VI
(monarca francés)
Bette Midler
(cantante y actriz)
Lee Travino
(golfista profesional)
Madame Tussaud
(escultora)

Eres una persona entusiasta y franca que vive en el carril de alta velocidad. No tienes fama de ser paciente, te agradan los retos y te mueves rápidamente de un proyecto al siguiente. Eres generoso y es muy divertido estar contigo. Sin embargo, la sensibilidad no es tu fuerte y tus comentarios, aunque muchas veces son acertados, pueden ser rudos y molestan a la gente. Eres apasionado y muy dinámico, siempre ves el lado positivo de la vida. Te gusta apostar y no te da miedo correr riesgos, de manera que reúnes las cualidades de un emprendedor. Tus relaciones amorosas son dramáticas y tu debilidad es que tiendes a no escuchar lo que tu pareja está diciéndote porque estás siempre con prisas. En el aspecto físico puedes agotarte con facilidad, así que recarga tus energías con complementos alimenticios sanos y con un día de descanso total.

MEDITACIÓN:

Ríe siempre que puedas; es una medicina barata.

Carta del tarot: El Mago
Planetas: Marte y Júpiter
Frase: *De lo único que me arrepiento en la vida es de no ser otra persona.* Woody Allen

Fortalezas: Gran dinamismo y entusiasmo.
Debilidades: Insensible, tosco.

Diciembre 2

NACIERON EN ESTE DÍA:
María Callas
(cantante de ópera)
Otto Dix
(artista)
Monica Seles
(campeona de tenis)
Georges Seurat
(artista)
Britney Spears
(cantante)
Gianni Versace
(diseñador de modas)

Eres una persona talentosa y segura de sí misma que ama a la vida. Eres muy sensual, cálido y abierto, eres atractivo y la gente suele adorarte. Eres espontáneo, divertido e intrigante, aunque tiendes a ser irritable. La música y el arte son una parte muy importante de tu vida, ya sea como *hobby* o como profesión. Por medio de tu talento y tu habilidad para asociarte con gente influyente puedes acumular grandes cantidades de dinero. Te deleitas estando en la vanguardia de la escena social y política. Tu debilidad es que puedes vivir en un mundo de sueños y pasar por alto la difícil realidad de la vida. Una pareja romántica que comparta tu sentido de la diversión y que disfrute de vivir al límite te ayudará a mantener la perspectiva y el equilibrio. Cuando estás molesto puedes gastar mucho dinero, por lo que invertir en un masaje es la mejor manera de ponerte de buen humor y relajarte.

MEDITACIÓN:

Atesora todos los momentos de gozo, pues son un excelente colchón para la vejez.

Carta del tarot: La Suma Sacerdotisa
Planetas: Venus y Júpiter
Frase: *Me preparo para los ensayos de la misma manera en que me preparo para el matrimonio.* María Callas

Fortalezas: Genuino y apasionado.
Debilidades: Comprador compulsivo, soñador.

Diciembre 3

Eres una persona con mucha imaginación y muy creativa que adora arriesgarse en la vida. Eres valiente y tiendes a correr riesgos, ya sea en los negocios, en las relaciones o en los deportes. Reúnes información y conocimiento; a lo largo de tu vida estás experimentando y nunca dejas de explorar. Eres un comunicador hábil, podrías ser un talentoso escritor o periodista —los viajes y la filosofía son tus especialidades—. Tienes un lado travieso y puedes ganarte a la gente por completo con una frase breve y expresiva. En tus relaciones amorosas necesitas mucha libertad y huyes de las demostraciones de emociones fuertes. Esto enfurece a tu pareja y, como resultado, puedes huir de relaciones potencialmente buenas. Te encanta socializar, pero es muy fácil que caigas en el exceso, así que escuchar música con audífonos te dará el tiempo de descanso que necesitas.

Carta del tarot: La Emperatriz
Planetas: Mercurio y Júpiter
Frase: *Incluso las acciones más francas de un hombre tienen un lado secreto.* Joseph Conrad

Fortalezas: Creativo, intrépido.
Debilidades: Teme al compromiso, emocionalmente inhibido.

NACIERON EN ESTE DÍA:
Carlos VI
(monarca francés)
Joseph Conrad
(aventurero y escritor)
Anna Freud
(sicoanalista y escritora)
Jean Luc Goddard
(director de cine)
Daryl Hannah
(actriz)
Ozzy Osbourne
(cantante, compositor
de Black Sabbath)

MEDITACIÓN:

Los errores son la puerta al descubrimiento.

SAGITARIO TÍPICO:

BRAD PITT

"El éxito es un monstruo. En realidad hace énfasis en el aspecto equivocado. Te sales con la tuya en lugar de mirar en tu interior".

RASGOS DE SAGITARIO:

El hombre Sagitario es más un niño pequeño que un hombre, en especial cuando usa su encanto. Es muy popular gracias a su capacidad para reírse, lo que se traduce en que tiene seguidores leales. No puede quedarse en un mismo lugar durante mucho tiempo, pues el recuerdo de los buenos momentos es demasiado fuerte.

Cuando dejan salir sus lágrimas suelen provocar el instinto maternal de las mujeres y utilizan esta treta para su provecho.

9

Diciembre 4

Eres una persona emocional y dramática cuyo corazón manda sobre su cabeza; un verdadero optimista, de naturaleza sensible, que se preocupa por los demás. No importa lo que pase, estás convencido de que las cosas saldrán bien. La gente puede engañarte, pues los menos escrupulosos que tú te engañan fácilmente. Tu fe ilimitada siempre inspira a los demás, tu entusiasmo eterno te hace muy popular. Cualquiera que sea tu campo de trabajo, la gente que interactúa contigo es lo que más te importa. Tienes un deseo ardiente de viajar y tiendes a ser inquieto cuando estás en una relación. Igual que tu gusto por un hogar cómodo y acogedor, tu necesidad de aventuras es fuerte y de repente puedes hacer tus maletas e irte —tener hijos te ayudará a asentarte—. Lo ideal para relajar tu temperamento es nadar rápidamente y después relajarte en una sauna.

Carta del tarot: El Emperador
Planetas: La Luna y Júpiter
Frase: *Estoy consciente de que el patriotismo no es suficiente. No debo sentir odio, ni resentimientos por nadie.* Edith Cavell

Fortalezas: Optimista, amable.
Debilidades: Ingenuo, inquieto.

NACIERON EN ESTE DÍA:
Gae Aulenti
(arquitecta y artista)
Tyra Banks
(modelo y personalidad de televisión)
Jeff Bridges
(actor)
Edith Cavell
(enfermera y heroína de la Primera Guerra Mundial)
Dennis Wilson
(baterista, miembro fundador de The Beach Boys)
Jay-Z
(rapero, dueño de disquera)

MEDITACIÓN:

Los hombres más sabios siguen su propia dirección.

Diciembre 5

Eres una persona formidable con una imaginación muy creativa. Tienes un gran corazón y una poderosa visión que inspiran a mucha gente. Irradias una profunda calidez, lo cual hace que muchas personas te sigan. Imprimes originalidad y genialidad a todo lo que tocas, el escenario o una gran compañía es tu ambiente natural. Necesitas ser el líder y estar bajo los reflectores —de lo contrario eres petulante y puedes armar un berrinche—. Tu mayor problema es el orgullo. Eres un romántico empedernido y te encanta estar enamorado. Todo marcha de maravilla siempre y cuando des a tu pareja toda la atención que quieres recibir. Hacer ejercicio en el gimnasio, donde puedes presumir tus habilidades, es maravilloso para fortalecer la confianza en ti mismo.

Carta del tarot: El Hierofante
Planetas: El Sol y Júpiter
Frase: *Es divertido hacer lo imposible.* Walt Disney

Fortalezas: Líder nato, creador.
Debilidades: Tiende a hacer berrinches, orgulloso.

NACIERON EN ESTE DÍA:
Bhumibol Adulyadej
(rey de Tailandia)
José Carreras
(cantante de ópera)
Walt Disney
(animador, cineasta y empresario)
Werner Heisenberg
(científico, ganador del Premio Nobel)
Little Richard
(cantante, compositor, pianista)
Christina Rossetti
(poeta)

MEDITACIÓN:

Valor es hacer lo que temes hacer.

Diciembre 6

Eres una persona discretamente encantadora, con una modestia innata, pero capaz de ocupar el lugar central del escenario y la posición de líder cuando la estimulan. Eres dedicado con tus grandes ideales y trabajas arduamente para alcanzar tus metas. Te fascinan las palabras y los sonidos, transmites con mucho entusiasmo tu amor por la vida como escritor o músico. Eres minucioso y haces lo necesario para prepararte para cualquier tarea importante en la que te involucres. Puedes obsesionarte con cotejar información o con no deshacerte de nada "por si algún día la necesitas". Cuando te comprometes eres una pareja devota y cariñosa y te quedas atónito si tu pareja se aleja. En estas circunstancias puedes parecer moralista y crítico. Estar al aire libre o en contacto con la naturaleza estimula y expande tu visión.

Carta del tarot: Los Enamorados
Planetas: Mercurio y Júpiter
Frase: *Una canción sin música es como H_2 sin O.* Ira Gershwin

Fortalezas: Firme, meticuloso.
Debilidades: Obsesivo y algunas veces despreciativo.

MEDITACIÓN:

La grandeza de un hombre radica en su poder de pensamientos.

Diciembre 7

Eres una persona cálida y sincera que siente un amor genuino por la gente. Tu inteligencia y pasión te permiten comunicar las ideas y los conceptos que te inspiran. Disfrutas salir con tus amigos, pues te gusta saber qué está pasando. Eres muy popular y tienes un sentido del humor perverso. Eres generoso con tu tiempo y tu dinero, aunque puedes ser ingenuo y extravagante. Como persona positiva que eres, tiendes a confiar demasiado en la suerte para salir de situaciones difíciles. La injusticia te enoja, eres un vehemente defensor de los más desfavorecidos. En el amor eres apasionado, pero no sentimental, consideras que el matrimonio es un viaje compartido de mentes afines. La belleza te inspira cuando no te sientes feliz, así que regálate un boleto para ir a una función de *ballet* con tu pareja.

Carta del tarot: El Carro
Planetas: Venus y Júpiter
Frase: *Aunque no quiera ir más despacio, estoy yendo más despacio.* Eli Wallach

Fortalezas: Filántropo, comprensivo.
Debilidades: Demasiado confiado, se basa demasiado en la suerte.

MEDITACIÓN:

Un día sin la luz del Sol es como si fuera de noche.

9 ↗ ✕

NACIERON EN ESTE DÍA:
Kim Basinger
(actriz)
David Carradine
(actor)
Sammy Davis Junior
(actor, cantante y bailarín)
Maria I
(monarca escocesa)
Jim Morrison
(cantante, compositor de The Doors, poeta y cineasta)
Diego Rivera
(artista)

MEDITACIÓN:

Nunca jamás se logró nada sin entusiasmo.

Diciembre 8

Eres una persona intensa y embriagante con un carisma que hipnotiza. Eres muy valiente y te metes con pasión a las experiencias de la vida. Eres un emprendedor y disfrutas aceptando grandes retos. Como explorador de lo desconocido tienes un gran valor mental y físico; eres capaz de soportar dolores muy intensos. Alegas apasionadamente para defender tus creencias y eres famoso por tu necedad. Gracias a tu mente investigadora serías un gran abogado en la corte o podrías trabajar en el campo de la psiquiatría. Cuando comienzas una relación, te comprometes al cien por ciento y exiges que tu pareja sea leal y fiel, aunque esto puede ocasionar muchos arranques de celos. Relájate y deja que tus emociones salgan en un concierto salvaje de rock.

Carta del tarot: La Fuerza
Planetas: Plutón y Júpiter
Frase: *Tengo que ser una estrella igual que cualquier otra persona tiene que respirar.* Sammy Davis Jr.

Fortalezas: Cautivador, valiente.
Debilidades: Obstinado, inseguro.

NACIERON EN ESTE DÍA:
Joshua Bell
(violinista)
Dame Judi Dench
(actriz)
Kirk Douglas
(actor)
John Malkovich
(actor)
John Milton
(poeta)
Donny Osmond
(cantante, actor y presentador de televisión)

MEDITACIÓN:

La mente nunca se cansa de aprender.

Diciembre 9

Eres una persona entusiasta e intuitiva que tiene grandes sueños. Para ti, la vida es todo o nada y tienes una visión utópica. Siempre ves lo mejor de la gente, tu entusiasmo es contagioso, así que te es fácil encontrar apoyo para tus cometidos. Eres nómada e inquieto, te mueves constantemente, y una de tus debilidades es que tiendes a dejar sin terminar lo que comienzas. Eres alegre por naturaleza y siempre ves el lado positivo de la vida. Eres generoso y amable, te involucras por completo en tu trabajo. Tiendes a exagerar y a ser demasiado dramático con tus emociones, así que una profesión teatral es ideal para ti. En tus relaciones buscas variedad constantemente, por lo que necesitas una pareja capaz de entretenerte. Correr o trotar es ideal para que saques el exceso de energía nerviosa.

Carta del tarot: El Ermitaño
Planetas: Júpiter y Júpiter
Frase: *Creo que a nadie puedes decirle cómo debe actuar…tienes que encontrar tu propio estilo de actuación.* Dame Judi Dench

Fortalezas: Alegre, apasionado.
Debilidades: Tiende a exagerar, inquieto.

Diciembre 10

Eres una persona positiva y confiable que cree fuertemente en la abundancia del universo y que es capaz de hacer inversiones inteligentes. Aunque te encanta la aventura y apuestas por las empresas que te atraen, tienes una gran inteligencia para los negocios que te hace tomar decisiones acertadas. Serías un director o productor talentoso, o ambos. Tu sentido del humor y tu capacidad hacen que te ganes el cariño de gente influyente. Tu debilidad es que quieres estar a la cabeza y te vuelves pomposo y puritano. Además de tu trabajo, tu relación es la fuente de tu mayor alegría. Eres tradicional, leal y haces todo lo necesario para mantener la seguridad de tu familia. Tiendes a trabajar en exceso, así que una visita al museo o a una galería de arte te ayudará a reconectar con tu creatividad.

Carta del tarot: La Rueda de la Fortuna
Planetas: Saturno y Júpiter
Frase: *El comportamiento es lo que hace un hombre, no lo que piensa, siente o cree.*
Emily Dickinson

Fortalezas: Responsable, confiable.
Debilidades: Sentencioso, predica la moral.

NACIERON EN ESTE DÍA:
Kenneth Branagh
(actor)
Emily Dickinson
(poeta)
Michael Clark Duncan
(actor)
William Lloyd Garrison
(activista)
Dorothy Lamour
(actriz)
Olivier Messiaen
(compositor y músico)

MEDITACIÓN:

La enseñanza hace mucho, pero el estímulo lo hace todo.

Diciembre 11

Eres una persona amigable y de trato fácil con una fuerte vena idealista. Te preocupas por los asuntos sociales y eres un defensor nato, humanitario y reformista. Te encanta la tecnología y ponerte en contacto con gente de todo el mundo por medio del Internet. Buscas la verdad y de repente cambias tu vida y te decides por una línea totalmente diferente. Corres riesgos sin pensar en el daño personal y, por lo general, todo suele salir bien. El mundo académico es adecuado para ti porque eres muy cerebral. Gracias a tu amor por las cosas nuevas, generalmente te involucras en demasiados proyectos y no te concentras en ninguno; puedes ser desesperantemente distraído. En las relaciones personales estás en busca de un compañero, alguien que sea como tú y que no le importe compartirte con tus amigos. Dale un descanso a tu mente y disfruta de una comedia alegre.

Carta del tarot: La Justicia
Planetas: Urano y Júpiter
Frase: *Si siempre somos cuidadosos, ¿podemos seguir siendo humanos?*
Aleksandr Solzhenitsyn

Fortalezas: Compasivo, activista.
Debilidades: Se distrae con facilidad, corre riesgos.

NACIERON EN ESTE DÍA:
Hector Berlioz
(compositor)
Ursula Bloom
(escritora)
David Brewster
(científico, inventor del caleidoscopio)
Carlos IV
(monarca francés)
Carlo Ponti
(productor de cine)
Aleksandr Solzhenitsyn
(escritor y ganador del Premio Nobel)

MEDITACIÓN:
Nunca puedes aprender menos; sólo puedes aprender más.

9 ✕ ↗

MEDITACIÓN:

Piensa en toda la belleza que aún está a tu alrededor y sé feliz.

Diciembre 12

Eres una persona cariñosa con un alma profundamente romántica. Eres muy comprensivo y extremadamente sensible ante lo que sienten los demás. Siempre estás dispuesto a ayudar a los menos afortunados, eres caritativo por naturaleza. La gente menos escrupulosa puede tomar ventaja de tu buena disposición, pero eres inmensamente compasivo. Tu debilidad es que puedes ser demasiado sentimental y algunas veces eres extremadamente expresivo. Gracias a tu magnífico talento creativo atrapas la mente y el corazón de la gente de tu generación. Te atraen las profesiones de poeta, artista o cantante; tu problema es escoger sólo un camino. Idealizas tus relaciones porque tiendes a enamorarte sin remedio y, por lo general, te atrae gente a quien piensas que puedes salvar. Reconocer este patrón te ayudará a encontrar una pareja más estable que te apoye. El pasatiempo perfecto para ti es navegar en un barco de vela.

Carta del tarot: La Emperatriz
Planetas: Neptuno y Júpiter
Frase: *No estoy buscando el secreto de la vida… simplemente vivo un día a la vez.* Frank Sinatra

Fortalezas: Altruista, empático.
Debilidades: Efusivo, idealista.

MEDITACIÓN:

Nada es más agotador que la indecisión.

Diciembre 13

Eres una persona romántica y creativa, que ama la acción y es entusiasta de la vida. Eres espectacular y dramático, dejas una viva impresión en la gente. Tienes el don de la profecía y tu visión indica a los demás el camino. Eres innovador y capaz de persuadir y convencer a la gente, pues hablas con suma franqueza. No importan las experiencias que hayas tenido, tienes fe en la gente y crees lo mejor de ella. Algunas veces, te olvidas de la precaución y eres demasiado confiado e inocente, en especial en asuntos financieros; es posible que pierdas dinero al hacer una mala inversión. Lo mejor para ti es encontrar una pareja que tenga mucho sentido común. Cuando la inquietud emocional te abruma eres capaz de alejarte de repente en busca de nuevos horizontes. Para satisfacer tu necesidad de variedad puedes formar parte de grupos de caridad en el extranjero.

Carta del tarot: El Emperador
Planetas: La Luna y Júpiter
Frase: *Me he retirado tantas veces que ya está convirtiéndose en un hábito.* Dick Van Dyke

Fortalezas: Entusiasta, pionero.
Debilidades: Ingenuo y, algunas veces, descuidado.

Diciembre 14

Eres una persona de corazón puro y de espíritu noble. Eres un pensador positivo por naturaleza, tu optimismo e inmenso valor te impulsan a una posición de liderazgo dentro de tu empleo. Tienes la capacidad de ver el potencial de la gente y los demás te valoran como su consejero. Te encanta defender la justicia, y con tu vena teatral, serías un excelente abogado o juez de la corte. Posees un estilo dictatorial que molesta a quienes prefieren la igualdad y se resisten a recibir órdenes tuyas. Como persona de fuego que eres puedes ser muy volátil si te provocan y armas una escena dramática. Sin embargo, no guardas resentimientos y olvidas rápidamente. Para ti, el amor es una experiencia intensa, pero tus pasiones pueden cambiar de un día para otro. El deporte de los reyes —las carreras de caballos— te da un inmenso placer.

Carta del tarot: El Hierofante
Planetas: El Sol y Júpiter
Frase: *Me deleito en lo que me da miedo.*
Shirley Jackson

Fortalezas: Virtuoso, valiente.
Debilidades: Dominante, suele exagerar.

NACIERON EN ESTE DÍA:
Jane Birkin
(actriz)
Jorge VI
(monarca inglés)
Shirley Jackson
(escritora)
Raj Kapoor
(actor)
Nostradamus
(profeta)
Margaret Chase Smith
(política estadunidense)

MEDITACIÓN:

Un líder dirige con su ejemplo, sea ésa su intención o no.

Diciembre 15

Eres un visionario, una persona que piensa en grande, aunque también es capaz de notar los pequeños detalles. Cuando estás inspirado tienes una gran visión y no te da miedo enfrentarte a proyectos en gran escala. Siempre te preocupas por los demás, eres considerado y quieres que lo que produces sea de utilidad para ellos. Sabes discriminar y distingues lo que es realmente importante en la vida —tu punto de vista se basa en la razón—. Necesitas una buena educación y sigues estudiando toda tu vida, buscando los cursos adecuados para mejorar tu capacidad. Puedes ser mojigato y muy coqueto, de manera que emites un mensaje mixto a tus parejas potenciales. Buscas a alguien que comparta tu forma de pensar y que sea igual de dedicado a una causa. Trabajas arduamente, así que es raro que tengas tiempo libre —la jardinería te ayuda a poner los pies en la tierra y te permite meditar.

Carta del tarot: El Diablo
Planetas: Mercurio y Júpiter
Frase: *La fórmula para tener éxito: levántate temprano, trabaja arduamente, descubre un yacimiento petrolero.* John Paul Getty

Fortalezas: Intuitivo, culto.
Debilidades: Recatado, con carga excesiva de trabajo.

NACIERON EN ESTE DÍA:
Gustave Eiffel
(arquitecto)
John Paul Getty
(empresario)
Enrique VI
(monarca inglés)
Don Johnson
(actor)
Nerón
(emperador romano)
Edna O'Brien
(escritora)

MEDITACIÓN:

La Luna es un amigo a quien le hablan los solitarios.

9

Jane Austen
(escritora)
Donovan Bailey
(campeón olímpico de carreras
de distancias cortas)
Ludwig Van Beethoven
(músico y compositor)
Noel Coward
(actor, director y dramaturgo)
Philip K. Dick
(escritor)
Wassily Kandinsky
(artista)

MEDITACIÓN:

Si no tienes deseos,
nunca descubrirás qué
hay detrás de tus deseos.

Diciembre 16

Eres una persona honesta y optimista, con un enfoque positivo ante los problemas cotidianas. Con una actitud filosófica te enfrentas a todos los retos que se te presentan en la vida y te recuperas. Tienes fuertes opiniones y dices lo que piensas con honestidad y pasión, además hay un lado maravillosamente travieso en tu personalidad. Te sientes a gusto con personas de cualquier esfera social; tienes el don de coordinar a la gente para que colabore con importantes causas humanitarias. Gracias a tu encanto social eres un excelente recabador de fondos. Eres romántico y encantador; consideras que el matrimonio es una historia de amor épica o una alianza estratégica. Del lado negativo, no sacas tus emociones profundas y las tareas domésticas diarias te aburren. Sin embargo sabes cómo alegrar a tu pareja con un regalo extravagante en el momento preciso.

Carta del tarot: El Carro
Planetas: Venus y Júpiter
Frase: *La música es una revelación más grande que la sabiduría y la filosofía.* Ludwig Van Beethoven

Fortalezas: Considerado, muy sociable.
Debilidades: Emocionalmente reservado, anhela emoción.

Erskine Caldwell
(escritora)
Humphry Davy
(químico e inventor)
Mackenzie King
(primer ministro canadiense)
Mike Mills
(músico, bajista de R.E.M.)
Paula Radcliffe
(campeona corredora
de larga distancia)
John Greenleaf Whittier
(poeta abolicionista)

MEDITACIÓN:

El tiempo todo lo cura.

Diciembre 17

Eres una persona sensual que desea conocerse a sí misma. Para que te sientas vivo, la vida debe ser estimulante y te adentras en las emociones básicas de lujuria, amor, odio y celos en tu afán por comprender la naturaleza humana. Tienes un lado optimista que te ayuda durante la desesperanza; y tu fe, que está constantemente a prueba, es muy fuerte. Quieres marcar la diferencia en la vida, trabajas obsesivamente para tener riqueza, pues valoras el poder que conlleva. Te va bien en el papel de publicista, así como en el de doctor. No temes agitar la situación por el gusto de ser controversial, y la gente te ama o te odia. Todas tus relaciones son profundas y apasionadas, pues no te satisfacen las cosas superficiales. Tu debilidad es que eres posesivo. El deporte para ti es escalar rocas.

Carta del tarot: La Estrella
Planetas: Plutón y Júpiter
Frase: *Sinceramente creo que mi mayor servicio está en los muchos pasos insensatos que evito.* William Mackenzie King

Fortalezas: Sentimental, optimista.
Debilidades: Controlador, abogado del diablo.

Diciembre 18

Eres una persona llena de energía y de horizontes amplios, que siente pasión por la exploración, tanto mental, como física; a menudo terminas viviendo lejos del lugar donde naciste. Tienes una sobredosis de optimismo, te encanta apostar cuando el riesgo es muy elevado. Y por ello eres la personificación del empresario y el especulador. Conforme creces se desarrolla tu conciencia social y te vuelves un ardiente defensor de causas humanitarias. "Carpe diem" es tu lema y, a pesar de tu preocupación por los demás, no eres capaz de reconocer la realidad más severa de tu propia vida. Es fácil que subas de peso, pues no conoces el significado de la palabra limitación. Eres amante de la libertad, el matrimonio no es natural para ti. Sin embargo eres un romántico sin remedio y estás contento siempre y cuando tu pareja te deje vagar sin rumbo.

Carta del tarot: La Luna
Planetas: Júpiter y Júpiter
Frase: *Sueño para ganarme la vida.*
Steven Spielberg

Fortalezas: Comunicativo, guerrero.
Debilidades: demasiado optimista, tiende a los excesos.

MEDITACIÓN:

Aprende del ayer, para vivir el hoy.

Diciembre 19

Eres una persona que siente un gran amor por el pasado y emoción por el futuro. Respetas la tradición y el aprendizaje; estás dispuesto a trabajar y estudiar arduamente para volverte un experto en el campo que elijas. Te encantan los edificios antiguos y valoras la educación; te sientes atraído por el trabajo en la universidad o en un museo. En tu vida social hay un contraste en tu personalidad; o te sueltas el pelo y eres el alma de la fiesta, o actúas como un padre controlador. Valoras tus comodidades y puedes ser demasiado materialista; no estás contento hasta que tu cuenta del banco no tenga muchos ceros. Tomas en serio tus relaciones; eres leal y fiel gracias a tu sentido innato de la moral. Un viaje ocasional con tus amigos íntimos o con tu familia te ayudará a satisfacer tus ansias de viajar.

Carta del tarot: El
Planetas: Saturno y Júpiter
Frase: *Un buen libro es la parte vital de un maestro del espíritu.* John Milton

Fortalezas: Exuberante, fiel.
Debilidades: Demasiado serio, materialista.

MEDITACIÓN:

La riqueza es la capacidad de experimentar completamente la vida.

Diciembre 20

MEDITACIÓN:

No dejes ninguna piedra sin voltear.

Eres una persona generosa y amigable con un semblante tranquilo y sereno. Tienes una imaginación vívida y la capacidad de comunicar tus ideas; te deleitas en una profesión creativa. Eres de horizontes amplios y te encanta discutir conceptos filosóficos con tus muchos amigos. Estás tranquilo contigo mismo y los demás se sienten tranquilos cuando están junto a ti. Disfrutas de las cosas buenas de la vida y eres capaz de compartir tu gran fortuna con quienes son menos afortunados. Eres íntegro y tienes fuerza moral; en el transcurso de tu vida buscas belleza y verdad. Tu relación debe ser con alguien que te enseñe sobre las emociones. Algunas veces puedes ser flojo y permitirte excesos con la comida y el vino, lo que hace que subas de peso. El tipo de ejercicio que te fascina y te motiva es montar a caballo.

Carta del tarot: El Juicio
Planetas: Venus y Júpiter
Frase: *Vivo en el presente, un día a la vez.*
Uri Geller

Fortalezas: Magnánimo, genuino.
Debilidades: Tiende a ser perezoso, avaro.

SAGITARIO TÍPICO:

TINA TURNER

"Esto es lo que me gustaría que hubiera en el paraíso... que las palabras se volvieran notas y las conversaciones se volvieran sinfonías".

RASGOS DE SAGITARIO:

Las mujeres Sagitario tienden a ser independientes y aman su libertad. No les parece que les den órdenes, así que si quieres que hagan algo es mejor que se lo pidas de buena manera. Necesitan a un hombre de verdad y no se llevan bien con la debilidad, así que su pareja debe ser educada y fuerte. Son encantadoras y fácilmente cautivan a su público. Son parlanchinas, francas y directas, son comunicadoras natas.

Diciembre 21

Eres un espíritu libre, vociferante y elocuente. Eres el eterno estudiante y también un sabio maestro. Te encanta expandir tu mente y aumentar tu conocimiento. Eres un buen orador, te encanta debatir y expresar la opinión contraria sólo por diversión. Sin embargo tiendes a embelesarte por el sonido de tu propia voz. Nadie puede dudar de tu sinceridad y convicción cuando te comprometes con una causa y puedes persuadir a la gente para que se una a ti. Tienes la habilidad de ser muy exitoso en la profesión que elegiste una vez que aprendes a confiar en tu capacidad. En tus relaciones necesitas mutua comprensión intelectual, pues las ideas son de vital importancia para ti. Canta para dar rienda suelta a tus sentimientos, ya sea en un coro o mientras te bañas.

NACIERON EN ESTE DÍA:
Nacieron en este día:
Benjamin Disraeli
(primer ministro británico)
Jane Fonda
(actriz)
Samuel L. Jackson
(actor)
Keifer Sutherland
(actor, director y productor)
Rebecca West
(escritora)
Frank Zappa
(guitarrista y compositor)

Carta del tarot: La Emperatriz
Planetas: Mercurio y Júpiter
Frase: *Un alma consistente cree en el destino; una caprichosa cree en la suerte.* Benjamin Disraeli

Fortalezas: Gran orador, de convicciones fuertes.
Debilidades: Demasiado expresivo, algunas veces ensimismado.

MEDITACIÓN:
Piensa en grande y descubre cómo hacer realidad tus sueños.

SAGITARIO TÍPICO:

FRANK SINATRA

"Mantente vivo, mantente activo y practica tanto como te sea posible".

RASGOS DE SAGITARIO:
Los hombres Sagitario rara vez están solos; lo más probable es que los encuentres rodeados de mucha gente. Su optimismo sobre la vida a veces raya en una fe ciega. Siempre están en busca de cumplir grandes sueños, aunque también caen profundamente si esos sueños no se vuelven realidad. Sin embargo, el hombre Sagitario tiene muy buena suerte y ésta rara vez se termina. En materia del corazón tiende a ver más allá de la apariencia exterior, pues el físico le importa poco.

Capricornio

22 de diciembre – 20 de enero

EL DIABLO

Carta del tarot: El Diablo

Elemento: Tierra

Atributo: Cardinal

Número: 10

Planeta regente: Saturno

Piedras preciosas: Zafiro, lapislázuli

Colores: Azul marino, azul, negro

Día de la semana: Sábado

Signos compatibles: Tauro, Virgo, Escorpión, Piscis

Palabras clave: Buen humor, prudente y sacrificado, confiable y leal, serio, formal, industrioso, ambicioso, avaro, protocolario, rígido, busca tener estatus

Anatomía: Rodillas, articulaciones, sistema óseo, huesos

Hierbas, plantas y árboles: Hiedra, magnolia, pino, olmo, pensamiento

FRASE CLAVE:
Yo logro

Capricornio es el arquitecto del Zodiaco. Corresponde a las rodillas, así que las personas nacidas bajo este signo pueden padecer problemas de artritis en una edad avanzada. Las rodillas representan humildad y los Capricornio pueden presentar demasiada humildad y poca confianza en sí mismos.

Capricornio es el signo que marca el solsticio de invierno y la noche más larga del año en el hemisferio norte. Este antiguo festival se ha celebrado desde hace más de 5 000 años y representa el punto de cambio, cuando el Sol cambia de dirección y los días comienzan a ser más largos. El año nuevo también cae en el signo de Capricornio y la representación del año viejo es un símbolo adecuado. Capricornio mejora con la edad a medida que adquiere experiencia en la vida.

Los Capricornio son la columna vertebral de la sociedad y valoran cualquier cosa que sea antigua y tradicional. Igual que las cabras de monte, lentamente ascienden durante su vida y su objetivo es llegar a la cima. Capricornio representa la altura de los logros y el reconocimiento que llega después de años de trabajo.

REGENTE PLANETARIO Y ATRIBUTOS

Capricornio es un signo cardinal de tierra. Al ser el último signo de tierra, es el maestro constructor y gobierna a las montañas y los edificios. Está regido por Saturno, el último planeta que puede verse a simple vista. Saturno es el planeta de los anillos y está relacionado a las limitaciones y los linderos. Los planetas representan energía y Saturno conserva, restringe y gobierna al tiempo.

RELACIONES

Capricornio es educado y de buenos modales y siempre hace "lo correcto". Todos los signos de tierra son sensuales pues disfrutan de su cuerpo. Es probable que el hombre vista traje y muy formal, sabe cómo hacer que una relación funcione. La mujer siempre es más sensual de lo que aparenta y le gusta ser quien manda. Para ti, el matrimonio es un contrato que se toma en serio. Cuando te comprometes, lo haces a largo plazo. Cuando es joven, Capricornio se siente atraído por alguien mayor que él. Te relacionas bien con Cáncer, pues es la relación tradicional padre/madre. Los signos más atractivos para el matrimonio son Tauro y Escorpión, Aries es mejor pareja de lo que piensas. Virgo es un excelente amigo y son excelentes socios para los negocios y, para el Capricornio que está en los medios de comunicación, Piscis es un aliado ocurrente.

CONSTELACIÓN Y MITO

El signo de Capricornio es la constelación de Capricornio, una cabra con cola de pez. Quizá esté relacionada a la historia de Pan, quien al huir del monstruo marino Tifón,

brincó y cayó en el Nilo. La parte que estaba bajo el agua se convirtió en pez, mientras que el resto permaneció en forma de cabra.

En la mitología griega, Saturno corresponde a Crono, quien era uno de los descendientes del dios creador Urano. Con la ayuda de su madre, Crono mató a su padre y así comenzó la Edad Dorada. Capricornio es el arquetipo del padre, aunque el padre es una figura distante para los nacidos bajo este signo.

Fortalezas y debilidades

Capricornio está relacionado con el dominio del ser. Eres dedicado a tu deber y cumples con tus responsabilidades. Proporcionas seguridad, un hogar bien organizado o un negocio con bases firmes. Te desarrollas arduamente y puedes ser adicto al trabajo. Esto se traduce en una vida seria y materialista que no deja mucho tiempo para la diversión, lo cual te parece una pérdida de tiempo. Conservas el *statu quo* y te resistes al cambio o a la innovación, pues detestas correr riesgos. Capricornio es cuidadoso, en especial con el dinero, así que puedes ser tacaño. Algunas veces eres pomposo y crítico —el típico anciano gruñón.

CAPRICORNIO TÍPICO: ELVIS PRESLEY

"Algunas veces, las adversidades a las que se enfrenta un hombre son fuertes; pero por cada hombre capaz de soportar la prosperidad, hay cien capaces de soportar la adversidad".

PODERES DE CAPRICORNIO: Práctico, tiene habilidades para organizar, fuerte ética laboral.

ASPECTOS NEGATIVOS DE CAPRICORNIO: Materialista, excesivamente perfeccionista.

Diciembre 22

Eres una persona sensible y fuerte con un exterior rígido, pero que tiene un centro muy suave. Ejerces un increíble control sobre ti mismo y eres el profesional perfecto; te dedicas por completo a tu profesión y eres capaz de trabajar durante horas para lograr ese acenso tan deseado. Tu corazón es tierno y puedes ser demasiado sentimental, lloras fácilmente cuando escuchas en la tele historias de niños huérfanos. No eres de los que se paran el cuello y haces tus obras de caridad de manera discreta y sin aspavientos. Eres un excelente director y la gente siente que escuchas lo que le preocupa, así que serías excelente en recursos humanos. El matrimonio es casi esencial, pues necesitas tener una pareja para sentirte completo. Tu concepto de la felicidad es una reunión familiar y eres la persona adecuada para organizarla.

MEDITACIÓN:

Cuando se cierra una puerta, se abre una ventana.

Carta del tarot: El Emperador
Planetas: La Luna y Saturno
Frase: *Me niego a intentar comprender por qué actúo. Solo sé que necesito hacerlo.* Ralph Fiennes

Fortalezas: Modesto, comprometido.
Debilidades: Tiende a trabajar demasiado, sentimental.

Diciembre 23

Eres una persona enérgica y decidida con grandes ambiciones y un fuerte deseo de reconocimiento. Tienes una fuerte creencia en ti mismo y una disposición a trabajar arduamente, posees la habilidad de un líder natural. No soportas estar en una posición subordinada, pero afortunadamente para ti, la gente está de acuerdo en que eres la persona adecuada para estar al mando. Una vez que estás en la posición correcta diriges con el corazón e irradias calidez. Logras resultados increíbles gracias al cuidado y la preparación que imprimes en tus proyectos. Sé consciente de tu tendencia a dejar que el poder se te suba a la cabeza; puedes convertirte en un dictador y mangonear a la gente. En las relaciones, tu pareja debe ser tu igual, pero sin opacarte, pues de otra manera no florecerás. Tu creatividad necesita una salida y tienes el talento natural de cantar sólo por el gusto de hacerlo.

MEDITACIÓN:

La felicidad es un estado mental.

Carta del tarot: El Hierofante
Planetas: El Sol y Saturno
Frase: *Aquél que quiera alcanzar una meta distante debe ir paso a paso.* Helmut Schmidt

Fortalezas: Cálido, creativo.
Debilidades: Ansioso de poder, dictador.

Diciembre 24

Eres una persona modesta, muy exitosa y que disfruta ayudando a los demás. Eres muy hábil y te enorgulleces del profesionalismo de tu trabajo. No eres presumido y prefieres mantenerte tras bambalinas porque eres muy tímido. Te interesan las dietas y la nutrición, así que puede irte bien en la industria de la salud. Eres excelente para modernizar sistemas y para encontrar el método más efectivo. Sin embargo, tiendes a encontrar fallas en cualquier cosa porque tus estándares son muy altos. Con tus amigos te relajas y tienes un sentido del humor perverso. En las relaciones, te gusta establecerte a temprana edad, pues te encanta cuidar de la gente y la familia te da una gran felicidad. Una de las actividades que más disfrutas es limpiar y organizar tu casa, y puedes hacerlo en tu tiempo libre.

Carta del tarot: Los Enamorados
Planetas: Mercurio y Saturno
Frase: *No soy un millonario paranoico y excéntrico. Demonios, soy un billonario.* Howard Hughes

Fortalezas: Eficiente, cómico.
Debilidades: Crítico, modesto.

NACIERON EN ESTE DÍA:
Michael Curtiz
(director de cine)
Ava Gardner
(actriz)
Jorge I
(monarca griego)
Howard Hughes
(aviador y productor de cine)
Stephenie Meyer
(escritora)
Benjamín Rush
(padre fundador de Estados Unidos)

MEDITACIÓN:

La posibilidad de que un sueño se vuelva realidad es lo que hace que la vida sea interesante.

Diciembre 25

Eres una persona encantadora, con buenos modales, que sabe las reglas de etiqueta y las sigue. Aunque te gusta la tradición tienes puntos de vista progresistas. Tienes un sentido innato de la justicia y tus palabras —aunque siempre son amables— son poderosas cuando se trata de defender la verdad. Te atraen las profesiones legales, como de abogado o una carrera como diplomático en el extranjero. Tu debilidad es que eres indeciso y puedes quedarte en medio de ambos bandos durante mucho tiempo sin decidirte. Tu relación es una verdadera sociedad, buscas un aliado, una pareja que comparta tus ambiciones. Eres leal y tierno, te deleitas entreteniendo a sus contactos profesionales. Estás obsesionado con tu aspecto y te gusta estar bien arreglado incluso cuando haces ejercicio, así que el tenis o el críquet te irían bien.

Carta del tarot: El Carro
Planetas: Venus y Saturno
Frase: *Bebo porque tengo sed.* Shane MacGowan

Fortalezas: Refinado, lógico.
Debilidades: Indeciso, poco motivado.

NACIERON EN ESTE DÍA:
Cab Calloway
(cantante, compositor y líder de grupo)
Catalina de Aragón
(monarca inglesa)
Quentin Crisp
(escritor)
Helena Christensen
(supermodelo)
Shane MacGowan
(cantante, compositora de The Pogues)
Annie Lennox
(cantante, compositora de Eurythmics)

MEDITACIÓN:

La vida es un gran lienzo.

173

Diciembre 26

Eres una persona carismática y dedicada, con una gran capacidad de resistencia. Terminas cualquier cosa que comienzas, eres capaz de enfrentarte a enormes obstáculos y retos. Eres fuerte emocional y físicamente, te enorgulleces de mantenerte en buena forma y constantemente aumentas tus habilidades. Como líder eres fuerte y decidido, eres ideal para tener un puesto de responsabilidad. Sin embargo puedes ser demasiado duro e incapaz de darte cuenta de que los demás no pueden seguirte el ritmo. Te sientes muy bien cuando dedicas tu fuerte voluntad a ayudar a los más necesitados. Tus valores son tradicionales, para ti el matrimonio es para siempre y harás tu mejor esfuerzo para asegurarte de que funcione. A veces eres demasiado serio y rígido y tu tiempo libre debe ser divertido. Disfrutas de las emociones fuertes, así que te caerá muy bien ir a un parque de diversiones.

MEDITACIÓN:

Si no trabajas arduamente no obtienes una buena cosecha.

Carta del tarot: La Fuerza
Planetas: Plutón y Saturno
Frase: *En tiempos difíciles no debemos olvidarnos de nuestros logros.* Mao Tse-Tung

Fortalezas: Emocionalmente fuerte, buen líder.
Debilidades: Severo, exigente.

Diciembre 27

Eres una persona entusiasta y dedicada, con un gran sentido de la aventura. Eres temerario y te preocupa poco el futuro, pues confías en tu habilidad; estás dispuesto a esforzarte para alcanzar tus sueños. Especulas para aumentar tu confianza y tu dignidad te asegura que la gente te admira. Te encanta viajar y tu visión de la vida es abierta. Cuando tienes dinero lo donas a causas nobles. Aunque eres un profesional consumado, te encanta hacer bromas a la gente —y no siempre le parece divertido—. Cuando eres joven, tus relaciones son libres y sencillas; eres muy galante con la gente que quieres. Conforme maduras comienzas a apreciar tu necesidad de tener una pareja que también sea tu mejor amiga. Tu forma favorita para relajarte es caminando o subiendo colinas.

MEDITACIÓN:

Mientras más inclinada sea la montaña, más difícil resulta escalar.

Carta del tarot: El Ermitaño
Planetas: Júpiter y Saturno
Frase: *Las supersticiones son hábitos más que creencias.* Marlene Dietrich

Fortalezas: Temerario, humanitario.
Debilidades: Arrogante, bromista.

Diciembre 28

Eres una persona sofisticada y práctica, que tiene objetivos elevados y por lo general los alcanza. Tienes un gran sentido común y un encanto discreto que gusta a la gente. Eres seguro y confiable, puedes ser demasiado serio y concentrarte tanto en tu propio avance que no te detienes a oler las flores. Eres la columna vertebral de cualquier organización para la que trabajes, aunque tienes los ojos puestos en el puesto principal. Te encantan las cosas antiguas y te gustan las artesanías, estás dispuesto a pagar el mayor precio por algo de calidad. Las cosas baratas no son para ti. Entras con cuidado a las relaciones y te das tu tiempo para evaluar los méritos de tus parejas potenciales. Una vez que te comprometes eres un amante sensual, con un sentido del humor agudo. En tu vida hace mucha falta la diversión, podrías jugar juegos de niños.

Carta del tarot: La Rueda de la Fortuna
Planetas: Saturno y Saturno
Frase: *No tolero a los tontos, pero ellos tampoco me toleran a mí.* Maggie Smith

Fortalezas: Refinado, ingenioso.
Debilidades: Serio, ensimismado.

Diciembre 29

Eres una persona excéntrica con una manera original de hacer las cosas. Eres muy inteligente y tu poder mental raya en la genialidad. Aprendes con rapidez los nuevos conceptos. Te importa promover causas nobles; te atrae la política local y servir activamente a tu comunidad. Para tu bienestar es esencial que tengas tu espacio y libertad, estar esclavizado a un trabajo rutinario es como una maldición para ti. Tu estilo es ser tu propio jefe y manejar tu propia empresa. Algunas veces eres frío y distante y la gente siente que estás ignorándola. En las relaciones tiendes a darte tu tiempo y a buscar una pareja que sea tu amiga, que tenga éxito material y que te mantenga con los pies en la tierra. Una buena forma de relajarte es realizando actividades sociales que incluyan diversión, como el baile en grupo.

Carta del tarot: La Justicia
Planetas: Urano y Saturno
Frase: *El egoísmo es la peor maldición de la raza humana.* William E. Gladstone

Fortalezas: Innovador, astuto.
Debilidades: Reservado, distante.

Diciembre 30

NACIERON EN ESTE DÍA:
Bo Diddley
(cantante, compositor y guitarrista)
Douglas Coupland
(escritor y artista)
Rudyard Kipling
(escritor)
Patti Smith
(cantante y poeta)
Tracy Ullman
(actriz y comediante)
Tiger Woods
(golfista profesional)

Eres una persona disciplinada y melancólica aunque tienes un aire jovial. Impresionas a la gente gracias a tu agilidad mental, tu lógica y tus argumentos razonados. Eres ligero, pero nunca superficial, lo que dices se toma en serio. Tu vocabulario es muy extenso y elijes cuidadosamente las palabras. Tienes un agudo poder de observación, escribir es una profesión atractiva para ti y tienes la capacidad y la dedicación necesarias para ser exitoso. También tienes un sentido natural del ritmo y eres diestro, podrías ser un excelente músico. En tu relación íntima sientas cabeza, pero necesitas que haya estímulo intelectual y variedad para mantener vivo el amor. Algunas veces analizas demasiado las cosas y eres receloso de mostrar tus emociones profundas, lo cual frustra a tu pareja. El *Twitter* se inventó para ti.

MEDITACIÓN:

El sentido común no es tan común.

Carta del tarot: La Emperatriz
Planetas: Mercurio y Saturno
Frase: *La suposición de una mujer es mucho más exacta que la certeza de un hombre.* Rudyard Kipling

Fortalezas: Inteligente, hábil con las palabras.
Debilidades: Receloso de mostrar sus sentimientos, demasiado analítico.

Diciembre 31

NACIERON EN ESTE DÍA:
Elizabeth Arden
(empresaria)
John Denver
(músico)
Sir Anthony Hopkins
(actor)
Val Kilmer
(actor)
Henri Mattise
(artista)
Donna Summer
(cantante)

Eres una persona decidida y ambiciosa, estás en sintonía con tus emociones y tienes la capacidad de captar el humor de la gente. Eres astuto en los negocios y considerado, tienes una habilidad práctica para ayudar a la gente con sus problemas. Tu capacidad de organizar es impresionante y conforme creces usas tu talento en obras de caridad. Eres vulnerable emocionalmente y sientes nostalgia por tu niñez. Tu debilidad es que eres demasiado sensible y tomas las críticas como algo personal. Tienes un intelecto agudo y una excelente memoria, que te ayudarán para que trabajes en la actuación o como escritor. Las relaciones son esenciales para ti y anhelas tener una vida familiar tradicional. Gracias a tu conexión con tu ritmo interior, tocar los tambores representa una inolvidable actividad terapéutica.

MEDITACIÓN:

Es más fácil ser sabio ante los demás que ante nosotros mismos.

Carta del tarot: El Emperador
Planetas: La Luna y Saturno
Frase: *Amo la vida porque, ¿qué otra cosa existe?* Sir Anthony Hopkins

Fortalezas: Considerado, artístico.
Debilidades: Emocionalmente ingenuo, sensible ante las críticas.

Enero 1

Eres una persona con iniciativa y con un enorme deseo de tener éxito. Eres intensamente ambicioso, nunca dejas de crear, ni de vencer obstáculos. Eres muy competitivo y tienes la capacidad de centrarte; posees las cualidades de un gran atleta o de un magnate de los negocios; estás dispuesto a someterte al riguroso entrenamiento necesario para llegar a la cima. Te rodeas de los elementos del éxito; tener el coche y la casa adecuados es importante para ti porque sientes que son muestra de tu valor. A veces no te das cuenta de los sentimientos de los demás y das una imagen arrogante ante tus oponentes más débiles; eres un mal perdedor. Es necesario que tu pareja sea alguien de quien estés orgulloso y, una vez que te aseguras de que ella también te admira, eres un amante devoto. Necesitas sacar tu energía a través de un ejercicio físico fuerte en el gimnasio.

Carta del tarot: El Mago
Planetas: Marte y Urano
Frase: *Si la vida no exige valor, deja de ser vida*. E. M. Froster

Fortalezas: Motivado, enérgico.
Debilidades: Intimidante, mal perdedor.

NACIERON EN ESTE DÍA:
Nacieron en este día:
E. M. Froster
(escritor)
Guccio Gucci
(empresario de la moda)
Grandmaster Flash
(músico y DJ)
J. Edgar Hoover
(director del FBI)
J. D. Salinger
(escritor)
Verne Troyer
(actor)

MEDITACIÓN:

Los años nos enseñan más que los libros.

Enero 2

Eres una persona amigable y confiable con una gran dosis de sentido común. Siempre te muestras realista, conoces y aprecias el mundo material y posees una excelente capacidad para organizar. Hacer presupuestos es tu fuerte; puedes ser ahorrativo cuando es necesario y tienes buen ojo para distinguir ofertas. Sientes un profundo amor por las cosas que combinan belleza y utilidad; por lo que serías un gran arquitecto o diseñador de muebles. El papel de director financiero también es ideal para ti. Tu actitud puede ser controladora y rígida, te sacan de tus casillas cuando la gente no sigue las reglas. Eres un amante sensual y, una vez que te comprometes, eres leal y fiel. Tu mayor reto es aprender a ser flexible. La jardinería es tu pasatiempo ideal, pues amas a la naturaleza y posees un sentido artístico del color.

Carta del tarot: La Suma Sacerdotisa
Planetas: Venus y Saturno
Frase: *Una cosa es tener talento. Y otra es saber cómo usarlo.* Roger Miller

Fortalezas: Amable, práctico.
Debilidades: Dominante, obstinado.

NACIERON EN ESTE DÍA:
Kate Bosworth
(actriz)
Louis Breguet
(industrial y piloto pionero)
Didier Daurat
(aviador)
Lucy Davis
(actriz)
Cuba Gooding Jr.
(actor y productor de cine)
Roger Miller
(cantante, compositor y músico)

MEDITACIÓN:

El secreto del éxito es saber algo que nadie más sabe.

Enero 3

Eres una persona muy inteligente, a quien le encanta hablar y que siempre está aprendiendo cosas nuevas. Parece que eres convencional y serio hasta que no te relajas, y entonces muestras un sentido del humor simple y surrealista. Eres un buen comunicador cuyas ideas tienen peso y te van bien las carreras como ministro o sátiro de la política. Con tu gran ingenio atraes gente de todas las edades y a todos les encanta estar contigo. Te gusta hacer bromas a tus amigos, pero no soportas que se rían de ti. Eres muy adaptable y estás al tanto de las últimas tendencias, en especial de los aparatos que ayudan a la comunicación. Tus relaciones son diversas, pero te quedas para siempre con la persona que puede ver a través de tus máscaras y que atrapa tu corazón. Las fiestas de disfraces te ayudan a sacar tu lado divertido y a entretener a los demás.

Carta del tarot: La Emperatriz
Planetas: Mercurio y Saturno
Frase: *Actuar es como mentir. El arte de mentir bien. Me pagan por decir mentiras elaboradas.* Mel Gibson

Fortalezas: Gran sentido del humor, conversador talentoso.
Debilidades: Inseguro, frívolo.

NACIERON EN ESTE DÍA:
Sir Richard Arkwright
(industrial e inventor)
Mel Gibson
(actor y director)
John Paul Jones
(músico)
Sergio Leone
(director de cine)
Michael Schumacher
(campeón de Fórmula 1)
J. R. R. Tolkien
(escritor)

MEDITACIÓN:

Todos los kits de supervivencia deberían incluir un sentido del humor.

Enero 4

Eres una persona afectuosa y amable, con educación, cortés y con buenos modales. Eres protector y considerado ante los sentimientos de los demás, tanto en tu casa como en el trabajo. Por ello eres la personas adecuada para ocupar puestos de liderazgo en los que la prioridad sea cuidar de los demás y eres un padre excelente. Eres un buen organizador y eres capaz de prestar total atención a los detalles. Tu familia es importante para ti y puedes enfrentarte a elegir entre la vida familiar y tu profesión. La solución ideal es que dirijas tu negocio desde tu casa. Tu relación te mantiene estable y necesitas que te necesiten. Puedes tener grandes cambios de humor y verte sumido en la depresión. Actividades, como navegar o nadar, te dan la paz y la conexión con tu ser interior que le hacen bien a tu mente y a tu alma.

Carta del tarot: El Emperador
Planetas: La Luna y Saturno
Frase: *Los errores no están en el arte, sino en los artífices.* Isaac Newton

Fortalezas: Considerado, solícito.
Debilidades: Temperamental, depende de los demás.

NACIERON EN ESTE DÍA:
Louis Braille
(inventor del sistema Braile)
Arthur Conley
(cantante)
Floyd Patterson
(campeón de boxeo)
Michael Stipe
(músico y vocalista líder de R.E.M.)
Sir Isaac Newton
(físico)
Isaac Pitman
(inventor de la taquigrafía)

MEDITACIÓN:

La belleza es verdad y la verdad es belleza.

Enero 5

Eres una persona muy creativa con una gran confianza en sí misma. Tu deseo es estar en la cima y dedicas tu vida a lograrlo. Tienes un lado de artista y te encanta estar bajo los reflectores. Aunque trabajas arduamente, también te das tiempo para reír y jugar, lo cual te asegura el cariño de los que te rodean. Tu entusiasmo y calidez, junto con tu deseo de hacer que el mundo sea un lugar mejor, te convierten en un maravilloso recaudador de fondos para la caridad. Eres cauteloso a la hora de tomar decisiones, en especial las que involucran dinero. Una debilidad es que puedes ser demasiado controlador y no dejas que los demás muestren su iniciativa. Cuando te enamoras suele ser para siempre y eres una pareja leal y apasionada. Una excelente manera de mostrar tu lado infantil es participando en juegos de niños.

Carta del tarot: El Hierofante
Planetas: El Sol y Saturno
Frase: *Un sueño es una escritura, y muchas escrituras no son más que sueños.* Umberto Eco

Fortalezas: Creativo, amable.
Debilidades: Controlador, demasiado cauteloso.

NACIERON EN ESTE DÍA:
Robert Duvall
(actor y director)
Umberto Eco
(escritor)
Vinnie Jones
(jugador de futbol soccer y actor)
Diane Keaton
(actriz, directora y productora)
Marilyn Manson
(cantante y músico)
Charlie Richmond
(empresario)

MEDITACIÓN:

Sigue confiadamente la dirección de tus sueños.

Enero 6

Eres una persona reservada y amable, con la capacidad de encontrar el giro adecuado a una frase. Sientes un profundo amor por la palabra articulada, eres elocuente y tu humor es muy divertido. Eres lógico y metódico, llevar rutinas te da una gran satisfacción. Eres un excelente editor y constantemente te corriges, pero también corriges a los demás. Una lección de vida es aprender a pasar por alto los errores de la gente. Las personas te respetan por tus logros y tu éxito está basado en los sólidos cimientos del trabajo arduo. Tiendes a evitar riesgos y no soportas cometer errores. Tus relaciones son duraderas, aunque necesitas que tu pareja tenga una apariencia jovial, de lo contrario te desvías del camino. Tu debilidad es que te preocupas y un masaje con aromaterapia es esencial para ayudar a que te relajes.

Carta del tarot: Los Enamorados
Planetas: Mercurio y Saturno
Frase: *Quiero expresarme en una manera diferente. Tengo una inclinación por la actuación.* Rowan Atkinson

Fortalezas: Muy divertido, expresivo.
Debilidades: Cauteloso, crítico.

NACIERON EN ESTE DÍA:
Rowan Atkinson
(actor y escritor)
Khalil Gibran
(poeta)
Juana de Arco
(heroína francesa)
Nigella Lawson
(chef de cocina y presentadora de televisión)
Loretta Young
(actriz)
Malcolm Young
(guitarrista y compositor de AC/DC)

MEDITACIÓN:

Es difícil fracasar, pero es peor nunca haber intentado tener éxito.

10 ♑

Eres una persona refinada y graciosa con un gran estilo y elegancia. Eres experto en las reglas sociales y sabes cómo jugar tus cartas para ser exitoso en los negocios. Tu vida tiene un fuerte sentido del propósito —sabes a dónde vas y trabajas constantemente para lograrlo—. Tienes la capacidad de rodearte de la gente más influyente que puede aconsejarte en tu profesión. Te atrae el mundo de la moda, de la arquitectura y de las finanzas. Algunas veces planeas con demasiada estrategia y falta de espontaneidad. Quieres agradar a la gente y te cuesta trabajo decir que no, lo cual puede acarrearte problemas. Eres un amante cariñoso y una compañía muy agradable. Debajo de tu apariencia pacífica puedes ser combativo, de manera que los deportes, como la esgrima o participar en un *rally*, te dan gran satisfacción.

NACIERON EN ESTE DÍA:
Nicolas Cage
(actor)
Gerard Durrell
(naturalista)
Johann Christian Fabricius
(zoólogo)
Lewis Hamilton
(campeón de Fórmula 1)
Butterfly McQueen
(actor)
John E. Walker
(químico, ganador
del Premio Nobel)

MEDITACIÓN:

Hacer algo bien es mejor que decirlo bien.

Carta del tarot: El Carro
Planetas: Venus y Saturno
Frase: *Las sorpresas son divertidas. Nunca dejaré de sorprenderme.* Nicolas Cage

Fortalezas: Gracioso, motivado.
Debilidades: Calculador, incapaz de decir que no.

Enero 8

Eres una persona sensual y magnética con una presencia poderosa. Con tu mente penetrante y tu gran inteligencia trabajas de manera efectiva y ardua para tener éxito en el mundo comercial. El dinero y la tranquilidad que te aporta son esenciales para ti. Como resultado de tu éxito puedes mostrarte receloso de los motivos de los demás. Tienes una fuerza de carácter que te ayuda a pasar los momentos más difíciles de tu vida. Aunque eres emocionalmente reservado, sientes una gran compasión por tus semejantes; estás bien preparado para trabajar en proyectos de rehabilitación. Cuando estás estresado, a veces te vuelves pesimista. Una relación sólida te da esa seguridad emocional que tanto necesitas y eres muy protector de tu familia. Una manera excelente de pasártela bien es salir una noche con tus amigos.

NACIERON EN ESTE DÍA:
Dame Shirley Bassey
(cantante)
David Bowie
(músico)
Graham Chapman
(comediante)
William Hartnell
(actor)
Steven Hawking
(físico y escritor)
Elvis Presley
(cantante y actor)

MEDITACIÓN:

Si el mundo te parece frío, enciende hogueras para calentarlo.

Carta del tarot: La Fuerza
Planetas: Plutón y Saturno
Frase: *La ambición es un sueño con un motor de 8 cilindros.* Elvis Presley

Fortalezas: Apasionado, brillante.
Debilidades: Desconfiado, cínico.

Enero 9

Eres una persona alegre y optimista que también puede ser muy seria; es una combinación enigmática e irresistible. Te encanta estar en posición de liderazgo, eres extremadamente ambicioso y te encanta ser mayor, pues la gente te trata con más respeto. Eres abierto, te encanta explorar nuevos horizontes y ampliar tu círculo de influencia; a menudo viajas al extranjero por razones de trabajo. Debido a que el conocimiento es tan importante para ti, tu papel ideal es de orientador o educador. También te atrae el mundo legal e incluso el mundo del Internet, que está en constante desarrollo. Eres inquieto y necesitas cambios y estímulos constantes, no te es fácil establecerte con una sola persona o profesión. Eres un amante encantador, fácil de llevar y divertido. Te encanta el combate personal y tu ejercicio ideal son los juegos, como el billar o el *squash*.

Carta del tarot: El Ermitaño
Planetas: Júpiter y Saturno
Frase: *Si una cosa vale la pena, vale la pena hacerla despacio…muy despacio.* Gypsy Rose Lee

Fortalezas: Liberal, optimista.
Debilidades: Decidido, inquieto.

NACIERON EN ESTE DÍA:
Simone de Beauvoir
(escritora y filósofa)
Gypsy Rose Lee
(actriz)
Richard Nixon
(presidente de Estados Unidos)
Paolo Nutini
(cantante, compositor y guitarrista)
Jimmy Page
(músico y productor)
Imelda Staunton
(actriz)

MEDITACIÓN:

Con cada experiencia adquieres fuerza, valor y confianza.

Enero 10

Eres una persona consciente y atenta además de una verdadera profesional. Eres un excelente planificador y un trabajador incansable, por lo general alcanzas el éxito pronto. El problema es que tomas demasiadas responsabilidades y sientes el peso de las exigencias que requieren tu tiempo. Una gran lección para ti es aprender a confiar y delegar. Te encanta cualquier cosa que sea clásica, bien hecha y con estilo, te interesa la arquitectura, el diseño de muebles y las antigüedades. En las relaciones tiendes a frenarte hasta que no estás cien por ciento seguro, y entonces te comprometes por completo. Tú estás al mando y harás cualquier cosa para proteger a los que amas. Tras bambalinas dejas salir tu sensualidad y tu sentido del humor a veces atrevido. Reírte a carcajadas te hace muy bien.

Carta del tarot: La Rueda de la Fortuna
Planetas: Saturno y Saturno
Frase: *Me hubiera gustado saber antes lo que sé ahora.* Rod Stewart

Fortalezas: Diligente, protector.
Debilidades: Tiende a estresarse, incapaz de delegar.

NACIERON EN ESTE DÍA:
Annete von Droste
(poeta)
George Foreman
(campeón de boxeo)
Barbara Hepworth
(escultora)
Frank Sinatra Jr.
(cantante, compositor)
Rod Stewart
(cantante, compositor y músico)
Robert Woodrow Wilson
(astrónomo)

MEDITACIÓN:

En el amor, el rey y el mendigo son iguales.

Enero 11

Eres una persona amigable y sociable, autónoma e independiente. Tu mente es lógica y tienes una clara percepción de los eventos, eres muy objetivo ante las cosas. Eres un gran organizador y planeas con tiempo, amas el orden y también el cambio. De manera ideal sabes unir lo viejo con lo nuevo, pero algunas veces dudas cuando debes elegir entre la tradición y la innovación. Necesitas tener el control, ser la autoridad y si alguien te reta te rehúsas con terquedad. Esta actitud proviene de los profundos sentimientos de inseguridad que sueles esconder. Te atrae la gente extraña y tus relaciones no son convencionales, aunque una parte de ti anhela seguridad. Te sienta bien estar al aire libre, date tiempo para caminar en espacios abiertos.

MEDITACIÓN:

La sabiduría es compartir experiencias juiciosas y conocimiento.

Carta del tarot: La Justicia
Planetas: Urano y Saturno
Frase: *Hay muchos caminos, pero sólo un destino.* Naomi Judd

Fortalezas: Cordial, independiente.
Debilidades: Controlador, tímido.

Enero 12

Eres una persona soñadora y sensible que desea tener éxito material. En apariencia eres serio y profesional, en control de tus emociones, pero por dentro eres muy suave. Eres artístico y estás preparado para trabajar mucho y arduamente, tendrías una carrera exitosa en el teatro, en el arte o en la escritura creativa. Tu sensibilidad te convierte en un consejero compasivo, pues estás dispuesto a ayudar a la gente a nivel práctico. Tu debilidad es que cargas los problemas de los demás y entonces pierdes confianza en ti mismo. En el amor eres tierno y devoto de tu amante. Sin embargo, a veces eres dependiente. El canto abre tu corazón y una sesión de karaoke es una gran diversión para ti, además de que te ayuda a recobrar la seguridad en ti mismo.

MEDITACIÓN:

La única manera de mantener el amor es regalándolo.

Carta del tarot: El Colgado
Planetas: Neptuno y Saturno
Frase: *La educación es peligrosa —cualquier persona culta es un futuro enemigo.* Hermann Goering

Fortalezas: Creativo, considerado.
Debilidades: Carece de confianza, inseguro.

Enero 13

Eres una persona fuerte, aunque tierna con una visión práctica de la vida. Estás en contacto con tus emociones y estás consciente de ti mismo, disfrutas cuando estás mucho tiempo solo. Algunas personas piensan que eres demasiado retraído. Verte y sentirte bien es muy importante para ti, pues no eres demasiado atlético. Tienes una relación cercana con tu familia y estás en contacto con tus amigos de la infancia. El trabajo te importa mucho y te enorgulleces de mantener un alto estándar en todo lo que haces. Eres muy feliz trabajando en compañías consolidadas. Obtienes lo mejor de la gente, pues en verdad la escuchas y te identificas con ella. En las relaciones, a veces te sientes atraído por gente mayor que tú. Te comprometes pronto, pues necesitas encontrar a tu "media naranja". Para aumentar tu energía regálate un momento en la naturaleza, en especial en un bosque.

Carta del tarot: La Muerte
Planetas: La Luna y Saturno
Frase: *El fracaso es sólo la no-presencia del éxito.* Orlando Bloom

Fortalezas: Confiado, compasivo.
Debilidades: Introvertido, un poco egocéntrico.

NACIERON EN ESTE DÍA:
Orlando Bloom
(actor)
Patrick Dempsey
(actor)
Jan van Goyen
(artista)
Ian Hendry
(actor)
John McNaughton
(director de cine)
Sophie Tucker
(cantante)

MEDITACIÓN:

La vida es una aventura —atrévete.

Enero 14

Eres una persona dinámica y vigorosa y la gente que te conoce siente tu calidez y tu resplandor. Eres un líder nato y estás hecho para los negocios ambiciosos. Eres un profesional refinado y desde temprana edad tienes grandes planes para ser exitoso. Debido a que eres ambicioso te sientes más feliz cuando haces malabares con diferentes responsabilidades. Te importa tu reputación y te esfuerzas por mantener en privado tu vida personal. Aunque pareces tener mucha confianza en ti mismo, en tu interior siempre escuchas una voz que te hace dudar. Algunas veces pareces vanidoso y egoísta, pero la gente te perdona porque en verdad no sabes cómo mostrarte y divertirte. Eres un amante cariñoso y expresivo por naturaleza, te dedicas a tu pareja y a tu familia. Jugar "dígalo con mímica" es un excelente pasatiempo para ti y tus amigos.

Carta del tarot: La Templanza
Planetas: El Sol y Saturno
Frase: *Cuando estás sobre el escenario eres un atleta. No puedes cansarte.* Faye Dunaway

Fortalezas: Animado, competente.
Debilidades: Arrogante, mojigato.

NACIERON EN ESTE DÍA:
Sir Cecil Beaton
(fotógrafo)
Richard Briers
(actor)
Faye Dunaway
(actriz)
Dave Grohl
(músico, cantante, compositor de Foo Fighters)
Jack Jones
(cantante y actor)
Berthe Morisot
(artista)

MEDITACIÓN:

Hasta la mente más sabia tiene algo qué aprender.

10 ♑

NACIERON EN ESTE DÍA:
Lloyd Bridges
(actor)
Martin Luther King Jr.
(líder de los derechos civiles)
Molière
(dramaturgo)
James Nesbitt
(actor)
Ivor Novello
(animador)
Aristóteles Onasis
(magnate de la industria naviera)

MEDITACIÓN:

La motivación determina
lo que haces.

Enero 15

Eres una persona muy considerada que mantiene una fuerte ética en sus actividades laborales. Trabajas sin descanso en nombre de otros, con el afán de servir-
les y ayudarles de manera práctica. Tienes una mente lógica y clara, tu capacidad
de comunicarte es soberbia, reflexionas sobre lo que quieres decir. Es raro que te
agarren desprevenido. Eres un orador y un escritor brillante, en especial en temas
que requieran mucha investigación. Cuando te molestan eres gruñón y demasiado remilgoso. Eres un estudiante dedicado, te encanta estudiar y lo haces
durante toda tu vida. Eliges cuidadosamente a tus amigos y les permites conocer
tu lado más suave y sentimental. En las relaciones, al principio eres frío y emocionalmente reservado; cuando te sientes seguro, te vuelves un amante considerado y romántico. Podar el jardín es una forma excelente para relajarte.

Carta del tarot: El Diablo
Planetas: Mercurio y Saturno
Frase: *Un hombre que no está dispuesto a*
morir por algo, no es el adecuado para vivir.
Martin Luther King Jr.

Fortalezas: Pensamiento lógico,
orador brillante.
Debilidades: Demasiado serio,
exigente.

NACIERON EN ESTE DÍA:
John Carpenter
(director de cine)
James May
(personalidad de televisión)
Andre Michelin
(cofundador de la compañía de
neumáticos Michelin)
Kate Moss
(supermodelo)
Susan Sontag
(escritora)

MEDITACIÓN:

Los problemas sólo son
oportunidades con espinas.

Enero 16

Eres una persona popular y con conciencia social que tiene un aura atractiva. Te
integras en los grupos influyentes y tienes muchos amigos en puestos altos.
Tienes una mente astuta para los negocios, que combinada con tu ingenio, te da
la ventaja en el mundo del comercio. Tienes estilo y te vistes bien con un sencillo
look actual, imprimes tu buen gusto a todo lo que posees. El diseño de interiores
y la moda son dos mundos en los que encajas bien. Eres muy práctico, aunque
algunas veces te ves atrapado en pensamientos negativos y te vuelves cínico.
Estar en una sociedad es esencial para ti, ya sea personal o de negocios, pues
necesitas a alguien con quien intercambiar ideas. Eres romántico de nacimiento,
cortejas a tu pareja y te complace mucho comprarle regalos. Ir a una exhibición
de arte es la experiencia romántica y cultural perfecta para ti.

Carta del tarot: La Torre
Planetas: Venus y Saturno
Frase: *La ambición, si de verdad estimula,*
lo hace en la ambición de los demás. Susan
Sontag

Fortalezas: Elegante, encantador.
Debilidades: Contradictorio,
escéptico.

Enero 17

Eres una persona enigmática y muy dedicada, cuyo centro interior es fuerte, tenaz y ambicioso; das lo mejor de ti en tu trabajo y sacrificas el placer personal para lograr tus metas. Tienes deseos de comprender las emociones humanas y a ti mismo, te atrae el campo de la psicología y la psiquiatría. En tu juventud eres tímido, pero conforme creces te vuelves más seguro de ti mismo y adquieres confianza. Eres un amigo confiable y leal, tu sentido del humor es perverso. Te riges por un código moral alto e impones tus estándares a los demás, pretendiendo que se comporten de cierta manera. En las relaciones necesitas una pareja fiel, pues tiendes a ser celoso y posesivo. Para mantener vivo tu matrimonio, una cena en un lujoso restaurante y pasar la noche en un hotel con tu pareja te dará la emoción que buscas.

Carta del tarot: La Estrella
Planetas: Plutón y Saturno
Frase: *Un hombre envuelto en sí mismo hace un bulto muy pequeño.* Benjamin Franklin

Fortalezas: Misterioso, cómico.
Debilidades: Moralista, con tendencias a ser celoso.

NACIERON EN ESTE DÍA:
Anne Bontë
(escritora)
Al Capone
(gángster estadunidense)
Jim Carrey
(actor y comediante)
Benjamin Franklin
(fundador de Estados Unidos)
Muhammad Ali
(campeón de boxeo)
Michelle Obama
(primera dama estadunidense)

MEDITACIÓN:

Un gran esfuerzo nace de manera natural a partir de una gran actitud.

Enero 18

Eres una persona de buen corazón que trabaja arduamente. Eres creador y aventurero, estás en una búsqueda por descubrir al mundo y a ti mismo. Nunca dejas de acumular conocimiento y de amoldarlo a tu marca personal de sabiduría. No te gusta ser subordinado y disfrutas trabajando por tu cuenta. Eres un jugador astuto y posees una gran intuición, corres riesgos calculados y haces inversiones sólidas. Tus intereses de negocios varían y pueden ser desde tener una agencia de viajes, una escuela de equitación o manejar un casino. Tu problema es que desperdicias tu energía nerviosa y siempre estás buscando aventuras nuevas. Tus relaciones amorosas son muchas; al paso de los años te estableces con alguien que sea igual a ti intelectualmente. Eres una pareja generosa y llenas de regalos a tu amado. Te gustan los deportes y disfrutas estar en espacios abiertos, así que jugar futbol soccer o remar son excelentes para ti.

Carta del tarot: La Luna
Planetas: Júpiter y Saturno
Frase: *Cuídate de la arrogancia; es el reconocimiento no deseado de los errores que cometiste en el pasado.* Cary Grant

Fortalezas: Intuitivo, benevolente.
Debilidades: Tiende a trabajar en exceso, inquieto.

NACIERON EN ESTE DÍA:
Raymond Briggs
(escritor e ilustrador)
Kevin Costner
(actor)
Manuel García
(torero)
Cary Grant
(actor)
Oliver Hardy
(actor)
A. A. Milne
(escritor)

MEDITACIÓN:

Si crees que puedes hacerlo, entonces puedes hacerlo.

Enero 19

NACIERON EN ESTE DÍA:
Jenson Button
(campeón de Fórmula 1)
Paul Cézanne
(artista)
Janis Joplin
(cantante, compositora y arreglista)
Dolly Parton
(cantante y actriz)
Edgar Allan Poe
(escritor y poeta)
Cindy Sherman
(fotógrafa)

MEDITACIÓN:

*A más alternativas,
más difícil la elección.*

Eres una persona servicial y confiable y los demás dependen de ti. Eres muy ambicioso, asciendes a la cima de manera segura y constante. Siempre estás trabajando; necesitas seguridad material y reconocimiento por tus logros. El estatus te importa mucho. Algunas veces te sientes abrumado por las enormes tareas que te impones, así que es esencial que apartes un tiempo de tu apretada agenda para estar con tus amigos. Recuerda, en la cima puedes sentirte solo. Amas las tradiciones, tienes unos valores fuertes y el matrimonio es para ti. Tu pareja te da el ansiado equilibrio y te sientes atraído a una persona emocional que simplemente te adore. Tu forma de llevar los asuntos del hogar es bien organizada y te esfuerzas para hacer que todos se sientan seguros. Aligera tu carga y relájate, divirtiéndote un poco.

Carta del tarot: El Sol
Planetas: Saturno y Saturno
Frase: *Todo lo que vemos o parecemos no es más que un sueño dentro de otro sueño.*
Edgar Allan Poe

Fortalezas: Confiable, decidido.
Debilidades: Tiende a trabajar demasiado, rígido.

CAPRICORNIO TÍPICO:

EDGAR ALLAN POE

"La ciencia no nos ha enseñado aún si la locura es o no lo más sublime de la inteligencia".

RASGOS DE CAPRICORNIO:
No es fácil estar junto a un hombre Capricornio, pues construye una barrera exterior que no es fácil de romper. Tiene fuertes ambiciones y determinación, las cuales persigue con una gran decisión. Prefiere una cena íntima a una gran fiesta porque debajo de su exterior es tímido e incapaz de mostrar abiertamente sus sentimientos.

Enero 20

Eres una persona práctica y pacífica con valores tradicionales. Eres paciente y disciplinado, siempre resistes hasta el final. Con la edad mejoras física y emocionalmente, asumes el papel del más viejo con un gran estilo y elegancia. Trabajas arduamente para tener éxito material, para formar un hogar y adquirir la seguridad que necesitas. Por lo general es importante que tengas éxito a temprana edad para darte seguridad a la hora de enfrentarte a los retos. Tu debilidad es que puedes ser demasiado posesivo ante las cosas y la gente y depender de las mismas rutinas familiares. Eres un amigo confiable y generoso, te encanta invitar a tus amigos a fiestas. Tu relación es muy importante para ti y sueles conocer a tu pareja de vida a temprana edad. Un masaje de aromaterapia es un regalo que te ayuda a relajarte, vale la pena la inversión.

Carta del tarot: El Juicio
Planetas: Venus y Saturno
Frase: *Marte sigue ahí, esperando a que lleguemos a él.* Buzz Aldrin

Fortalezas: Confiable, tranquilo.
Debilidades: Controlador, teme al cambio.

MEDITACIÓN:

Tú eres el amo de tu destino; tú eres el capitán de tu alma.

CAPRICORNIO TÍPICO:

DIANE KEATON

"Dicen que las mujeres viven más que los hombres. Eso es porque no tienen una verdadera vida".

RASGOS DE CAPRICORNIO:
La mujer Capricornio disfruta del papel de esposa o madre igual que el de directora de una compañía, aunque exige el mismo respeto y seguridad. Cualquiera que sea su apariencia física, ya sea una supermodelo o una científica que intenta salvar a la humanidad, por dentro es una mujer que busca seguridad, liderazgo y respeto. La mujer Capricornio busca reconocimiento por sobre todas las cosas y no parece importarle cómo lo consigue.

11 ~~~ Acuario

21 de enero – 19 de febrero

LA ESTRELLA

CARTA DEL TAROT: La Estrella

ELEMENTO: Aire

ATRIBUTOS: Fijo

NÚMERO: 11

PLANETA REGENTE: Urano

PIEDRAS PRECIOSAS: Zafiro y lapislázuli

COLORES: Turquesa

DÍA DE LA SEMANA: Sábado

SIGNOS COMPATIBLES: Aries, Géminis, Libra, Sagitario

PALABRAS CLAVE: Sociable, humanitario, idealista, creativo, innovador, genio, tranquilo, distante, esquemas excéntricos e imprácticos, ideas fijas

ANATOMÍA: Pantorrillas, tobillos y el sistema circulatorio

HIERBAS, PLANTAS Y ÁRBOLES: Liliácea, orquídea, árboles frutales, bayas, olivo

FRASE CLAVE:
Yo invento

Acuario es el idealista y humanitario del Zodiaco. Gobierna las pantorrillas, los tobillos y el sistema circulatorio, lo cual hace que los nacidos bajo este signo suelan tener problemas como calambres. El símbolo de Acuario es el aguador y el glifo parece como ondas de radio o de aire. Marca la época del año en la que los días se vuelven más largos y, en muchas partes del mundo, comienzan las lluvias. Es el undécimo signo del Zodiaco, cuando la energía es saliente y universal. Acuario es el inventor y el rebelde del Zodiaco.

REGENTE PLANETARIO Y ATRIBUTOS

Acuario es un signo fijo de aire. Al ser el último signo de aire necesita comunicarse con el mundo, por lo que ama el Internet. Acuario es regido por Saturno, y más recientemente por Urano, lo que trajo como consecuencia que haya dos tipos de acuarianos. Los que son del tipo de Saturno son más tradicionalistas, aman las leyes y el orden. Los del tipo de Urano son excéntricos y no son convencionales.

Urano fue descubierto en 1777, en la época de la Revolución Francesa, la guerra de Independencia de los Estados Unidos y la Revolución Industrial en Gran Bretaña. La frase de la revolución —"libertad, igualdad, fraternidad"— es muy relevante para este signo.

Urano es un planeta extremadamente extraño. Tarda 84 años en recorrer su órbita y está inclinado en un ángulo inusual. Se dice que en las eras 21, 42, 63 y 84 tenemos la necesidad de comenzar de nuevo, de liberarnos de las restricciones y de terminar con las convenciones.

RELACIONES

Acuario tiene muchos amigos y le gusta salir con grupos de personas. Eres amigable por naturaleza, pero en tus relaciones más íntimas puedes aparentar ser frío.

El hombre puede ser muy excéntrico e inconformista. La mujer parece hermosa y distante —la típica reina—. Un acuario nunca sigue a la multitud y por lo general, tus relaciones son fuera de lo convencional. Necesitas libertad y espacio. Las relaciones a larga distancia funcionan bien para ti. Necesitas que tu pareja te estimule mentalmente, de manera que Géminis y Libra son perfectos. La profundidad de Escorpión te intriga, pero puedes sentirte desmotivado por su intensidad emocional. Los mejores amigos son Sagitario y otros Acuario.

CONSTELACIÓN Y MITO

Acuario es la constelación del aguador y los mitos acuarianos están relacionados a grandes inundaciones. Los griegos asociaban a Acuario con Ganimedes, el hermoso chico portador de la copa de los dioses. En esta copa estaba ambrosía, el néctar de la inmorta-

lidad, de manera que Acuario está conectado al concepto de una sustancia divina que nutre a toda la vida —una bebida que da vida.

Acuario también está relacionado al mito de Prometeo, quien robó el fuego para dárselo a la humanidad y los dioses lo castigaron. Prometeo representa el aspecto rebelde de Acuario.

FORTALEZAS Y DEBILIDADES

Los acuarianos son idealistas, buscan lo mejor para la humanidad y tienen la capacidad de permanecer desapegados y ver la vida desde una perspectiva superior. Buscas verdades universales, eres extremadamente original, progresista y dispuesto a experimentar. También posees un intelecto agudo, eres fiel y leal con tus amigos y eres muy bueno para aprovechar las buenas oportunidades. Tienes un espíritu reformador.

Tus debilidades son que puedes llevar la contraria y ser impredecible. Muchas veces no entiendes por qué los demás son tan emocionales. Algunas veces te estancas en el pasado y tiendes a tener opiniones fijas.

ACUARIO TÍPICO:
PAUL NEWMAN

"Sólo creces cuando estás solo".

PODERES DE ACUARIO: Posee una forma ecléctica de ver las cosas.

ASPECTOS NEGATIVOS DE ACUARIO: Su actitud de "sabelotodo" tiende a desanimar a los demás.

189

Enero 21

MEDITACIÓN:

*Enseña amor a
quienes odian.*

Eres una persona brillante y jovial con una actitud alegre. Eres un comunicador brillante, eres el arquetipo del viajero en la supercarretera del Internet. La ciencia y las computadoras desempeñan un papel muy importante en tu vida, podrías ser un periodista o trabajar en publicidad, pues los medios de comunicación te estimulan. Eres un mímico nato, eres ingenioso y es muy divertido estar contigo, de manera que tienes un gran grupo de amigos que siempre crece. Eres demasiado inquieto y tu debilidad es que abarcas demasiadas cosas a la vez, siempre brincas de una idea nueva a la siguiente y nunca te concentras en una. En las relaciones eres de trato fácil y consideras a tu pareja como tu mejor amiga. Tu pareja debe ser realista y ayudarte a tener los pies en la tierra. Hablar te cansa, así que relájate escuchando música para meditar.

Carta del tarot: El Mundo
Planetas: Mercurio y Urano
Frase: *El perfume de una mujer dice más sobre ella que su escritura.* Christian Dior

Fortalezas: Centelleante, conversador.
Debilidades: Agitado y algunas veces tenso.

Enero 22

MEDITACIÓN:

*Mantén tu corazón
abierto a los sueños.*

Eres una persona sensible y servicial con una inteligencia aguda. Eres totalmente devoto de la verdad y te gusta ayudar a que la gente tenga una vida mejor. Tu punto de vista es excéntrico y poco ortodoxo, esencialmente tienes buenas intenciones. Lo mejor para ti es ser tu propio jefe, aunque te atrae el formar parte de un pequeño equipo, así como el trabajo social. Trabajar para la caridad es ideal, siempre y cuando se te dé libertad para llevar a cabo tus ideas originales. En las relaciones personales puedes ser frío y distante en apariencia, pero en el fondo, tu corazón es suave y tierno. Emocionalmente puedes alejarte de repente y tu pareja debe llenarte de cariño, sin ser dependiente, lo cual requiere cierta habilidad. Los remedios florales te ayudan a relajarte y a entrar en contacto con tus sentimientos escondidos.

Carta del tarot: El Emperador
Planetas: La Luna y Urano
Frase: *Ríete siempre que puedas, es una medicina barata.* Lord Byron

Fortalezas: Adaptable, amable.
Debilidades: Distante, inquieto.

Enero 23

Eres una persona llamativa y creativa que es sincera y honesta. Eres generoso por naturaleza y extremadamente cortés. Eres idealista de nacimiento y te sientes atraído a hacer una campaña por la reforma social. Tienes modales aristócratas y refinados, parece que tienes una confianza innata. Sin embargo, no siempre es verdad, pues hay ocasiones en las que careces de seguridad y te sientes desanimado si no estás en la posición de mando. Aunque algunas veces eres arrogante, tu necesidad de cariño y admiración te hacen vulnerable y adorable. Brillas cuando estás enamorado —cosa que sucede con frecuencia— pues el romance es tu segunda naturaleza; pero puedes ser demasiado dramático y sabotear una buena relación porque no hay suficiente emoción. Un deporte emocionante, como esquiar o deslizarte en la nieve, alejará tu mal humor.

Carta del tarot: El Hierofante
Planetas: El Sol y Urano
Frase: *Las cosas nunca están tan mal como para no poder empeorarlas.* Humphrey Bogart

Fortalezas: Artístico, valiente.
Debilidades: Duda de sí mismo, se da mucha importancia.

NACIERON EN ESTE DÍA:
Humphrey Bogart
(actor)
John Browning
(inventor)
Edouard Manet
(artista)
Princesa Carolina de Mónaco
(hija del Príncipe Rainero)
Tiffani Thiessen
(actriz)
Louis Zukofsky
(poeta)

MEDITACIÓN:

Comienza pensando en el final.

Enero 24

Eres una persona metódica y diligente, con una gran capacidad para la investigación. Gracias a tu excelente mente sistemática, analizar y sintetizar es lo que mejor te sale. Tienes la habilidad necesaria para ser diseñador gráfico o astrólogo. Te fascina la conexión mente/cuerpo, y la salud y la sanación desempeñan un importante papel en tu vida, ya sea por una mala salud personal o por el deseo de ayudar a los demás. Trabajar en la medicina alternativa también te llama la atención. Algunas veces eres impersonal y la gente siente que estás examinándola de manera minuciosa. En las relaciones eres amigable y cariñoso, pero necesitas tener una pareja apasionada que te encienda y te fascine. Algunas veces te sientes apático, así que ir a un parque temático, con la emoción de la montaña rusa, te inyectará la energía física que necesitas.

Carta del tarot: Los Enamorados
Planetas: Mercurio y Urano
Frase: *Un poco de altivez está bien; un poco de desdén es atrayente.* William Congreve

Fortalezas: Habilidades curativas, mente investigadora.
Debilidades: Falto de energía, carente de pasión.

NACIERON EN ESTE DÍA:
John Belushi
(actor y comediante)
Ernest Borgnine
(actor)
William Congreve
(guionista y poeta)
Neil Diamond
(cantante, compositor)
Adrian Edmonson
(comediante)
Jools Holland
(músico, líder de grupo y presentador de televisión)

MEDITACIÓN:

Conócete a ti mismo y ganarás todas las batallas.

11

Enero 25

NACIERON EN ESTE DÍA:
Robert Boyle
(pionero de la química moderna)
Robert Burns
(poeta)
Etta James
(cantante, compositora)
Alicia Keys
(cantante, compositora y
productora de discos)
W. Somerset Maugham
(escritor)
Virginia Woolf
(escritora)

Eres una persona intelectual y afectuosa que es artística y pacificadora por naturaleza. Eres un gran observador de la gente, un escritor talentoso y te encanta mezclarte en círculos literarios. Eres soñador y reflexivo, tienes cierto magnetismo y encanto. Eres de naturaleza empática, caes bien a la gente y tienes un amplio círculo de amigos. Algunas veces, la gente no está segura de tus intenciones, pues no te gusta ofender a nadie, de manera que te quedas a la mitad, en lugar de decidirte por alguno de los lados. La indecisión es tu pesadilla. Tus modales graciosos te hacen excelente para las relaciones públicas y eres un buen anfitrión por naturaleza. En las relaciones tiendes a no comunicar tus sentimientos y la mejor pareja para ti es una persona de fuego o de agua que te ayude a explorar tus emociones profundas. Hacer pilates es un ejercicio que se enfoca en tu cuerpo y que te ayuda a conectarte a la tierra.

MEDITACIÓN:

Aquél que te haga enojar te conquistará.

Carta del tarot: El Carro
Planetas: Venus y Urano
Frase: *La gente pide críticas, pero lo único que quiere son halagos.* W. Somerset Maugham

Fortalezas: Compasivo, encantador.
Debilidades: Indeciso, confundido.

Enero 26

NACIERON EN ESTE DÍA:
Ellen DeGeneres
(actriz y comediante)
Eddie van Halen
(músico, cantante, compositor
y productor de discos)
Eartha Kitt
(cantante)
José Mourinho
(entrenador de futbol soccer)
Paul Newman
(actor y director de cine)
Maria von Trapp
(inspiración para *La novicia rebelde*)

Eres una persona poderosa y magnética con un toque casi hipnótico. Eres extraordinariamente carismático, no es fácil que la gente te olvide. Te dedicas a sobresalir en cualquier cosa que hagas y tienes una energía sorprendente. Una vez que te comprometes en un proyecto, nunca te das por vencido. Te enorgulleces de hacer un trabajo minucioso y te pones metas altas. Destacas en los negocios, eres un brillante empresario y no te desconciertas por manejar grandes cantidades de dinero. Tu debilidad son tus celos, que provienen de una sensación de inseguridad de tu juventud. Una relación comprometida es lo mejor que te puede pasar, pues a medida que te permites ser vulnerable, te vuelves más abierto y adorable. Te gusta lo oscuro y lo ecléctico, los conciertos de *rock* o los clubes de *jazz* son lugares a los que te gusta ir y divertirte.

MEDITACIÓN:

La felicidad es el sentimiento que importa.

Carta del tarot: La Fuerza
Planetas: Plutón y Urano
Frase: *Nunca doy nada por sentado, en cualquier momento se te puede ir de las manos.* Eartha Kitt

Fortalezas: Atrayente, poderoso.
Debilidades: Celoso, perfeccionista.

Enero 27

Eres una persona aventurera y atrevida con un espíritu pionero. Eres muy independiente, te ocupas de tus asuntos con gran originalidad y confianza en ti mismo. Las almas más tímidas admiran tu espíritu atrevido y aventurero. Sin embargo, a veces te dejas llevar por tu entusiasmo y te falta sensibilidad para darte cuenta de que quizá estés metiéndote en el terreno de los demás. Tu vida se desarrolla de manera que inspira a la gente. Las posibilidades profesionales son muchas y variadas: podrías ser un gran maestro, explorador, director de cine o de teatro. Eres un nómada, te cuesta trabajo asentarte y en tus relaciones íntimas necesitas tener mucha libertad. Los deportes de riesgo, en los que tienes competencia, son esenciales para ti si te sientes limitado. Podrías intentar volar con ala delta, esquiar o saltar en paracaídas.

NACIERON EN ESTE DÍA:
Mohammed Al-Fayed
(empresario)
Mikhail Baryshnikov
(bailarín y actor)
Lewis Carroll
(escritor)
Bridget Fonda
(actriz)
Wolfgang Amadeus Mozart
(compositor)
Kaiser Wilhelm
(emperador alemán)

Carta del tarot: El Ermitaño
Planetas: Júpiter y Urano
Frase: *Todo tiene una moraleja, si eres capaz de encontrarla.* Lewis Carroll

Fortalezas: Aventurero, original.
Debilidades: Inquieto, insensible.

MEDITACIÓN:

Aquél que teme ser conquistado está seguro de la derrota.

Enero 28

Eres una persona ambiciosa, que trabaja arduamente, con ideales elevados y un deseo de hacer que el mundo sea un lugar mejor. Eres un idealista que posee un profundo sentido del honor y tiene muchos principios. La gente respeta tu autoridad, pues la tratas y te comunicas con ella como si fueran iguales. Eres de mente amplia y, aunque por lo general te apegas a la ley, hay una parte de ti que se rebela y de repente actúa de manera irracional. Violar las normas de esta manera te traerá muchos problemas. Tu creatividad es extraordinaria e inviertes largas horas perfeccionando tus habilidades. Una relación comprometida con alguien a quien adoras te da gran felicidad. Necesitas darte tiempo para ejercitarte, pues puedes tener problemas de rigidez en las articulaciones. El ejercicio ideal es el yoga porque aumenta tu flexibilidad.

NACIERON EN ESTE DÍA:
Alan Alda
(actor, director y guionista)
Colette
(escritora)
Jackson Pollock
(artista)
Nicolás Sarkozy
(presidente francés)
Dick Taylor
(bajista)
Elijah Wood
(actor)

Carta del tarot: La Rueda de la Fortuna
Planetas: Saturno y Urano
Frase: *Sé lo más listo que puedas, pero recuerda que es mejor ser sabio que ser listo.* Alan Alda

Fortalezas: Tiene fuertes principios, creativo.
Debilidades: Adicto al trabajo, rebelde.

MEDITACIÓN:

Ríete de ti mismo primero, antes de que alguien más pueda hacerlo.

11

NACIERON EN ESTE DÍA:
Edward Burns
(actor)
Heather Graham
(actriz)
Germaine Greer
(activista y escritora)
John D. Rockefeller
(filántropo)
Tom Selleck
(actor)
Oprah Winfrey
(presentadora de programas
de entrevistas)

MEDITACIÓN:

*Nunca debemos
dejar de explorar.*

Enero 29

Eres una persona lógica y de mente despejada, con pasión para cambiar al mundo. Valoras la verdad sobre todas las cosas y no temes hablar sobre temas que a los demás les escandalizan. Eres el revolucionario o la activista cuyo objetivo no es luchar, sino persuadir a los demás para que compartan su punto de vista. Tus principios son firmes y puedes ser increíblemente terco si la gente intenta forzarte a hacer algo en contra de tu voluntad. Los amigos te importan de verdad y te encanta estar con grupos de gente. Tienes una inclinación científica e intelectual, de manera que te sientes atraído a profesiones en las que tu mente esté ocupada. Las relaciones íntimas son tu debilidad, pues no te es fácil conectarte con tus emociones profundas. Una pareja de fuego puede traspasar tus defensas y el humor siempre ayuda. Un ejercicio rítmico, como hacer caminata, es ideal para ti.

Carta del tarot: La Justicia **Planetas:** Urano y Urano **Frase:** *Freud es el padre de psicoanálisis, el cual no tiene madre.* Germaine Greer	**Fortalezas:** Juicioso, pacífico. **Debilidades:** Teme a la intimidad, necio.

NACIERON EN ESTE DÍA:
Christian Bale
(actor)
Dick Cheney
(político estadunidense)
Phil Collins
(cantante, compositor y
músico de Genesis)
Gene Hackman
(actor)
Vanessa Redgrave
(actriz)
Franklin D. Roosevelt
(presidente de Estados Unidos)

MEDITACIÓN:

*El razonamiento y el juicio
son las cualidades
de un líder.*

Enero 30

Eres un comunicador talentoso y una persona siempre cambiante cuya inteligencia raya en la genialidad. Tu proceso de pensamiento es extremadamente ágil, recoges nuevas ideas y de inmediato haces relaciones. Amas las palabras y tienes un extenso vocabulario, así que serías un excelente redactor de publicidad, guionista o compositor. Eres idealista y tienes conciencia social; a medida que maduras sientes la necesidad de utilizar tu energía más que malgastarla en asuntos triviales. Las relaciones son tu parte vital, pues eres una persona muy social. Sin embargo intimar puede resultar incómodo para ti, pues cuando se trata de emociones las sientes en lo más profundo. Una lección de vida es aprender a comunicarte con tu corazón más que con tu cabeza. El yoga es una forma excelente para ayudarte a sintonizar con tu cuerpo y estar consciente de él.

Carta del tarot: La Emperatriz **Planetas:** Mercurio y Urano **Frase:** *Formula las preguntas adecuadas si quieres obtener las respuestas adecuadas.* Vanessa Redgrave	**Fortalezas:** Listo, piensa rápido. **Debilidades:** Teme a las emociones profundas, fantasioso.

Enero 31

Eres una persona popular e inteligente que es amable y ayuda a los demás. Tienes tu propio estilo y no estás dispuesto a seguir las reglas. Haces las cosas de manera diferente y das soluciones increíblemente creativas. Por fuera eres frío, por dentro eres cálido y afectuoso; necesitas sentir que tus logros tienen un valor verdadero. Te llama la atención ser dueño o manejar un restaurante o un hotel porque te gusta cuidar de la gente y ofrecerle una experiencia para recordar. Tu originalidad necesita ser canalizada hacia algo productivo o de otra manera te desconectas y dejas que tu mal humor se apodere de ti. Un novio de la infancia puede ser tu media naranja porque necesitas un verdadero amigo y alguien que te conecte con tus raíces. Es importante que te cuides y equilibres tus caprichosas emociones con acupuntura u homeopatía.

Carta del tarot: El Emperador
Planetas: La Luna y Urano
Frase: *Desde temprana edad estaba enamorada del canto y la actuación.* Minnie Driver

Fortalezas: Individual, popular.
Debilidades: Temperamental, emocionalmente errático.

NACIERON EN ESTE DÍA:
Minnie Driver
(actriz)
Zane Grey
(escritor)
Derek Jarman
(director de cine)
Norman Mailer
(escritor)
Franz Schubert
(compositor)
Justin Timberlake
(cantante, compositor, bailarín y productor de discos)

MEDITACIÓN:

Sueña un sueño imposible.

Febrero 1

Eres una persona franca y sincera con puntos de vista radicales sobre cómo el mundo puede ser mejor. Tu intelecto es agudo y reaccionas rápidamente ante la hipocresía, por lo general utilizando tu sentido del humor. Te encanta burlarte de lo establecido y de la burocracia. Motivas a la gente a que actúe, así que la política, con la difícil atmósfera del debate, es el campo perfecto para tu talento. Eres buen amigo y buen vecino; eres el vocero ideal de un grupo. Haces amigos fácilmente y debido a que tienes muchos es difícil que tengas una relación cercana con alguien en particular. Las relaciones íntimas no son fáciles para ti porque amas la libertad y necesitas poder ocuparte de tus asuntos. Puedes ser muy nervioso y te agotas, así que te haría bien practicar un deporte como el tai chi, que ejercita tu cuerpo y tranquiliza a la mente.

Carta del tarot: El Mago
Planetas: Marte y Urano
Frase: *Un hombre sabio provoca más oportunidades de las que encuentra.* Francis Bacon

Fortalezas: Ingenioso, excelente orador.
Debilidades: Insensible, nervioso.

NACIERON EN ESTE DÍA:
Sir Francis Bacon
(estadista y escritor)
Clark Gable
(actor)
Terry Jones
(actor y escritor)
Brandon Lee
(actor)
Lisa Marie Presley
(cantante y actriz)
Boris Yeltsin
(primer presidente ruso)

MEDITACIÓN:

Los retos son lo que hace que la vida sea interesante.

195

11

NACIERON EN ESTE DÍA:
Eva Cassidy
(cantante)
Davis Jason
(actor)
James Dickey
(escritor)
Farrah Faucett
(actriz)
James Joyce
(escritor)
Shakira
(cantante y compositora)

MEDITACIÓN:

El valor se enfrenta al miedo y por ello lo domina.

Febrero 2

Eres una persona sensual y amable, con una gran dosis de originalidad. Necesitas la comodidad de un hogar sólido y seguridad financiera para lo cual trabajas arduamente para conseguirlos. Confías en tu capacidad y tienes una muy buena opinión de ti mismo. Esto te lleva a tener una posición de liderazgo, pues tienes ideas progresivas mezcladas con realismo práctico. Algunas personas sienten envidia de esto y les pareces presumido y arrogante. Sin embargo disfrutas siendo tú mismo y tiendes a ignorar lo que los demás piensan de ti. Tu vida amorosa se basa en la amistad y necesitas una pareja que te respete intelectualmente. Una vez que te estableces eres devoto, muy cariñoso y te gusta el tacto. Las terapias corporales son buenas para ti, pues a veces eres apático y perezoso, el *shiatsu* o un masaje profundo son ideales para ti.

Carta del tarot: La Suma Sacerdotisa
Planetas: Venus y Urano
Frase: *Los errores del hombre son las puertas hacia el descubrimiento.* James Joyce

Fortalezas: Confiado, amable.
Debilidades: Presumido, egoísta.

NACIERON EN ESTE DÍA:
Elizabeth Blackwell
(primera mujer médico en Estados Unidos)
Joey Bishop
(cómico)
Blythe Danner
(actriz)
Morgan Fairchild
(actor)
Isla Fisher
(actriz)
Frankie Vaughan
(cantante)

MEDITACIÓN:

Aprende a sonreír ante cualquier situación.

Febrero 3

Eres una persona amigable y alegre con una mente rápida y ágil. Eres muy curioso, te encanta el ajetreo de la vida en la ciudad. Te estimula conocer gente nueva e intercambiar ideas. Con una mente despejada y lógica y un punto de vista honesto y razonable, inspiras confianza en los demás. Eres un gran negociador, eres capaz de ver las cosas desde una perspectiva superior. Relaciones públicas, periodismo y publicidad son campos para los que eres bueno. Sin embargo eres una persona de ideas y necesitas que otros se encarguen de los detalles prácticos. Te aburres con facilidad y siempre avanzas hacia el siguiente desafío. Tus relaciones pueden ser muy cerebrales, por lo que sería muy bueno que aprendieras sobre inteligencia emocional. Si quieres que tu mente se relaje, apaga la computadora por las tardes.

Carta del tarot: La Emperatriz
Planetas: Mercurio y Venus
Frase: *No es fácil ser pionero —pero ¡es fascinante!* Elizabeth Blackwell

Fortalezas: Alegre, lógico.
Debilidades: Se aburre fácilmente, se siente incómodo con las emociones.

Febrero 4

Eres una persona altruista y considerada, con un gran deseo de cambiar las cosas para mejorar. Eres el defensor que, con firmeza y voz clara, expresa lo que otros no pueden o no quieren decir. Trabajar para una organización de ayuda o de caridad es ideal para ti. Estás profundamente conectado con las primeras etapas de tu vida familiar y tu historia personal es la base de tu idealismo y muestra tu capacidad de compartirte con los demás. Tu debilidad es que tiendes a enfurruñarte o a usar tus lágrimas para salirte con la tuya. La solución es una relación que te proporcione calidez, una sensación de seguridad, y que te permita expresar tu individualidad. Te encantan los utensilios de cocina y experimentar, preparando estilos culinarios exóticos, lo cual es una excelente forma de que te sientas satisfecho y en paz.

Carta del tarot: El Emperador
Planetas: La Luna y Urano
Frase: *Me di cuenta de que, si pudiera elegir, preferiría a las aves que a los aviones.* Charles Lindbergh

Fortalezas: Caritativo, comprensivo.
Debilidades: Malhumorado, su tristeza no es sincera.

NACIERON EN ESTE DÍA:
Alice Cooper
(cantante, compositor)
Natalie Imbruglia
(cantante, compositora)
Charles Lindbergh
(piloto)
Rosa Parks
(activista de los derechos humanos)
Clyde Tombaugh
(astrónomo, descubridor de Plutón)
Norman Wisdom
(actor, comediante y músico)

MEDITACIÓN:

En el medio de la dificultad se encuentra la oportunidad.

Febrero 5

Eres una persona inspirada que tiene el potencial de ser un genio creativo. Eres un visionario que abraza con entusiasmo las nuevas ideas y puedes ser un gran inventor. Tienes un fuerte sentido de la individualidad, necesitas expresar tu singularidad a través del trabajo creativo. No eres tímido y de forma natural tomas el papel de líder. Un aspecto importante de tu impulso por tener éxito es ver tu nombre escrito con luces. Actuar, ya sea profesionalmente o como aficionado, es muy satisfactorio para ti porque necesitas sentir que los demás te aplaudan. Sin embargo, puedes ser vanidoso y te ofendes mucho si la gente te ignora. El amor desempeña un papel muy importante en tu vida y siempre piensas lo mejor de tus parejas, lo cual a veces hace que te desilusiones profundamente, así que te apoyas mucho en tus amigos para que te consuelen. Canaliza tu dolor hacia la creatividad, te sentirás recompensado.

Carta del tarot: El Hierofante
Planetas: El Sol y Urano
Frase: *Sé justo y si no puedes serlo, sé arbitrario.* William S. Burroughs

Fortalezas: Líder nato, original.
Debilidades: Vanidoso, no soporta ser ignorado.

NACIERON EN ESTE DÍA:
William S. Burroughs
(escritor)
André Citroën
(empresario, fabricante de coches)
John Boyd Dunlop
(inventor y empresario)
Christopher Guest
(escritor y comediante)
Robert Peel
(primer ministro británico)
Michael Sheen
(actor)

MEDITACIÓN:

La vanidad es la arena movediza de la razón.

NACIERON EN ESTE DÍA:
Reina Ana
(monarca inglesa)
Zsa Zsa Gabor
(actriz)
Bob Marley
(cantante, compositor y músico)
Ronald Reagan
(presidente de Estados Unidos)
Axl Rose
(cantante, compositor,
músico de Guns'n Roses)
Babe Ruth
(jugador de beisbol)

MEDITACIÓN:

*Vive —porque la
vida lo es todo.*

Febrero 6

Eres una persona amable y considerada a quien le gusta organizar. Quieres ser útil y eres humanitario de corazón, así que el cuidado de la salud es un buen campo para ti. Siempre encuentras nuevos métodos y sistemas para que la vida sea más fácil; eres excelente como administrador de una oficina u hospital. Te encanta la eficacia de las computadoras y estás al tanto de la tecnología más reciente. El perfeccionismo es tu debilidad, pues tus estándares son altos. Hay una paradoja; eres muy sociable y algunas veces eres solitario. En las relaciones eres un amante cariñoso y gentil, necesitas a alguien que te anime cariñosamente a explorar tu naturaleza sensual. Ensuciarte va en contra de tu naturaleza, aunque es una forma perfecta de que saques tus inhibiciones. Luchar en lodo quizá sea demasiado, pero entiendes la idea.

Carta del tarot: Los Enamorados
Planetas: Mercurio y Urano
Frase: *Cada persona tiene el derecho de decidir su propio destino.* Bob Marley

Fortalezas: Amante considerado, eficiente.
Debilidades: Introvertido, idealista.

NACIERON EN ESTE DÍA:
Charles Dickens
(escritor)
Eddie Izzard
(comediante y actor)
Hattie Jacques
(actor)
Ashton Kutcher
(actor y productor)
Sir Spencer Walpole
(historiador)
Laura Ingalls Wilder
(escritora)

MEDITACIÓN:

*Recuerda vivir un
día a la vez.*

Febrero 7

Eres una persona con estilo y excéntrica que disfruta de una rica vida social. Observar a la gente y platicar con tus amigos son tus pasatiempos favoritos. Amas la belleza y eres perfecto para trabajar en la industria del arte o de la moda. Posees el don de la imitación y un sentido del humor cosmopolita; eres capaz de sorprender a los demás, pero en el buen sentido, sin intenciones de lastimarlos. Eres innovador y parte del grupo de vanguardia. Si la gente se aprovecha de tus buenas intenciones y de tu amabilidad, te retiras de manera muy evidente. Eres un amante nato y las relaciones son el aliento de la vida para ti. Sin embargo puedes darle un sentido demasiado racional a tu pareja y negarte a conectar emocionalmente con ella. Por lo general te desvelas, socializando con tus amigos, de manera que necesitas un momento tranquilo en tu casa, escuchado música o leyendo algo para relajarte.

Carta del tarot: El Carro
Planetas: Venus y Urano
Frase: *Un día desperdiciado en los demás no es un día desperdiciado en uno mismo.* Charles Dickens

Fortalezas: Elegante, sociable.
Debilidades: Intelectualmente superior, emocionalmente torpe.

Febrero 8

Eres una persona intensa y pensativa que tiene cierto aire de misterio. Tu personalidad enigmática es atractiva y atrae a la gente hacia ti. Puedes ser un gran actor o dedicarte a los negocios; tu fuerte voluntad y tu confianza en tus capacidades provocan respeto y admiración. La gente incluso puede sentirse abrumada y verte con admiración. El lado negativo es que usas tu poder para sacar ventaja sobre los demás y puedes ser implacable en tu deseo de ser exitoso. También tiendes a buscar más libertad de lo que se puede. En una relación formal expresas tu sensualidad y tu pasión, siempre y cuando elijas una pareja que comprenda tu complejidad. El tipo de actividades que te emocionan es explorar cuevas o pasar un fin de semana lleno de misterio.

NACIERON EN ESTE DÍA:
Neal Cassady
(poeta)
John Grisham
(escritor)
Jack Lemmon
(actor y director)
Nick Nolte
(actor)
John Ruskin
(escritor y crítico de arte)
John Williams
(compositor y conductor)

Carta del tarot: La Fuerza
Planetas: Plutón y Urano
Frase: *El arte no es el estudio de la realidad positiva, es la búsqueda de la verdad ideal.* John Ruskin

Fortalezas: Apasionado, misterioso.
Debilidades: Manipulador, implacable.

MEDITACIÓN:

Con esperanza puedes superar el más difícil de los momentos.

Febrero 9

Eres una persona vanguardista y de mundo con un gran gusto por la vida. Eres muy entusiasta y estás dispuesto a experimentar, corres riesgos y eres un poco temerario. Eres excelente como empresario y es probable que no busques un empleo de oficina. Tu gran imaginación y tu manera de pensar, orientada al futuro, te llevan a trabajar en proyectos innovadores. Te falta paciencia y prestar atención a los detalles, así que necesitas a alguien que revise que no cometas errores. Te mezclas en un amplio círculo bohemio y tienes muchos amigos de diferentes culturas. Tu relación íntima debe basarse en comprensión intelectual y es necesario que tu pareja tenga el mismo espíritu de aventura que tú. Pasar un fin de semana acampando o caminando en la naturaleza es tu idea de diversión.

NACIERON EN ESTE DÍA:
Mia Farrow
(actriz)
Carole King
(cantante y compositora)
Gypsy Rose Lee
(bailarina exótica)
Carmen Miranda
(cantante y actriz)
Joe Pesci
(actor y comediante)
Alice Walker
(escritora)

Carta del tarot: El Ermitaño
Planetas: Júpiter y Urano
Frase: *La vida se trata de perder y de hacerlo con la mayor gracia posible… y de disfrutar el proceso.* Mia Farrow

Fortalezas: Aventurero, energético.
Debilidades: Impaciente, quisquilloso.

MEDITACIÓN:

Meditación: El amor crece cuando das.

Febrero 10

Eres una persona autosuficiente e independiente que posee un gran sentido común. Tienes un punto de vista realista sobre la vida y eres muy disciplinado. Con un pensamiento muy claro, te fijas metas y haces tu mayor esfuerzo para alcanzarlas. Eres ambicioso, aceptas estoicamente lo que hace falta para llegar a la cima y, como resultado, tu vida personal puede verse afectada. Te atrae trabajar en la política o con un grupo de expertos, pues siempre estás mirando hacia el futuro. Eres amigable y caritativo, ofreces ayuda práctica a quienes la necesitan. En las relaciones te conviene alguien igual que tú, que sea capaz de agitar tu actitud un poco austera. Te encanta el humor, así que para revitalizarte y equilibrarte ve al teatro o a un bar a ver una comedia.

NACIERON EN ESTE DÍA:
Bertolt Brecht
(escritor)
Roberta Flack
(cantante, compositora, pianista)
Boris Pasternak
(escritor)
Mark Spitz
(campeón olímpico de natación)
Sir John Suckling
(poeta)
Robert Wagner
(actor)

MEDITACIÓN:

Las cosas más hermosas del mundo no se pueden ver, ni tocar.

Carta del tarot: La Rueda de la Fortuna
Planetas: Saturno y Urano
Frase: *Comencé gracias a personas excelentes en este negocio: el señor Astaire y el señor Tracy.* Robert Wagner

Fortalezas: Tiene pensamientos claros, ambicioso.
Debilidades: Distante, desidioso.

Febrero 11

Eres una persona excéntrica y poco convencional que es muy sociable. Tienes la capacidad de ser amigo de toda clase de gente, de cualquier condición social. Las personas se entusiasman con tu modo excéntrico y la sensación de camaradería que creas. Eres innovador —ya sea en el mundo de la ingeniería, la computación o la moda— y tu creatividad deja huella. Tu vida es controversial y nunca aburrida. Eres inquieto y anhelas novedades; tiendes a levantarte e irte repentinamente cuando te aburres. En las relaciones tratas de que tu pareja se ajuste, pero necesitas aprender a escuchar más que a moldearla. Tiendes a ser muy nervioso y buscas una forma peculiar de ejercicio que libere la tensión nerviosa. Experimenta con las artes marciales como *qi gong*, kendo y karate hasta que encuentres la ideal para ti.

NACIERON EN ESTE DÍA:
Jennifer Aniston
(actriz)
Yukio Hatoyama
(primer ministro japonés)
Leslie Nielsen
(actor y comediante)
Mary Quant
(diseñadora de modas)
Burt Reynolds
(actor)
William Fox Talbot
(fotógrafo e inventor)

MEDITACIÓN:

Naciste para ser único.

Carta del tarot: La Justicia
Planetas: Urano y Urano
Frase: *La moda no es una frivolidad. Es parte de estar vivo hoy en día.* Mary Quant

Fortalezas: Sociable, creativo.
Debilidades: Ansioso, controlador.

Febrero 12

Eres una persona imaginativa y realista capaz de llevarse bien con toda clase de gente. Tu simpatía natural y tu compasión tocan el corazón de las personas y ellas sienten que eres su amigo. Tu naturaleza comprensiva, mezclada con tu inteligencia, te lleva a profesiones de vocación social o médicas. Tienes un fuerte lado espiritual y puedes experimentar con los estudios psíquicos, el tarot o la astrología. También serías un ministro interreligioso. Una debilidad tuya es tu tendencia a soñar despierto y a dejarte llevar de repente a otro reino; tienes una visión utópica sobre cómo debería ser el mundo. Tu relación íntima debe combinar amistad con amor incondicional, lo cual no es un requisito fácil de cumplir. La música es la forma ideal para perderte en la ensoñación, sin que te moleste la mundana realidad.

Carta del tarot: El Colgado
Planetas: Neptuno y Urano
Frase: *Las amistades de un hombre son una de las mejores medidas de su valía.*
Charles Darwin

Fortalezas: Benevolente, sagaz.
Debilidades: Soñador, tiene expectativas altas.

NACIERON EN ESTE DÍA:
Judy Blume
(escritora)
Charles Darwin
(naturalista)
Abraham Lincoln
(presidente de Estados Unidos)
Anna Pavlova
(bailarina)
Christina Ricci
(actriz)
Franco Zeffirelli
(director de cine)

MEDITACIÓN:

El viaje es la recompensa.

Febrero 13

Eres una persona controversial y fascinante, con un modo encantador y provocativo. Te gusta rebelarte ante lo establecido y escandalizar a la gente, aunque, paradójicamente, posees un lado suave y romántico. Si explotas tu potencial puedes volverte increíblemente exitoso y en verdad marcar una diferencia en el mundo. Es esencial que expreses el lado considerado y amable de tu naturaleza; el trabajo social y la poesía son buenos campos para ti. Cuando las emociones negativas te dominan, te pones falsamente sensible y puedes caer víctima de las adicciones. Un regalo divertido y excéntrico te pondrá de buen humor y a los demás también. En las relaciones puedes ser vulnerable y cuando maduras te das cuenta de lo gratificante que es para ti que tu pareja te apoye emocionalmente. Un regalo del cielo para ti es un deporte como el golf, que es como una meditación en movimiento.

Carta del tarot: La Muerte
Planetas: La Luna y Urano
Frase: *No me gusta hacer muchas cosas hasta que no puedo hacerlas muy bien.*
Oliver Reed

Fortalezas: Encantador, buen sentido del humor.
Debilidades: Demasiado emocional, negativo.

NACIERON EN ESTE DÍA:
Stockard Channing
(actor)
Peter Gabriel
(músico; vocalista
líder de Genesis)
Kim Novak
(actor)
Oliver Reed
(actor)
Jerry Springer
(personalidad de televisión)
Robbie Williams
(cantante, compositor)

MEDITACIÓN:

Actúa como si lo que hicieras marcara la diferencia.

11

NACIERON EN ESTE DÍA:
John Barrymore
(actor)
Jack Benny
(actor)
Frank Harris
(escritor)
Gregory Hines
(bailarín)
Simon Pegg
(actor, productor de cine y escritor)
Christopher Sholes
(inventor del teclado QWERTY)

MEDITACIÓN:

Pensar es fácil.
Actuar es difícil.

NACIERON EN ESTE DÍA:
Georges Auric
(compositor)
Ian Ballantine
(publicista)
Claire Bloom
(actriz)
Galileo Galilei
(astrónomo)
Matt Groening
(caricaturista y creador
de *Los Simpsons*)
Jane Seymour
(actriz)

MEDITACIÓN:

No cuentes los días, haz
que los días cuenten.

Febrero 14

Eres una persona apasionada e idealista que vive la vida al máximo. Tienes una gran visión romántica sobre la vida y eres capaz de expresarte con un talento creativo y original. Siempre estás experimentando, puedes vivir peligrosamente y no te muestras reacio a correr riesgos. Eres temperamental y necesitas encontrar una manera de expresar tus fuertes emociones. Es mejor que canalices esta energía hacia una causa en la que creas; eres un excelente defensor de los menos favorecidos. Te sientes atraído por los grupos de gente y te encanta ser el centro de atención, de manera que eres el líder político ideal. En una relación íntima necesitas que te adoren y, a cambio, eres tremendamente fiel. Tu energía puede descender de repente, es necesario que protejas tu sistema nervioso con remedios herbales, más que con estimulantes químicos.

Carta del tarot: El Hierofante
Planetas: El Sol y Urano
Frase: *No se trata de saber cuándo hablar, sino de cuándo hacer una pausa.* Jack Benny

Fortalezas: Entusiasta, imaginativo.
Debilidades: Errático, voluble.

Febrero 15

Eres una persona amable y devota que ama la rutina. Tu capacidad de analizar los problemas en partes, de organizar tus pensamientos con claridad y de aportar soluciones constructivas te hacen un gran arquitecto o diseñador. También posees habilidades técnicas y podrías dedicarte a la confección de ropa o a la carpintería. Si un amigo quiere limpiar su desorden, tú eres el indicado para ayudarle. Eres perfeccionista y nada te gusta más que acomodar y tirar cosas que no sirven. Sin embargo puedes ser demasiado crítico sobre la manera en que la gente vive. Para tener una relación exitosa necesitas aprender que no puedes controlarlo todo. Eres un padre cariñoso y dedicado, que sabe estimular la imaginación de los niños. Aprender a dar masaje es una excelente manera de dar y recibir el cariño físico que necesitas.

Carta del tarot: El diablo
Planetas: Mercurio y Urano
Frase: *Amo demasiado a las estrellas como para sentir miedo de la noche.* Galileo Galilei

Fortalezas: Organizado, dedicado.
Debilidades: Perfeccionista, dominante.

Febrero 16

Eres una persona encantadora, con buenos modales y eres un verdadero altruista. Tu coeficiente intelectual es alto y eres muy conocedor. Eres culto y civilizado, de manera natural te atrae el mundo del arte y los museos, en donde tu intelecto es estimulado. Eres muy parlanchín, necesitas el estímulo de la vida de la ciudad y que haya diferentes personas sofisticadas a tu alrededor, aunque el campo te da paz interior. Tu propósito verdadero es satisfecho cuando encuentras una causa a la que puedas apoyar, que mejore la calidad de vida de la gente. En el amor eres demasiado idealista y sometes a tu pareja a expectativas que no son realistas. Para que tu relación sea duradera necesitas a alguien que sea firme contigo y que te permita expresarte. Cantar en un coro es una forma excelente de conectarte con tus emociones.

Carta del tarot: La Torre
Planetas: Venus y Urano
Frase: *Me siento como la oveja negra en el Congreso, pero aquí estoy.* Sonny Bonno

Fortalezas: Conocedor, humanitario.
Debilidades: Parlanchín, fantasioso.

NACIERON EN ESTE DÍA:
Iain Banks
(escritor)
Sonny Bonno
(animador y congresista)
Sarah Clark
(actriz)
John McEnroe
(campeón de tenis)
Christopher Marlowe
(escritor)
Andy Taylor
(músico, guitarrista de Duran Duran)

MEDITACIÓN:

Siempre perdona a tus enemigos.

Febrero 17

Eres una persona profunda y fascinante que vive la vida al máximo. Te encanta indagar y descubrir aspectos escondidos de la gente, comenzando por saberlo todo sobre ti. Es posible que te hayan psicoanalizado a temprana edad y quizá se convierta en tu profesión. Tu mente es aguda y te encanta investigar con precisión científica, aunque hay un lado oscuro y sensual en tu naturaleza. Confías en ti mismo y eres un sobreviviente nato con gran resistencia. Sin embargo, puedes alejarte de la gente y cerrarte como mecanismo emocional de defensa. Tus relaciones son todo o nada, necesitas una pareja que comparta tu intensidad, de otra manera te obsesionas con tus propios intereses. El mejor ejercicio físico para ti puede ser la jardinería o remodelar tu casa porque haces algo más mientras lo realizas.

Carta del tarot: La Estrella
Planetas: Plutón y Urano
Frase: *Según yo, deberíamos vivir cada día como si fuera nuestro cumpleaños.* Paris Hilton

Fortalezas: Resistente, intenso.
Debilidades: Desapegado, arrogante.

NACIERON EN ESTE DÍA:
Billie Joe Armstrong
(cantante, compositor y guitarrista de Green Day)
Paris Hilton
(socialité y personalidad mediática)
Michael Jordan
(jugador de basquetbol)
Ruth Rendell
(escritora)
Denise Richards
(actriz)
Sidney Sheldon
(escritora)

MEDITACIÓN:

Aquél que duda está perdido.

Febrero 18

MEDITACIÓN:

*Eres el arquitecto de
tu propio destino.*

Eres una persona electrizante y optimista con una visión atrevida. Tienes un sentido del humor extraordinario, te apasiona viajar y vivir nuevas experiencias. Tienes una personalidad colosal y la gente se da cuenta de tu presencia. No soportas que te limiten, constantemente estás pisando terrenos nuevos gracias a tu deseo de saberlo todo. Las bases de tu profesión pueden ser la filosofía y la antropología. Eres un maestro excelente debido a tu gran comprensión de conceptos complejos. Siempre promueves la causa en la que crees, puedes ser demasiado moralista y sermonear a quien quiera escuchar. La vida doméstica no se hizo para ti, de manera que tus relaciones personales suelen ser libres y abiertas, pues valoras tu independencia. Lo mejor que pueden regalarte son lecciones de vuelo.

Carta del tarot: Júpiter y Urano
Planetas: La Luna
Frase: *El arte es mi vida y mi vida es arte.*
Yoko Ono

Fortalezas: Optimista, investigador.
Debilidades: Aleccionador, inquieto.

ACUARIO TÍPICO:

MICHAEL JORDAN

"Para tener éxito tienes que ser egoísta o nunca lograrás nada. Y una vez que llegas a tu nivel más alto, entonces tienes que ser generoso. Mantenerte al alcance de los demás, en contacto. No te aísles".

RASGOS DE ACUARIO:

El hombre Acuario odia la violencia e intenta mantener un estilo de vida armonioso y pacífico. Le es fácil hacer amigos, aunque evita involucrarse demasiado en los problemas de los demás. Su fortaleza radica en su determinación inquebrantable y en su capacidad de aprovechar cualquier oportunidad que se le presente. Es astuto y creativo, pero busca su intimidad.

Febrero 19

Eres una persona honesta y confiable, con gran astucia para los negocios. Eres un pensador profundo y tu punto de vista se orienta al futuro; siempre tienes las mejores soluciones para los problemas más difíciles. Eres excelente para ocupar puestos de dirección o de enseñanza, en donde puedes explotar tu talento como mentor. Eres jugador de equipo, ves lo mejor de la gente y puedes ayudarle a encontrar su verdadera vocación. Eres igualitario y trabajas de manera natural con todo tipo de personas. En las relaciones, te mantienes frío y distante, no sueles tener demostraciones dramáticas de tus emociones. Tu pareja debe ser capaz de persuadirte para que te separes de tu trabajo. Te encanta que te sorprendan, así que sería excelente que tu pareja te impresionara con una buena cena en un restaurante de cocina exótica.

NACIERON EN ESTE DÍA:
Príncipe Andrés
(realeza británica)
Nicolás Copérnico
(astrónomo)
Lee Marvin
(actor)
Merle Oberon
(actriz)
Smokey Robinson
(cantante, compositor y
productor de discos)
Ray Winstone
(actor)

Carta del tarot: El Sol
Planetas: Saturno y Urano
Frase: *Sólo hago películas para poder pagar la pesca.* Lee Marvin

Fortalezas: Buen mentor, democrático.
Debilidades: Frío, impasible.

MEDITACIÓN:

La fortuna sonríe a los valientes.

ACUARIO TÍPICO:

SHAKIRA

"La creatividad es una caja de sorpresas y nunca sabes con qué te vas a encontrar dentro de ti mismo".

RASGOS DE ACUARIO:
Una mujer Acuario necesita libertad, mucha libertad. Es una pareja leal, pero odia sentirse atrapada, así que permítele disfrutar de su libertad y, a cambio, te recompensará con cariño. La posición y el poder son más importantes para ella que las posesiones materiales. Es honesta, no sólo con ella misma, sino con todos los que tengan la fortuna de ser sus amigos. Le cuesta trabajo mostrar sus emociones, pero una vez que baja la guardia, es posible conocer su lado apasionado.

CARTA DEL TAROT: La Luna

ELEMENTO: Agua

ATRIBUTOS: Mutable

NÚMERO: 12

PLANETA REGENTE: Neptuno

PIEDRA PRECIOSA: Feldespato

COLORES: Tonos suaves de verde marino y azul

DÍA DE LA SEMANA: Jueves

SIGNOS COMPATIBLES: Tauro, Cáncer, Escorpión, Capricornio

PALABRAS CLAVE: Generoso y compasivo, sensible y amable, receptivo e intuitivo, creativo y espiritual, indefinido y olvidadizo, indeciso y de voluntad débil

ANATOMÍA: Pies, sistema linfático

HIERBAS, PLANTAS Y ÁRBOLES: Lima, musgo, pepino, melón, ninfáceas

FRASE CLAVE:
Yo sueño

Piscis
20 de febrero – 20 de marzo

Piscis es el último signo del Zodiaco y el más generoso de todos los signos. Piscis gobierna a los pies, está representado por el símbolo de los peces, se siente como en casa, viviendo y relajándose cerca del agua. Las personas nacidas bajo este signo son soñadoras y místicas, pasan la mayor parte de su tiempo en el mundo de la imaginación. Piscis gobierna la inquieta época del año en la que se espera la llegada de la primavera, pero que no empieza todavía. El contraste con Aries, el siguiente signo, es radical.

REGENTE PLANETARIO Y CUALIDADES

Piscis es un signo mutable de agua. Como el último signo de agua está conectado con la decimosegunda casa de la carta astral. Está relacionado con el útero y el inconsciente colectivo. Está gobernado por Júpiter, el cual rige a la religión, y por Neptuno, que rige al misticismo.

Neptuno es un planeta misterioso ubicado a millones de kilómetros de la Tierra. Tarda 165 años en viajar a través del Zodiaco. Este planeta fue descubierto en 1846, cuando el romanticismo se propagaba por toda Europa, y representa la música, las pinturas y la poesía que animan al alma. En la mitología antigua, Neptuno es el dios del mar, el que gobierna el profundo e inconmensurable mundo submarino. Neptuno rige a la moda, los medios de comunicación y el estado de ánimo de la gente. Piscis puede sentirse abrumado por las emociones y saltar a las profundidades de la desesperanza y la adicción.

En la carta astral, Neptuno nos muestra la vibración más alta del amor universal. Puede ser ilusión y desilusión, imaginación o decepción, el psíquico o el adicto.

RELACIONES

Los nacidos bajo el signo de Piscis son muy adaptables, así que puede parecer que son muchas cosas ante mucha gente. Vives a través de los demás y puedes perder tu identidad y sentirte abrumado, en especial dentro de un grupo. La mujer Piscis es suave y femenina, con una característica etérea. El hombre es apasionado, poético y extremadamente sensible. Piscis se siente lastimado con facilidad y a menudo se enamora de la persona equivocada. Eres compatible con los demás signos de agua, Cáncer y Escorpión, porque comparten empatía y sus sensibles emociones. Sagitario es una pareja emocionante, cuyo sentido del humor termina con el mal humor de Piscis —ambos son regidos por Júpiter y comparten los mismos ideales—. Piscis también es una buena combinación. Los mejores amigos son Leo y Capricornio, también te llevas bien con Tauro y Libra.

CONSTELACIÓN Y MITO

Piscis es la débil constelación de los peces. De acuerdo con el antiguo mito, Afrodita y su hijo, Eros, fueron perseguidos por el monstruo Tifón y, para escapar de él, se trans-

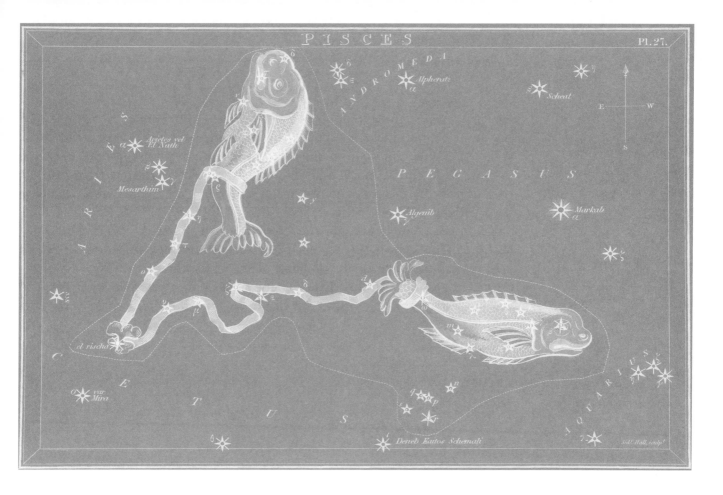

formaron en peces, unieron sus colas para no separarse y huyeron nadando.

La historia demuestra la manera en que la diosa del amor es capaz de transformarse para escapar del monstruo. En el año 7 a.C. hubo una triple conjunción de Saturno y Júpiter en Piscis, la cual se dice que era la Estrella de Belén que anunciaba el nacimiento de Jesucristo.

FORTALEZAS Y DEBILIDADES

Piscis es el más creativo de todos los signos, pero casi siempre hay un precio qué pagar. Puedes sufrir por tu destreza o sacrificarte para ayudar a los demás. Es el signo del que cuida, el verdaderamente caritativo, el arquetipo del salvador y el cura.

Cuando se divierte Piscis está junto al mar, en las galerías de arte, en los teatros, en las salas de conciertos o en el cine. Debes darte un poco más de tiempo para llegar a tus citas, pues fácilmente te pierdes o te distraes. Tu tendencia al olvido resulta encantadora o frustrante. Piscis olvida con gracia los errores de los demás. Vives en un mundo de magia en el que cualquier cosa es posible. Estás motivado en tu búsqueda de plenitud y trascendencia.

PISCIS TÍPICO: ROBERTO GÓMEZ BOLAÑOS "CHESPIRITO"

"La risa es una expresión de triunfo del cerebro. Si te ríes por un chiste es porque lo entendiste".

PODERES DE PISCIS: Imaginación creativa, talento artístico.
ASPECTOS NEGATIVOS DE PISCIS: Impresionable, indeciso.

Febrero 20

Eres una persona amable y capaz, que comprende y tiene una gran sensibilidad ante los sentimientos de los demás. Deseas servir e inspirar a la gente para que disfrute de la vida. Gracias a tu imaginación vívida y a tu capacidad práctica para transformar tus ideas en resultados materiales, te iría bien en el campo de las artes. Eres cálido y táctil; la gente se siente a gusto contigo. Las sociedades son esenciales para ti, aunque pueden defraudarte. En el aspecto romántico estás buscando un ideal que no existe. Necesitas tener una pareja que te llene de cariño, pero nunca te sientes satisfecho. Estás buscando consuelo espiritual y esa conexión que se da cuando te entregas a los demás. Te atraen los trabajos de caridad y ayudar como voluntario en un comedor de beneficencia es muy reconfortante.

MEDITACIÓN:

El tiempo siempre es el indicado para hacer lo adecuado.

Carta del tarot: La Suma Sacerdotisa
Planetas: Venus y Neptuno
Frase: *Dejemos que comience el trabajo del cambio.* Gordon Brown

Fortalezas: Táctil, caritativo.
Debilidades: Poco realista, insatisfecho.

Febrero 21

Eres una persona divertida y muy inteligente, con gran capacidad de divertirse; un imitador brillante que ama las palabras y las imágenes; eres un actor o guionista nato. Cualquier cosa que haces te absorbe por completo y tu mente trabaja tiempo extra. Tu imaginación es fértil y eres extremadamente parlanchín; te encanta hablar sobre tu trabajo con cualquier persona interesada en escucharte. Aunque eres muy sociable, también puedes ser tímido y nervioso. Tu mayor don es la capacidad de inspirar magia en las personas, aunque también tiendes a soñar despierto y puedes verte atrapado en proyectos fantasiosos e imprácticos. Disfrutas de las cosas buenas de la vida, pero no ansías avanzar financieramente hablando. En el amor eres tierno y juguetón, necesitas estar en la misma frecuencia que tu pareja. Ir al cine te permite escaparte de tu charloteo mental.

MEDITACIÓN:

Si crees que puedes, lo más probable es que puedas.

Carta del tarot: La Emperatriz
Planetas: Mercurio y Neptuno
Frase: *Un poeta es un hacedor profesional de objetos verbales.* W. H. Auden

Fortalezas: Divertido, imaginativo, cariñoso.
Debilidades: Tímido y poco práctico.

Febrero 22

Eres una persona compasiva y considerada, muy cálida y generosa. Eres extremadamente emocional, siempre estás en contacto con tus sentimientos. Por instinto sabes qué siente la gente y puede contar contigo cuando necesite consuelo y un oído comprensivo. Ayudar a los demás es tu razón de existir, serías un excelente consejero, ministro religioso o sanador. Tu mayor debilidad es que eres demasiado sensible y el menor detalle te ofende. En las relaciones te sientes vivo y una pareja capaz de apreciarte te ayuda a florecer. La vida familiar va contigo y te gusta desempeñar un rol paternal. Vivir y estar cerca del agua es una prioridad, así que instala una fuente miniatura o un lago pequeño en tu jardín para relajarte y darte bienestar.

Carta del tarot: El Emperador
Planetas: La Luna y Neptuno
Frase: *La felicidad y el deber moral están irremediablemente conectados.* George Washington

Fortalezas: Compasivo, generoso.
Debilidades: Demasiado emocional, demasiado sensible.

NACIERON EN ESTE DÍA:
Sir Robert Baden-Powell
(fundador de los Boy Scouts)
Drew Barrymore
(actriz, directora y productora de cine)
Steve Irwin
(ecologista)
Sir John Mills
(actor)
Rembrandt Peale
(artista)
George Washington
(primer presidente de Estados Unidos)

MEDITACIÓN:

Nutre a tu mente como lo harías con tu cuerpo.

Febrero 23

Eres una persona muy segura y cariñosa. Estás totalmente inmerso en el descubrimiento de ti mismo; eres un soñador y creador de una vida mágica; tienes el toque de Midas. Posees el don de la alegría y la gente se siente joven y viva cuando está contigo. Siempre te sientes atraído al centro del escenario y te llama la atención el mundo del teatro, de la televisión o del cine. Necesitas el aplauso y la admiración de los demás para sentirte aceptado. Sin embargo, te molestas con facilidad y necesitas retirarte a lamerte las heridas cuando alguien te critica. Entretener a los demás para ayudarlos es la solución perfecta. Atesoras tus ilusiones e intentas que se vuelvan realidad. Brillas cuando estás enamorado, cada célula de tu ser vibra de gozo. Necesitas una pareja fiel porque no soportas la competencia.

Carta del tarot: El Hierofante
Planetas: El Sol y Neptuno
Frase: *Estoy tan contento como ningún otro hombre en el mundo, pues parece que el mundo me sonríe.* Samuel Pepys

Fortalezas: Confiado, de buen ánimo.
Debilidades: Vulnerable, necesita atención.

NACIERON EN ESTE DÍA:
Kristin Davis
(actriz)
Michael Dell
(fundador de computadoras Dell)
Peter Fonda
(actor)
George Friederich Handel
(compositor)
Samuel Pepys
(funcionario naval y diarista)
Barón Rothschild
(empresario, financiero)

MEDITACIÓN:

Convéncete a ti mismo de que no tienes límites.

12 ♓

NACIERON EN ESTE DÍA:
Angela Greene
(actriz)
Wilhelm Carl Grimm
(escritor)
Steve Jobs
(cofundador de Apple Inc.)
Michel Legrand
(compositor)
Ben Miller
(comediante y actor)
Billy Zane
(actor y director)

MEDITACIÓN:

Ganar no lo es todo, pero querer ganar sí lo es.

Febrero 24

Eres una persona devota y considerada. Tienes una gran imaginación mezclada con una mente práctica y metódica. Tienes una profunda capacidad de ver el panorama más amplio a través de tu intuición, de tus poderes psíquicos y de hacer que tu visión se manifieste. Te sientes atraído a la profesión de sanador, eres considerado y tienes un modo sensible, lo cual te convierte en el consejero o sanador ideal. Te preocupa la nutrición y te atraen las dietas vegetarianas o macrobióticas. Tu salud es vulnerable, pues tiendes a sentirte ansioso ante las cosas más insignificantes. En las relaciones puedes enamorarte de una fantasía, así que debes asegurarte de que verdaderamente conoces a alguien antes de comprometerte. Cuando encuentras a la persona adecuada, florece tu lado que cuida y protege y eres una pareja amable y cariñosa.

Carta del tarot: Los Enamorados
Planetas: Mercurio y Neptuno
Frase: *Para mí, siempre son importantes las primeras impresiones. Confío en mi instinto.* Billy Zane

Fortalezas: Se preocupa por los demás, imaginativo.
Debilidades: Aprensivo, caprichoso.

NACIERON EN ESTE DÍA:
Enrico Caruso
(cantante de ópera)
Tom Courtenay
(actor)
Lee Evans
(comediante)
George Harrison
(cantante, compositor, guitarrista de The Beatles)
Zeppo Marx
(actor)
Auguste Renoir
(artista)

MEDITACIÓN:

Los sueños rara vez se vuelven realidad solos.

Febrero 25

Eres una persona culta y encantadora que siente amor por la belleza y la armonía. Tu mente es clara y equilibrada, posees el don de la elocuencia y eres un diplomático y pacificador nato. El amor es lo más importante para ti y tus relaciones son una parte integral de tu vida. Tienes ideales irreales y la gente puede defraudarte; en tu vida profesional y personal necesitas saber manejar tus expectativas. Tu creatividad es una expresión de tu amor, lo que te hace un bailarín o actor hechizante. A través de tu arte, la gente se siente transportada a otro plano. Una vez que reconozcas que tu necesidad de amor sólo puede satisfacerse por medio de la conexión con lo divino, tus relaciones mejorarán de manera importante. Una velada fantástica para ti es ir al cine a ver una película que te haga llorar a lágrima suelta, pues te da la oportunidad de sentir tus emociones.

Carta del tarot: El Carro
Planetas: Venus y Neptuno
Frase: *Los Beatles salvaron al mundo del aburrimiento.* George Harrison

Fortalezas: Elocuente, pacifista.
Debilidades: Ideales irreales, vulnerable.

Febrero 26

Eres una persona emocionalmente compleja con una gran valentía y determinación. Tu vida posee una cualidad épica; una historia de agonía y éxtasis. Eres muy emocional y estás dispuesto a enfrentarte a las profundidades de tu ser, prefieres pasar un tiempo a solas para analizar y comprender tu ser. Esta "cueva" es esencial para ti, pero puedes terminar interesándote sólo en ti. Tu fascinación por las emociones, junto a tu brillante intelecto, pueden llevarte a profesiones como psicoanalista o investigador médico. Todas tus relaciones son importantes, tu pasión y tu intensidad pueden encenderse o extinguirse —tu pareja vivirá una época turbulenta—. Sin embargo eres el amante más emocionante y nadie podrá decir que eres aburrido. Para liberar tu exceso de energía ve a un concierto de rock.

Carta del tarot: La Fuerza
Planetas: Plutón y Neptuno
Frase: *La adversidad forma hombres y la prosperidad crea monstruos.* Victor Hugo

Fortalezas: Fuerza, perseverancia.
Debilidades: Egoísta, emocionalmente errático.

NACIERON EN ESTE DÍA:
Michael Bolton
(cantante, compositor y guitarrista)
Johnny Cash
(cantante, compositor, músico y actor)
Fats Domino
(cantante, compositor y pianista)
Victor Hugo
(escritor)
John Harvey Kellogg
(doctor e inventor)
Levi Strauss
(diseñador de modas)

MEDITACIÓN:

La mejor manera de prepararte para la vida es comenzando a vivir.

Febrero 27

Eres una persona intensamente apasionada y ardiente, con un corazón generoso. Buscas la verdad, te atraen la educación superior y la filosofía. Eres muy espiritual y tiendes a evitar las religiones convencionales de tu país natal; mejor experimentas con las religiones de culturas extranjeras. Eres capaz de encontrar un significado en las situaciones trágicas y negativas de la vida. Eres una persona creativa, con una visión global en la mente, necesitas tener mucha libertad para explorar y moverte. El cine es un campo profesional ideal para ti, en especial la dirección. También eres la persona adecuada para ser terapeuta o profesor. En las relaciones eres muy abierto y dadivoso, pero tus expectativas son altas. Puedes sentirte muy decepcionado en el amor y fácilmente sacrificas cosas que te encantan, lo cual te produce resentimiento. Involucrarte en obras de caridad en el extranjero te ayuda a sobreponerte a los problemas de la vida diaria.

Carta del tarot: El Ermitaño
Planetas: Júpiter y Neptuno
Frase: *En toda vida debe caer algo de lluvia.* Henry Wadsworth Longfellow

Fortalezas: Sensual, generoso.
Debilidades: Tiene grandes expectativas, inquieto.

NACIERON EN ESTE DÍA:
Lawrence Durrell
(escritor)
Henry Wadsworth Longfellow
(poeta)
Adrian Smith
(guitarrista y compositor de Iron Maiden)
Timothy Spall
(actor)
John Steinbeck
(escritor)
Elizabeth Taylor
(actriz)

MEDITACIÓN:

Nunca digas más de lo necesario.

Febrero 28

Eres una persona empática e ingeniosa, con una combinación de sentido común e imaginación. No eres demasiado ambicioso; te sientes a gusto trabajando tras bambalinas. Tienes el don de la intuición, lo cual te hace muy popular pues sabes lo que la gente necesita y puedes dárselo. Este talento te hace un buen compositor, arquitecto o diseñador de escenarios. Te encantan los retos y eres un gran organizador. Te preocupas mucho por los demás e inspiras a la gente; eres un buen recaudador de fondos. Cuando te enamoras, lo haces en secreto, pues eres tímido y mantienes escondidos tus sentimientos. Una vez que te decides por tu pareja perfecta —lo cual puede tardar un poco porque tus estándares y tus expectativas son muy altos— eres fiel y leal. Te encantan los espectáculos, así que uno nocturno, de luz y sonido, sería excelente para ti.

MEDITACIÓN:

La vida es más que acelerar su velocidad.

Carta del tarot: La Rueda de la Fortuna
Planetas: Saturno y Neptuno
Frase: *Soy la que se queda en la puerta de atrás. No soy la que está en medio de la fiesta.* Stephanie Beacham

Fortalezas: Compasivo, leal.
Debilidades: Reservado, tímido.

Febrero 29

Eres una persona confiable, progresista y muy humanitaria. Tienes un lado temerario con un toque de peligro, lo cual es muy excitante. Eres idealista, sueñas con un mundo mejor en donde exista igualdad y libertad para todos. Respetas las reglas de la sociedad, aunque también empujas los límites. Eres un defensor nato de la reforma social; la política es un camino natural para ti. Sin embargo puedes soltar rollos baratos y acosar verbalmente a los demás. La cualidad que te salva es tu atípico sentido del humor. En las relaciones necesitas mucho tiempo solo y eres emocionalmente reservado. Debajo de tu frío exterior eres tierno y devoto. Participar en un juego de equipo, como el críquet o el beisbol, es maravilloso para ti, pues te encanta la camaradería.

MEDITACIÓN:

Meditación: La felicidad depende de nosotros mismos.

Carta del tarot: La Justicia
Planetas: Urano y Neptuno
Frase: *Para que los cambios tengan valor deben ser duraderos y consistentes.* Tony Robbins

Fortalezas: Confiable, visionario.
Debilidades: Intimidante, emocionalmente reservado.

Marzo 1

Eres una persona cálida y optimista con un corazón suave y sentimental. Tienes muchos dones, en especial en la música, tienes la imaginación y la iniciativa para ser un pionero. Piensas con los pies en la tierra, aunque puedes ser impetuoso y precipitado, sin considerar todos los ángulos, lo cual enfada a los demás. Gracias a tu valor y a tu compasión eres bueno para ayudar activamente a los demás, sobre todo si viajar es parte del trabajo. No temes decir lo que piensas, pero tienes fama de ser temperamental. Esto proviene de un miedo interno de que no te reconozcan por tus habilidades. Una relación amorosa duradera te ayuda a equilibrar tu vida. Te enamoras fácilmente y eres muy romántico. Los deportes que te permitan sacar todas tus frustraciones, como participar en un *rally*, son perfectos.

Carta del tarot: El Mago
Planetas: Marte y Neptuno
Frase: *Considero que mi propósito en la vida es hacer que el mundo sea un lugar más feliz.* David Niven

Fortalezas: Talentoso, amable.
Debilidades: Impredecible, franco.

NACIERON EN ESTE DÍA:
Harry Belafonte
(músico y activista)
Federico Chopin
(compositor)
Roger Daltrey
(músico, cantante, compositor de The Who)
Ron Howard
(actor y director)
Glenn Miller
(líder de grupo y músico)
David Niven
(actor)

MEDITACIÓN:

Sigue confiadamente la dirección de tus sueños.

Marzo 2

Eres una persona dulce y cariñosa que ama los placeres sencillos de la vida. Además de ser extremadamente sensual, te encantan las vistas, los olores y los sonidos de la naturaleza, eres el más feliz cuando estás en el campo. Necesitas echar raíces para que florezca tu creatividad. Para ti cocinar es una experiencia fabulosa y presentas tus platillos como si fueran una pieza de arte. Tu fuerte es agasajar a ciertos grupos de personas y eres sensible ante sus necesidades, lo cual te hace excelente para trabajar en relaciones públicas. Tienes la capacidad de estar satisfecho, pero debes tener cuidado de no darte demasiados gustos dulces. El romance nunca está fuera de tus pensamientos, eres un amante encantador y considerado. Tu debilidad es que eres demasiado posesivo. La confianza es una lección muy importante para ti. Relájate arreglando tu jardín.

Carta del tarot: La Suma Sacerdotisa
Planetas: Venus y Neptuno
Frase: *Hay pocas cosas que parece que el mundo real no ha tocado, como un bebé dormido.* John Irving

Fortalezas: Amable, cariñoso, satisfecho.
Debilidades: Consume con desenfreno, posesivo.

NACIERON EN ESTE DÍA:
John Irving
(escritor)
Tom Wolfe
(escritor)
Jon Bon Jovi
(cantante, compositor de Bon Jovi)
Daniel Craig
(actor)
Chris Martin
(cantante, compositor de Cold Play)
Lou Reed
(cantante, compositor y músico de The Velvet Underground)

MEDITACIÓN:

Si en el primer intento no lo logras, inténtalo una y otra vez.

12 ♓

Alexander Graham Bell
(inventor y científico)
Alfred Bruneau
(músico y compositor)
Alexandre Decamps
(artista)
Perry Ellis
(diseñador de modas)
Jean Harlow
(actriz)
Ronan Keating
(cantante de Boyzone)

MEDITACIÓN:

El poder de la imaginación nos hace infinitos.

Marzo 3

Eres una persona curiosa, muy elocuente, con un aire infantil. Estás completamente conectado a tu mundo interior de sueños, las ideas llegan a ti en un instante y no puedes evitar compartirlas con los demás. Eres un comunicador y cineasta nato; te atraen la televisión y el Internet, en particular por su rapidez. Tu sentido del humor es agradable y ligero, eres fantasioso y casi mágico en tu energía. Los niños te adoran, pues sienten que sigues siendo un niño de corazón. En las relaciones necesitas mucho espacio y variedad, no soportas sentir que te limitan. Tu inquietud puede provocar que seas inconstante. Sin embargo, a veces dependes de que tu pareja te dé la estabilidad que necesitas. Una forma excelente de expresar tu individualidad es practicando un estilo libre de baile.

Carta del tarot: La Emperatriz
Planetas: Mercurio y Neptuno
Frase: *Antes que cualquier otra cosa, la preparación es la clave del éxito.* Alexander Graham Bell

Fortalezas: Idealista, expresivo.
Debilidades: Caprichoso, dependiente.

Joan Greenwood
(actriz)
Patrick Moore
(astrónomo)
Paula Prentiss
(actriz)
Theodor Seuss
(artista, caricaturista y escritor)
Antonio Vivaldi
(compositor)
Bobby Womack
(cantante, compositor y músico)

MEDITACIÓN:

El desencanto es la fuente de todo problema.

Marzo 4

Eres una persona versátil y sensible con una gran imaginación. Tienes dones artísticos, tu capacidad de llegar a los sentimientos más profundos de la gente puede convertirte en un artista reconocido y querido. Tu fuerte es fotografiar o pintar francamente a la gente, pues eres capaz de captar las emociones de manera brillante. Además eres silencioso y discreto, así que la gente no nota tu presencia y rara vez la incomodas. Tienes el corazón a flor de piel, puedes ser temperamental y demasiado emocional, rayando en el drama. Tu reto es superarlo y la solución perfecta es canalizar tus sentimientos hacia un proyecto artístico. Cuando te enamoras, te comprometes de corazón, pues anhelas formar una familia y sueles casarte a temprana edad. Estar con tus seres queridos te cambia para bien y es cuando sale a flote tu sentido del humor estrambótico.

Carta del tarot: El Emperador
Planetas: La Luna y Neptuno
Frase: *No llores porque se terminó, sonríe porque sucedió.* Theodor Seuss

Fortalezas: Creativo, prudente.
Debilidades: Demasiado dramático, temperamental.

Marzo 5

Eres una persona elocuente y apasionada con una vena dramática. Eres cálido y amigable, ofreces ánimo e inspiración a todas las personas. Necesitas que te respeten y que te admiren, así que buscas una posición de liderazgo en cualquier campo al que te dediques. Tu talento como músico, actor o en los negocios es espectacular. Para ti es natural tomar la posición de líder, aunque te importa lo que la gente piense de ti y necesitas un refuerzo constante. De vez en cuando, te gana la irritabilidad y te compadeces de ti mismo, lo cual hace que te alejes. Eres propenso a hacer una escena dramática sólo para que la gente te ponga atención. Tienes una imaginación vívida y amas la fantasía, adoras estar enamorado y expresar totalmente tus sentimientos como el amante más romántico y tierno. Ver un atardecer toca tu esencia y te reconecta con tu fuente.

Carta del tarot: El Hierofante
Planetas: El Sol y Neptuno
Frase: *Cuando renuncié a la escuela me sentí lleno de angustia… la canalicé toda hacia la comedia.* Matt Lucas

Fortalezas: Animador, expresivo.
Debilidades: Volátil y, algunas veces, hermético.

MEDITACIÓN:

Procura corregir en ti mismo lo que te desagrada de otra persona.

Marzo 6

Eres una persona adaptable y juiciosa, con una naturaleza suave y tímida. Tienes talento artístico, tu vívida imaginación desempeña un importante papel en la profesión que elijas. Tu música y tu poesía transportan a los demás a un estado de trascendencia. Tienes "ojo" para las cosas, haces caso a tu intuición y eres muy cuidadoso con los detalles. Estas características te hacen exitoso en los negocios y tienes un extraño talento natural para saber cuándo arriesgarte. Sin embargo sueñas despierto y algunas veces quieres escapar, de manera que puedes sentirte atraído por las adicciones. Conforme te vuelves exitoso en lo material, te vuelves filántropo y das generosamente tu tiempo y tu dinero para ayudar a los demás. En las relaciones necesitas una pareja que esté al parejo de tus intereses cambiantes. Eres un poco suave y necesitas sentir que se preocupan por ti.

Carta del tarot: Los Enamorados
Planetas: Mercurio y Neptuno
Frase: *Si deseas tener fe, entonces tienes fe suficiente.* Elizabeth Barrett Browning

Fortalezas: Intuitivo, filantrópico.
Debilidades: Romántico, obsesivo.

MEDITACIÓN:

La imaginación es el ojo del alma.

Marzo 7

Eres una persona cortés y amable con una característica etérea y fascinante. Te encantan el glamur y la belleza, te sientes atraído por el mundo del arte, de la fotografía y del teatro. Con tu toque delicado y gusto elegante, te sientes como en casa dentro del negocio de la moda. Cualquiera que sea tu profesión debe ser estéticamente agradable, pues aborreces la fealdad. Gracias a tu estilo distinguido y a tu encanto, eres el anfitrión perfecto, haces que todos se sientan a gusto. Tu debilidad es que eres indeciso, pues quieres agradar a la gente y que todos se sientan felices. En tu relación personal estás enamorado del amor y no soportas estar solo, de manera que puedes aferrarte a una mala relación. El romance es tu parte vital, así que una cena íntima a la luz de las velas, seguida de un baile, alimenta tu alma.

MEDITACIÓN:

Sonríe, una sonrisa marca toda la diferencia.

Carta del tarot: El Carro
Planetas: Venus y Neptuno
Frase: *El mal clima no existe, sólo existe la vestimenta inapropiada.* Ranulph Fiennes

Fortalezas: Complaciente, honorable.
Debilidades: Indeciso, quiere agradar a la gente.

Marzo 8

Eres una persona extraordinaria, con una fuerza pacífica y poderosa y un modo cautivador. No eres superficial, eres muy intuitivo y emocionalmente valiente, eres una persona que no retrocede al enfrentarse a las situaciones más difíciles de la vida. Debido a tu mente intelectual y analítica, te sientes fascinado explorando la reencarnación, las antiguas tradiciones sabias y la metafísica. Otras opciones más tradicionales de profesión son las matemáticas, la computación y la política. Tienes la debilidad de sospechar demasiado acerca de los motivos de la gente. En las relaciones necesitas recibir mucho amor y eres vulnerable. Esto trae como consecuencia que seas muy celoso y posesivo. Con la madurez y el paso del tiempo, te relajas y llegas a confiar en tu pareja. Necesitas emoción y pasión; el escape perfecto de la realidad es ir a la ópera o ver una película de misterio.

MEDITACIÓN:

Cada día es una creación absolutamente nueva.

Carta del tarot: La Fuerza
Planetas: Plutón y Neptuno
Frase: *Observo la vida y no estoy posponiendo nada.* Lynn Redgrave

Fortalezas: Espiritualmente comprometido, valiente.
Debilidades: Desconfiado, posesivo.

Marzo 9

Eres una persona exuberante y generosa que siempre está buscando una nueva aventura. Te encanta viajar e intentas expandir tu mente constantemente por medio de libros, películas o Internet. La vida de explorador o filósofo definitivamente es para ti. Sin embargo, no te satisface seguir una sola cosa, te falta concentración y puedes sentirte abrumado por todos tus proyectos y al final tienes pocos logros. Tu inocencia es cautivadora y haces reír a la gente, por ello todos quieren ser tus amigos. Las personas se sienten asombradas, por tu optimismo y tu punto de vista positivo. En el amor eres cariñoso y disfrutas de la compañía, pero te entran las ansias de viajar y sólo puedes ser feliz con alguien que comprenda tu necesidad de libertad. Disfrutas hacer largas caminatas, en especial si son a lo largo de la costa o de ríos.

Carta del tarot: El Ermitaño
Planetas: Júpiter y Neptuno
Frase: *Podría seguir viajando en el espacio por siempre.* Yuri Gagarin

Fortalezas: Investigador, aventurero.
Debilidades: Distraído, inquieto.

NACIERON EN ESTE DÍA:
Howard Aiken
(pionero de la computación)
Juliette Binoche
(actriz)
John Cale
(cantante, compositor y músico de Velvet Underground)
Bobby Fischer
(jugador de ajedrez)
Yuri Gagarin
(astronauta)
Keely Smith
(cantante)

MEDITACIÓN:

Para convertirte en campeón debes pelear un round *más.*

Marzo 10

Eres una persona cautelosa y caritativa con una amabilidad genuina. Tienes un profundo sentido del deber y tu punto de vista es tradicional, posees valores antiguos. Tu percepción es astuta y eres compasivo, además de que eres consciente de las emociones de la gente, serías un gran psicólogo o consejero. Sin embargo, debido a tu deseo de ayudar, tiendes a cargar los problemas de los demás, lo cual puede agotarte. Sueles preocuparte y ser pesimista, de manera que es vital que encuentres un camino espiritual o religioso para tu bienestar a largo plazo. En las relaciones, te deleitas en la intimidad, pero también deseas seguridad, te tomas tu tiempo en la búsqueda de una pareja que pueda dártela. Amas a tu familia, aunque eres autosuficiente. El patinaje sobre hielo se hizo para ti, pues mezcla romance y disciplina, ¡perfecto!

Carta del tarot: La Rueda de la Fortuna
Planetas: Saturno y Neptuno
Frase: *Desde que era una niña pequeña supe lo que quería hacer.* Sharon Stone

Fortalezas: Considerado, perceptivo.
Debilidades: Derrotista, irritable.

NACIERON EN ESTE DÍA:
Jeff Ament
(bajista de Pearl Jam)
Bix Beiderbecke
(pianista de jazz y compositor)
Príncipe Eduardo
(realeza británica)
Rick Rubin
(cofundador de discos Def Jam)
Sharon Stone
(actriz y productora de cine)
Timbaland
(rapero y productor de música)

MEDITACIÓN:

Arrepentirse por el tiempo desperdiciado es un desperdicio de tiempo.

12 ♓

NACIERON EN ESTE DÍA:
Douglas Adams
(escritor)
Thora Birch
(actriz)
Alex Kingston
(actriz)
Johnny Knoxville
(personalidad de televisión)
Rupert Murdoch
(empresario)
Harold Wilson
(primer ministro británico)

MEDITACIÓN:

El enojo siempre tiene una razón, pero casi nunca es una buena razón.

Marzo 11

Eres una persona brillantemente ingeniosa, que por lo general está adelantada a su época. No temes experimentar y tienes ideas excéntricas y originales. Como cuentista nadie te iguala, sabes transportar a la gente a una aventura mágica y misteriosa. El maravilloso mundo de la ciencia ficción es tu especialidad. Eres científico y artista, eres capaz de utilizar ambos lados de tu cerebro, lo cual es una rara combinación. Eres muy sociable y tienes un amplio círculo de amigos, donde algunos de ellos son excéntricos y raros. En tus relaciones románticas eres leal y devoto, necesitas tener una fuerte conexión intelectual. Sin embargo necesitas pasar tiempo solo, por lo que pareces emocionalmente frío y distante. Disfrutas los espectáculos de comedia sátira como una forma de relajarte totalmente.

Carta del tarot: La Justicia
Planetas: Urano y Neptuno
Frase: *Soy una persona optimista que siempre trae consigo un impermeable.* Harold Wilson

Fortalezas: Vanguardista, imaginativo.
Debilidades: Reservado, distante.

NACIERON EN ESTE DÍA:
Pete Doherty
(cantante, compositor y guitarrista de Babyshambles)
Sammy "The Bull" Gravano
(gángster estadunidense)
Steve Harris
(bajista de Iron Maiden)
Jack Kerouac
(escritor)
Liza Minnelli
(actriz y cantante)
Googie Withers
(actriz)

MEDITACIÓN:

La belleza existe en todos lados, pero no todos pueden verla.

Marzo 12

Eres una persona ingenua, impresionable y muy altruista. Eres tan sensible como si tuvieras los sentimientos a flor de piel, así que debes desarrollar un escudo protector a tu alrededor. Tienes un lado huidizo y místico, que es muy difícil de determinar. A medida que creces, te es más fácil entrar en contacto y aprovechar tus grandes dones psíquicos y artísticos. Ayudar a los demás se te da fácilmente, eres quien se ofrece como voluntario para manejar un refugio de gente que no tiene dónde vivir o de animales callejeros. En las relaciones puedes verte atrapado en la fantasía y sufrir por un amor no correspondido. Necesitas a una persona que tenga los pies en la tierra. La ópera se inventó para ti —es una salida memorable cuyo efecto durará mucho tiempo.

Carta del tarot: El Colgado
Planetas: Neptuno y Neptuno
Frase: *Si la moderación es una falta, entonces la indiferencia es un crimen.* Jack Kerouac

Fortalezas: De gran corazón, talentoso.
Debilidades: Demasiado sensible, indeciso.

Marzo 13

Eres una persona compasiva y amable, un romántico de nacimiento. Tienes una cualidad enigmática que es atrayente. Estás completamente consciente de tus sentimientos; algunas veces te subes a la montaña rusa emocional y pronto aprendes a protegerte de las condiciones adversas. Posees una excelente memoria y el don de saber escuchar, lo cual te hace un escritor creativo, poeta o lírico. Eres confiable y sabes guardar secretos, características del mejor amigo ideal. Gracias a tu inclinación marcadamente teatral también serías un excelente diseñador de escenarios. En las relaciones necesitas tener cuidado de no ponerte de tapete, pues te entregas a los demás y tiendes a descuidar tus propias necesidades. Tiendes a contagiarte de cualquier infección que ande cerca, es necesario que fortalezcas tu sistema inmunológico y que te desintoxiques con regularidad.

Carta del tarot: El Emperador
Planetas: La Luna y Neptuno
Frase: *Nunca te arrepientas del ayer. La vida está en el hoy y tú fabricas tu mañana.* L. Ron Hubbard

Fortalezas: Buen escucha, confiable.
Debilidades: Emocionalmente inestable, descuida las emociones de los demás.

NACIERON EN ESTE DÍA:
Adam Clayton
(bajista de U2)
L. Ron Hubbard
(escritor de ciencia ficción y fundador de la cienciología)
William H. Macy
(actor)
Marthe Robin
(mística)
George Seferis
(escritor y ganador del Premio Nobel)
Hugo Wolf
(compositor)

MEDITACIÓN:

La esperanza es la mejor música para el dolor.

Marzo 14

Eres una persona con un carisma natural. Eres un gran actor, irradias confianza y encanto, das vida a todo lo que tocas. Nadie puede cuestionar los grandes dones de creatividad y liderazgo que posees. Sin embargo, por debajo se encuentra una persona tímida y pensativa; las dudas de ti mismo te atormentan. Estos estados de ánimo se presentan de repente, para disgusto de tus seres queridos y de tus amigos. Tu corazón es suave y generoso, eres el indicado para trabajar en el sector público, en una posición de liderazgo. El escenario también te seduce, pues estar bajo los reflectores es tu hábitat natural. Las relaciones son tu vida y aprecias cualquier tipo de emoción, de manera que las desilusiones amorosas, los rompimientos dramáticos y la pasión hacen que te sientas vivo. Las saunas calientes hacen juego con tu temperamento, al igual que las vacaciones en playas tropicales de diferentes lugares del mundo.

Carta del tarot: El Hierofante
Planetas: El Sol y Neptuno
Frase: *Sé como un pato. Tranquilo en la superficie, pero siempre pataleando, como los demonios que se encuentran bajo la superficie.* Michael Caine

Fortalezas: Magnetismo, asertivo.
Debilidades: Abatido, románticamente vulnerable.

NACIERON EN ESTE DÍA:
Jamie Bell
(actor)
Sir Michael Caine
(actor)
Billy Criystal
(actor)
Albert Einstein
(físico)
Quincy Jones
(compositor)
Hank Ketcham
(caricaturista)

MEDITACIÓN:

La sonrisa es una curva que pone todo derecho.

12

Marzo 15

NACIERON EN ESTE DÍA:
Andrew Jackson
(presidente de Estados Unidos)
Fabio Lanzoni
(modelo)
Mike Love
(músico de The Beach Boys)
Eva Longoria Parker
(actriz)
Lynda La Plante
(escritora)
Lawrence Tierney
(actor)

Eres una persona sentimental y cariñosa con un toque sanador. Es probable que experimentes con el *reiki*, el masaje y el *shiatsu* como posibles profesiones. Tienes el raro don de mezclar ideas sagaces con soluciones prácticas y eficaces. Tienes un fuerte deseo de servir a los demás y eres la persona ideal para trabajar como voluntario en el extranjero. Algunas veces, te sientes irritable y nervioso, esperando que todo salga perfecto. Esto afecta a tu sistema digestivo, así que una desintoxicación ocasional te haría muy bien. Es muy bueno que pases por alto los pequeños detalles y que trabajes como miembro de un equipo. En las relaciones puedes confundir a tu pareja, pues en un momento divagas y al siguiente eres eficiente y pones atención. La solución a tu problema es tu sentido del humor y tu capacidad de reírte de ti mismo.

MEDITACIÓN:

Las grandes mentes se alzan de entre la adversidad.

Carta del tarot: El Diablo
Planetas: Mercurio y Neptuno
Frase: *Todo hombre que se precie de serlo, se mantiene firme en lo que cree.* Andrew Jackson

Fortalezas: Poderes reconstituyentes, cálido.
Debilidades: Irritable, perfeccionista.

Marzo 16

NACIERON EN ESTE DÍA:
Bernardo Bertolucci
(director de cine)
Rosa Bonheur
(artista)
Michael Bruce
(músico)
Robert Scott Irvine
(artista)
Jerry Lewis
(comediante)
James Madison
(presidente de Estados Unidos)

Eres una persona artística y afable, inspirada por el amor a la verdad. Posees el alma de un poeta o místico, tu naturaleza es empática y agradable. La gente adora estar contigo, pues creas un universo mítico que, por lo general, sólo se ve en las películas. Podrías ser director o escritor de una historia épica de amor y tu vida es un gran romance. Te encanta organizar fiestas de coctel e invitar a un grupo ingenioso y fascinante, en especial del mundo del arte y la literatura. Estar enamorado es muy importante, puedes volverte dependiente de tu pareja y evitar cualquier forma de confrontación, pues temes que te rechacen. Tus emociones te abruman, lo que hace que seas vulnerable a padecer resfriados y gripa. Necesitas fortalecer tu sistema inmunológico con vitaminas y usar remedios florales te ayuda a evitar que te agotes.

MEDITACIÓN:

Es inútil temer a lo que no puedes evitar.

Carta del tarot: El Carro
Planetas: Venus y Neptuno
Frase: *La mayoría de los niños son castigados por hacer lo mismo que yo, y a mí me pagan por hacerlo.* Jerry Lewis

Fortalezas: Comprensivo, místico.
Debilidades: Dependiente, teme al rechazo.

Marzo 17

Eres una persona compasiva y sensible que detecta a quienes están en problemas para ayudarlos. Como sanador nato, tu mente se enfoca en cuestiones profundas y te atrae estudiar psicología, medicina y técnicas como la hipnosis. Tu motivación es entender los grandes misterios de la vida y la muerte. Eres perspicaz y dedicado, eres exitoso una vez que tu mente encuentra un buen empleo. Cuando estás cansado te pones irritable y mordaz, en especial con la gente que subestima tu inteligencia —no soportas a los tontos—. Las relaciones son el centro de tu vida y eres cien por ciento leal a quienes amas. Los sentimientos te rebasan y necesitas tener una pareja que apoye tu naturaleza emocional, que te nutra y te conecte con la tierra. Una forma de equilibrarte y restaurar tu centro es nadar o practicar yoga todos los días.

Carta del tarot: La Estrella
Planetas: Plutón y Neptuno
Frase: *Quizá, a través de mi música esté ayudando a llevar armonía entre los pueblos.* Nat King Cole

Fortalezas: Receptivo e intuitivo.
Debilidades: Malhumorado, cortante.

NACIERON EN ESTE DÍA:
Nat King Cole
(cantante, compositor y pianista)
Lesley-Anne Down
(actriz)
Kate Greenaway
(escritora e ilustradora)
James Irwin
(astronauta)
Rob Lowe
(actor)
Rudolf Nureyev
(bailarín de *ballet*)

MEDITACIÓN:

*Si quieres tiempo,
debes dártelo.*

Marzo 18

Eres una persona benevolente y amable, con una gran imaginación. Tienes un fuerte sentido de integridad moral y eres muy espiritual, siempre piensas lo mejor de las personas. Tu corazón es tierno y eres ingenuo, pueden engañarte con una historia falsa, de manera que la gente puede defraudarte con facilidad. Desde el punto de vista profesional eres creativo y muy versátil, por lo que tienes muchas opciones abiertas. Puede ser difícil elegir una sola profesión, es necesario que sientas que esa profesión tiene un significado y que ayude a mejorar la vida de las personas. En las relaciones necesitas a alguien que sea tu igual intelectual y que estimule tu fértil imaginación. También necesitas tiempo para hacer tus cosas. Más que unas vacaciones comunes prefieres la aventura —un viaje a través del desierto montado en un camello te atrae más que un *resort* de playa.

Carta del tarot: La Luna
Planetas: Júpiter y Neptuno
Frase: *En la guerra… no hay ganadores, todos pierden.* Neville Chamberlain

Fortalezas: Imaginativo, generoso.
Debilidades: Muy confiado, fácilmente engañado.

NACIERON EN ESTE DÍA:
Luc Besson
(escritor y director)
Neville Chamberlain
(primer ministro británico)
Rudolf Diesel
(inventor del motor diesel)
Robert Donat
(actor)
Queen Latifah
(cantante y actriz)
Vanessa Williams
(actriz, modelo y cantante)

MEDITACIÓN:

*Las dificultades
fortalecen la mente.*

12 ♓

NACIERON EN ESTE DÍA:
Ursula Andress
(actriz)
Sir Richard Burton
(explorador)
Glenn Close
(actriz)
Wyatt Earp
(alguacil estadunidense)
David Livingstone
(explorador)
Bruce Willis
(actor)

MEDITACIÓN:

*Para un corazón dispuesto,
nada es imposible.*

Marzo 19

Eres una persona empática y servicial, con una fuerte integridad moral y una preocupación genuina por los demás. Eres serio y reflexivo, tu comportamiento es tranquilo y por dentro tienes un centro de fortaleza. Tienes habilidad para los negocios y eres capaz de manejar grandes grupos, pues eres sensible ante los sentimientos de los demás. Esta capacidad te mantiene en contacto con el sentir público, te iría bien en la industria de la moda o del cine. Sin embargo, si no aprecian constantemente tus esfuerzos, te vuelves defensivo y crítico para esconder tu falta de confianza. En las relaciones eres romántico y cariñoso, una vez que te comprometes, tu palabra se vuelve ley. Necesitas relajarte y el *ballet* es el mundo de fantasía que te parece encantador.

Carta del tarot: El Sol	**Fortalezas:** Sensible, benevolente.
Planetas: Saturno y Neptuno	**Debilidades:** Demasiado cauteloso, tímido.
Frase: *Estoy preparado para ir a cualquier lugar, siempre y cuando sea hacia adelante.* David Livingstone	

NACIERON EN ESTE DÍA:
Holly Hunter
(actriz y productora)
William Hurt
(actor)
Henrik Ibsen
(dramaturgo)
Spike Lee
(director)
Vera Lynn
(actriz y cantante)
Michael Redgrave
(actor, director y escritor)

MEDITACIÓN:

*Nunca desperdicies la
oportunidad de decir una
palabra amable.*

Marzo 20

Eres una persona expresiva y cariñosa, con un gran deseo de expresarse creativamente. Tienes un toque suave y amable, todo lo que haces está lleno de belleza y gracia. Ya sea como terapeuta de masajes, diseñador de jardines o carpintero, disfrutas de la participación activa en tu trabajo y de estar en contacto con la gente. Disfrutas la vida y crees que hay que vivirla a cada momento —en verdad sabes cómo relajarte—. Eres subjetivo y tiendes a ser demasiado emocional, respondes de manera intuitiva ante cada situación. Ser lógico no es lo tuyo. Algunas veces eres tan cambiante que logras distraer a los demás. Estar enamorado es la felicidad, floreces porque emergen tus mejores cualidades. Te sientes feliz, vagando solo y es importante que se lo hagas saber a los demás.

Carta del tarot: El juicio	**Fortalezas:** Comunicativo, profundamente perceptivo.
Planetas: Venus y Neptuno	**Debilidades:** Mal genio, caprichoso.
Frase: *Cientos de palabras no dejan una impresión tan profunda como una sola hazaña.* Henrik Ibsen	

Títulos de esta colección

Impreso en el mes de Julio de 2012
en los Talleres de Impresos Vacha, S.A. de C.V.
Juan Hernández y Dávalos Núm. 47, Col. Algarín,
México, D.F., CP 06880, Del. Cuauhtémoc.
Tels.: 5440 7244   5440 7375